D0255485

COLLECTION « BEST-SELLERS »

DU MÊME AUTEUR

Les Dames de Hollywood, Presses de la Cité, 1985.
Le Grand Boss, Presses de la Cité, 1986.
Lucky, Presses de la Cité, 1987.
Rock Star, Presses de la Cité, 1989.
Les Amants de Beverly Hills, Presses de la Cité, 1990.
Lady Boss, Fixot, 1991.
Ne dis jamais jamais, Robert Laffont, 1994.
Les Enfants oubliés, Fixot, 1996.
Vendetta, Robert Laffont, 1998.
Frissons, Robert Laffont, 1999.
Hollywood Connections, Robert Laffont, 2000.
Fatal Kiss, Robert Laffont, 2001.

JACKIE COLLINS

RENDEZ-VOUS À LAS VEGAS

roman

traduit de l'américain par Jérôme Harraps

ROBERT LAFFONT

Titre original : LETHAL SEDUCTION

ISBN 2-221-09538-3
(édition originale : ISBN 0-7432-0853-6, Simon & Schuster UK Ltd, Londres)

LIVRE UN

Manhattan

1.

— Dis, raconte-moi la meilleure baise de ta vie...

— Jamie !

Madison coula un regard gêné vers la table voisine, mais le couple qui déjeunait là n'avait rien entendu.

— Tu sais bien, insista Jamie en écartant de son front une mèche de fins cheveux blonds. Le sexe style « je grimpe au rideau », « j'explose », « je monte au ciel », « je me pulvérise », le sexe carrément sans limites. Avec un mec que tu ne reverras jamais mais avec qui tu peux faire n'importe quoi – je dis bien n'importe quoi...

— Ma foi...

— Allons, s'énerva Jamie, s'il te plaît.

— Mmm..., murmura Madison en se creusant la mémoire – elle avait compris que Jamie n'abandonnerait pas la partie.

Après un silence, elle avoua :

— Miami. En vacances avec mon père. J'avais seize ans et le type au moins quarante-cinq. Le vieux beau avec la panoplie complète : Porsche, jardin suspendu, vidéos porno...

— Des vidéos porno ? reprit Jamie en écarquillant ses superbes yeux aigue-marine. Plutôt ringard. Pas très érotique, ça !

— Oh si ! Crois-moi. Un *water-bed* démesuré, couvert de pétales de roses. Du champagne où flottaient joliment des quartiers de pêche. Une huile pour le corps très raffinée, aphrodisiaque... Et surtout... une langue ! Un virtuose...

— Ah, je vois, cette fameuse langue de virtuose. Ça marche toujours.

Pour le coup, Madison réagit.

— Mais qu'est-ce qui te prend de parler de cul, aujourd'hui ? Tu es mariée, non ? Et si j'en crois ce qu'on raconte, dans le mariage, la bonne baise n'est plus qu'un vague souvenir.

— Merci !

Jamie se redressa, vexée. À vingt-neuf ans, d'une beauté craquante de blonde aristocratique, avec quelque chose de Grace Kelly ou de Gwyneth Paltrow, la jeune femme n'avait rien d'une épouse qui a renoncé au plaisir.

— Je plaisante, la rassura Madison.

Elle s'amusait, mais quelque chose lui soufflait qu'un orage menaçait le couple apparemment parfait que formaient son amie de collège et Peter, son mari banquier.

— Que se passe-t-il ? ajouta-t-elle en se penchant vers son amie. Raconte-moi.

— Eh bien, répondit Jamie en se mordillant la lèvre, hier soir, dans un dîner, il a justement été question de ça.

— De quoi ?

— Du truc : « la meilleure baise de ta vie ». Il a fallu que tous y aillent de leur petite histoire. Moi, j'ai raconté notre première fois à Peter et à moi ; tout le monde a trouvé ça charmant, attendrissant, et patata... Mais Peter, lui, s'est refermé comme une huître. Il a marmonné qu'il ne se rappelait plus et a changé de sujet.

— Peut-être qu'il était gêné.

— Peter ? Certainement pas !

— Alors ?

— Je crois qu'il a une aventure.

— Allons donc ! Où vas-tu chercher ça ?

— Mon intuition, répliqua Jamie. Et surtout... nous n'avons pas fait l'amour depuis deux semaines.

— Deux semaines ! s'exclama Madison d'un ton moqueur. Quelle horreur !

— Tu ne comprends pas ! Peter a un sacré tempérament et pour lui c'est tous les jours, souvent davantage, même, ajouta-t-elle d'un ton rêveur.

— Fichtre, murmura Madison en songeant à l'année qui

venait de s'écouler : plus de sexe dans sa vie depuis que David, ce salaud – un producteur de télé –, l'avait plaquée ; sauf Jake Sica, le photographe rencontré quelques mois plus tôt à LA sur un reportage pour *Manhattan Style*. Le courant avait bien passé mais il n'était pas libre. Vraiment dommage. Puis il y avait eu ce mannequin, à Miami. Pas très futé mais superbe. Une longue nuit de sexe débridé avec préservatif, et puis l'inévitable question que tu te poses, au petit matin : « Mais pourquoi ai-je fait ça ? » Non, les coups d'un soir ne lui convenaient pas.

— À ton avis, gémit Jamie, que dois-je faire ? Le doute me rend folle.

— Essaie de savoir, suggéra Madison.

— Merci du conseil. Pourtant tu as toujours réponse à tout, d'habitude ?

Madison soupira. Cette réputation la suivait depuis le collège : Jamie y avait été surnommée la « Belle » et Madison le « Cerveau ». Quant à Natalie De Barge, une ravissante Noire qui complétait ce trio inséparable, elle était l'« Allumeuse ».

Voilà sept ans qu'elles avaient quitté le collège, et chacune d'elles s'était fait un nom. Jamie menait avec Peter une vie mondaine échevelée, ce qui ne l'empêchait pas de diriger une brillante agence de décoration d'intérieur à Manhattan – bien sûr, tout cela avait été facile, avec un papa très riche qui avait apporté des capitaux et un associé, Anton Couch, homosexuel génial au fabuleux carnet d'adresses.

Natalie, sans aucun piston, s'était taillé une place à la télévision : elle habitait LA et coprésentait « Célébrités », une émission de variétés à succès.

Quant à Madison, elle avait beaucoup contribué au succès de *Manhattan Style*, magazine branché pour lequel elle rédigeait des portraits de personnalités puissantes ou scandaleuses.

— Bon, voici ce que tu vas faire, annonça-t-elle, s'avisant que Jamie avait vraiment besoin d'aide. Tu vas le faire suivre.

— Oh non ! s'écria Jamie, si fort que le couple voisin se retourna. Je ne peux pas, c'est trop moche !

— Coûteux, plutôt, rectifia Madison. Mais je suis sûre que cela en vaut la peine : s'il te trompe, tu le sauras. Et sinon... Eh bien, tu auras claqué quelques dollars et la vie reprendra son cours !

— Peut-être, hésita Jamie avant de lancer résolument, quelques secondes plus tard :

— D'accord !

— C'est bien, approuva Madison. D'abord, il faut trouver le meilleur spécialiste en la matière.

— Et le plus discret, s'empressa d'ajouter Jamie. Je ne tiens pas du tout à ce que cela s'ébruite.

— Bien entendu, la rassura Madison, certaine que son rédacteur en chef, Victor Simons, saurait lui dénicher le détective privé le plus qualifié de New York.

Après le déjeuner, Madison emprunta Park Avenue pour regagner les bureaux de *Manhattan Style.* Les têtes se tournaient à son passage mais elle n'en voyait rien ; elle était concentrée sur le problème de Jamie.

Madison était magnifique : grande et mince, des seins superbes, des jambes de danseuse. Une silhouette qu'elle cherchait plutôt à dissimuler. Mais comment cacher ses yeux verts en amande, ses longs cheveux noirs de jais, ses pommettes hautes et ses lèvres pleines ? Madison était une beauté, mais elle l'ignorait – pour elle, l'idéal féminin était sa propre mère, Stella, une blonde aux yeux rêveurs et aux lèvres frémissantes façon Marilyn Monroe.

De son père, Michael Castelli, le quinquagénaire le plus séduisant du Connecticut, elle tenait le charme irrésistible et la détermination d'acier qui l'avaient beaucoup servie dans sa profession.

Madison adorait son métier, percer les secrets des hommes publics. Les politiciens et les magnats de la finance avaient sa préférence. Les stars du cinéma ou du sport, les huiles de Hollywood venaient loin derrière. Elle travaillait depuis cinq ans maintenant sous le regard vigilant de Victor Simons, qui l'avait découverte, alors qu'elle sortait tout juste de l'université, grâce à un article provocant sur les inégalités hommes-femmes publié dans *Esquire.* Il l'avait invitée à déjeuner et lui avait conseillé de se roder. Deux ans plus tard, il lui confiait une rubrique de brèves dans son magazine : « Questions-réponses ». Elle commença à réaliser de courtes interviews puis, enfin, elle eut sa chronique mensuelle : « Portraits des puissants par Madison Castelli ».

Elle avait ouvert la série avec Henry Kissinger, dont elle avait magistralement saisi l'esprit vif et acéré. Parallèlement, elle travaillait à un roman sur les relations humaines, dont la progression dépendait à présent de sa capacité à oublier la désertion de David.

Pourquoi l'avait-il plaquée ? La question l'obsédait. Avait-elle fait quelque chose de mal ? Non. Inutile de se leurrer ; elle savait pourquoi. Il n'avait pas accepté qu'elle gagne autant d'argent que lui. Tout bêtement. Il cherchait une femme qui reste à la maison et qui fasse ce que *lui* avait décidé. Il ne pouvait vivre avec un être humain autonome aux ambitions claires.

D'ailleurs, quelques semaines après son départ brutal, David avait épousé son amour d'enfance, une blonde fadasse aux seins siliconés et à la mâchoire de légionnaire romain. Dire qu'elle lui avait trouvé du goût !

Agenouillé sur la moquette, Victor Simons jouait avec un extraordinaire train électrique dont les rails serpentaient à travers l'immense bureau. Il approchait la cinquantaine, gros nounours à la tignasse hirsute, au regard de cocker et aux multiples mentons.

— Maddy ! s'exclama-t-il d'une voix de stentor. Je ne t'attendais pas aujourd'hui. Entre.

— Salut, Victor, lança-t-elle en enjambant avec précaution une locomotive rouge. En plein travail, à ce que je vois.

— Ça m'entretient, répondit-il avec un grand rire. Et comme Evelyn me l'interdit à la maison...

— Je voudrais bien savoir pourquoi, murmura Madison pour elle-même en songeant à la squelettique épouse de Victor, avec son air pincé et ses robes haute couture. J'ai un service à te demander, reprit-elle à voix haute, ou plutôt un renseignement : il me faut le nom du meilleur détective de New York.

— Et qu'est-ce qui te fait croire que je pourrais le connaître ?

— Tu sais tout. Et puis, s'empressa-t-elle d'ajouter, n'as-tu pas fait suivre ta première femme avant de divorcer ?

— D'où tiens-tu cela ? s'inquiéta-t-il en fronçant les sourcils.

— Les potins du bureau.

— J'ai horreur des commérages.

— Je m'en nourris.

— Pourquoi as-tu besoin d'un détective ?

— Pour une amie.

— Quelle amie ?

— Ça ne te regarde pas.

— Petite garce !

— Exploiteur !

Échange qui se termina dans les rires.

Madison aimait beaucoup Victor malgré sa voix tonnante et ses manières autoritaires. Quant à Victor, il l'adorait, tout simplement –, elle était *sa* découverte.

Il abandonna son passe-temps favori pour appeler sa fidèle secrétaire, Lynda. Cheveux plats et sourire terne, avec des allures de basset affligé de strabisme, celle-ci surgit aussitôt dans la pièce, auréolée de toute sa bonne volonté.

— Oui, Mr S ?

— C'est confidentiel, annonça Victor.

Lynda lança à Madison un regard mauvais comme pour dire : « Et celle-là, alors, qu'est-ce qu'elle fout ici ? »

— Trouvez-moi tout de suite le nom du type qui a filé Rebecca, dit Victor.

— Bien, Mr S.

Et elle s'éclipsa.

— Alors, tenta de nouveau Victor en se tournant vers Madison, tu ne veux toujours pas me dire de quoi il retourne ?

— Il ne s'agit pas de moi, cela devrait te suffire. D'ailleurs, ça ne t'intéresserait pas.

— Il te faut vraiment un homme, déclara Victor, comme toujours quand elle l'agaçait. Depuis quand David s'est-il tiré ?

— Ne te mêle pas de ma vie privée.

— Justement, tu n'as pas de vie privée, et tu as vingt-neuf ans.

— Va te faire foutre !

— À ton service.

Elle éclata de rire, incapable de lui en vouloir longtemps. Après tout, ça partait d'un bon sentiment qu'il cherche à la jeter dans les bras du premier célibataire venu. Pourtant, elle avait fini par refuser ses invitations à dîner : la dernière fois, elle s'était retrouvée coincée entre un astronaute blanchi sous le harnais et un jeune informaticien. Intéressants, certes, mais pas au-delà d'un dîner en ville !

La solitude ne me pèse pas, se répéta-t-elle pour la énième fois.

Allons donc, intervint une exaspérante petite voix.

Absolument pas !

Dix minutes plus tard, ayant noté le nom et le numéro de téléphone d'un certain K. Florian, elle regagnait son appartement de Lexington Avenue. Elle devait retrouver Jamie à une soirée chez Anton Couch ; là, elles aviseraient.

Et cela donnerait aussi à Madison l'occasion d'observer Peter. S'il trompait Jamie, elle s'en apercevrait. Elle avait du flair.

2.

— Qu'il crève ! hurla Rosarita Vincent Falcon, rouge de colère. Je veux le voir mort ! mort ! mort !

— Parle moins fort, grommela son père. Tu veux qu'on t'entende dans tout ce putain de quartier ?

— J'en ai rien à foutre ! hurla Rosarita. Il est à *toi,* ce putain de quartier !

— Charmante façon de s'exprimer, ricana Chas Vincent. C'est pour ce résultat que je t'ai envoyée au collège ?

— Merde pour le collège ! Merde pour les voisins ! Je veux voir crever ce putain de Dex Falcon ! surenchérit Rosarita en tapant du pied.

À vingt-six ans, Rosarita possédait en propre son mètre soixante, des cheveux roux mi-longs et un visage de fouine. De son chirurgien esthétique, elle tenait une bouche pulpeuse, un nez mutin, un menton remodelé, sans parler des plus beaux nichons de Manhattan. Elle s'adonnait volontiers à l'anorexie – non sans l'adoucir de quelques bonnes crises de boulimie. Dix-huit mois plus tôt, elle avait épousé Dexter Falcon. Pourquoi ? Parce qu'il était d'une incroyable beauté, qu'il s'étalait à demi nu sur un gigantesque panneau publicitaire dominant Times Square et qu'il était absolument fou d'elle.

Elle était persuadée qu'il deviendrait une vedette de cinéma. Mais Dexter Falcon n'était qu'un comédien en pleine galère qui posait parfois comme mannequin. Il n'avait décroché qu'un seul rôle dans un feuilleton de l'après-midi que personne ne regardait et que, pour cette raison, la chaîne allait bientôt supprimer.

Rosarita voulait reprendre sa liberté parce qu'elle avait rencontré quelqu'un. Un type avec plus d'envergure et encore mieux monté que Dexter, qui, pourtant, sur ce plan-là, n'était pas mal. Quelqu'un avec qui elle pourrait mener la grande vie.

Mais comment mener la grande vie en traînant derrière soi un raté ? Lorsqu'elle avait parlé de divorce, Dexter avait piqué une crise.

— Moi vivant, jamais.

Soit. S'il voyait les choses ainsi...

— Je te croyais follement amoureuse, dit Chas en faisant tourner les glaçons dans son verre de scotch. Je t'ai offert un putain de mariage avec tout le tralala, une putain de baraque et une bagnole de boches. Je pensais que ça te suffirait.

— Eh bien, tu te gourais, répondit Rosarita en grinçant des dents, ce n'est pas le cas. Dex est un feignasse sans avenir et je veux m'en débarrasser.

— Rien que ça, dit Chas en se demandant pourquoi il avait sur les bras une fille aussi difficile. Sa sœur cadette, Venice, était un ange ; elle avait deux gosses et un mari avec les pieds bien sur terre qui gagnait gentiment sa vie en plaçant des assurances. Pourquoi Rosarita ne lui ressemblait-elle pas ?

— Je t'avais prévenue. Ces putains de comédiens n'ont rien dans la cervelle ; en plus, ils ont souvent un penchant pour la pédale.

— Il n'est pas homo, protesta Rosarita, il est simplement con.

— Ça, grommela Chas, j'aurais pu te le dire.

— Papa ! gémit Rosarita. Puis elle changea de tactique – elle savait comment le prendre. Elle susurra :

— Je t'en prie, j'ai vraiment besoin de toi.

Chas ne savait pas résister à cette Rosarita-là. Elle lui rappelait sa chère épouse, morte en donnant le jour à Venice, le laissant seul pour élever un nouveau-né et une fillette d'un an à peine. Il ne s'en était pas mal tiré – avec l'aide, certes, d'une cohorte d'éphémères petites amies. Chas Vincent n'était pas l'homme d'une seule femme.

Rosarita tenait certainement de lui ; il ne pouvait donc pas lui en vouloir. Dexter Falcon, un connard sans couilles, ne disposait que de sa jolie gueule pour réussir dans la vie. Rosarita aurait pu se l'envoyer jusqu'à plus soif, mais non, il avait fallu qu'elle épouse ce trou du cul. Chas avait fichtrement envie de lui rappeler qu'il l'avait mise en garde, mais il se contenta de tapoter l'épaule osseuse de sa fille, qui, les joues ruisselantes de larmes, essayait de se jucher sur ses genoux.

— Qu'est-ce qu'on va faire, papa ? Je suis... si... malheureuse ! Dex est si méchant avec moi !

— Demande le divorce, suggéra Chas.

— Mais tu ne comprends donc pas ? Il refuse, gémit-elle. Ça veut dire qu'il faudra que je me plie aux magouilles des avocats, que j'aille à la pêche aux témoignages et que je subisse des tas de trucs humiliants. Il menace de demander la moitié de ce que je possède. C'est injuste, et je ne veux pas attendre, papa.

Une pause, puis une nouvelle crise de larmes.

— D'ailleurs, j'ai rencontré quelqu'un d'autre et je ne veux pas que Dex vienne tout gâcher.

— Pas un abruti d'acteur encore, j'espère.

— Non, papa. Il a de l'argent, et c'est vraiment quelqu'un.

Enfin, au grand soulagement de Chas, qui, la nuit précédente, malgré son âge, avait tenu trois rounds avec une blonde bien matelassée, Rosarita finit par abandonner les genoux de son père.

— Laisse-moi lui parler, proposa Chas. Il m'écoutera.

— Cela ne servira à rien, pleurnicha Rosarita. Ce qu'il faut, c'est le supprimer.

— Assez de conneries, s'emporta soudain son père. Je travaille dans le bâtiment, pas dans le grand banditisme.

Rosarita dévisagea alors son père froidement et lâcha d'un air entendu :

— Qu'est-il donc arrivé à ce contremaître qui ne te plaisait pas, celui qui piquait dans la caisse ? Tu te souviens ? Et Adam Rubicon, ton ex-associé, comment se fait-il qu'il ait mystérieusement disparu ? Et...

— Ferme-la, hurla Chas en se levant, congestionné. Je t'interdis de me parler comme ça. Tu m'entends ?

— Alors agis, répliqua Rosarita, parfaitement calme et sûre d'elle. Et vite.

Sans se douter de ce qui se tramait dans la maison de son beau-père, Dexter Falcon, le sourire aux lèvres, quitta le studio de télé où l'on tournait les épisodes quotidiens de « Sombres Journées ». Il s'appelait en réalité Dick Lemembre, mais, à moins d'envisager une carrière dans le porno, ce qui n'était pas dans ses projets, ni maintenant ni lorsqu'il avait débarqué de son bourg natal du Middle West, il ne pouvait conserver son nom. C'était ainsi qu'était né Dexter Falcon, quatre ans plus tôt.

Il avait alors vingt ans et était prêt à tout ; cela s'était vérifié quelques semaines après son arrivée à New York, lorsque, en faisant son jogging dans Central Park, il avait rencontré Mortimer Marcel, un styliste d'origine française.

— Vous êtes mannequin ? s'enquit Mortimer.

— Comédien, rectifia Dexter.

Il n'avait jamais mis les pieds sur les planches, il n'y avait même jamais songé. Mais le théâtre lui semblait bien plus exaltant que la plonge dans un petit restaurant de Lexington, son gagne-pain du moment.

— Je vous vois assez bien présenter ma nouvelle ligne de sous-vêtements, déclara Mortimer. Seriez-vous d'accord pour un essai ? Chez moi, ce soir, sept heures ?

Dexter, qui n'était pas naïf, avait rapidement analysé la situation : l'homosexualité de Mortimer Marcel sautait aux yeux. Sa réussite également. À lui d'en profiter.

En six mois, il était devenu le mannequin vedette de Mortimer Marcel. On le vit partout : à la télévision, sur Internet, dans les magazines, à Paris, même, où il posa pour des photos. Leurs relations étaient exclusivement professionnelles : Jefferson, l'amant de Mortimer – un superbe Noir, lui-même ancien mannequin –, y veillait jalousement. Mortimer n'avait donc jamais touché Dexter et le laissait libre de coucher avec qui il voulait. Ce dont il ne se privait pas. Une top model tous les soirs, jamais la même et toujours plus belle que la précédente.

Dexter mena à fond cette vie pendant deux ans, sans, pour autant, renoncer à son rêve : épouser une femme aimante et aimée, avoir des enfants et vivre un bonheur pareil à celui de ses parents, inséparables depuis quarante-cinq ans.

Il rencontra Rosarita chez des amis. Certes, elle n'avait pas la perfection d'un top model, mais elle paraissait douce, captivée par sa conversation, ce qui était plutôt flatteur car il n'avait pas grand-chose à raconter.

Ils commencèrent à sortir ensemble. Elle lui parla des enfants de sa sœur et lui confia son désir d'en avoir un à son tour. Plusieurs, même. Bref, elle lui sembla parée des vertus indispensables à ses yeux, si bien qu'un mois plus tard il la demanda en mariage. Six semaines encore et ils étaient mariés, ils firent l'amour pour la première fois lors de leur nuit de noces.

Peu après, Rosarita le persuada qu'il était trop intelligent pour se contenter de sa profession de mannequin. Elle lui fit rencontrer un agent théâtral, lequel l'envoya aussitôt passer des auditions. Ainsi, au cours des deux mois suivants, il faillit obtenir un rôle dans un film de Clint Eastwood, il manqua de peu d'être engagé dans un chef-d'œuvre de Martin Scorsese et il s'en fallut d'un rien qu'il ne devienne l'amant de Gwyneth Paltrow pour Miramax. Puis les auditions cessèrent ; il ne lui restait plus qu'à accepter le contrat pour « Sombres Journées », que son agent réussit enfin à lui décrocher.

— Vas-y, insista celui-ci. Ensuite, ils te courront tous après.

L'attitude de Rosarita n'avait pas tardé à changer. Elle devint acariâtre, se plaignant en particulier de ne plus pouvoir sortir le soir à cause de l'heure très matinale – cinq heures – des enregistrements quotidiens. Elle ne cessa plus alors de le harceler, pour finalement, six semaines plus tard, commencer à parler divorce.

Dexter était atterré : un divorce tuerait ses parents, et, par ailleurs, il ne trouvait rien à redire à la situation actuelle.

Aussi, après mûre réflexion, avait-il conçu un plan. Martha et Matt, ses parents, seraient son arme secrète. Rosarita ne les avait rencontrés que deux fois, au début de leur liaison puis le jour de leur mariage – une sacrée fiesta, payée heureusement par le père de Rosarita, sans oublier l'appartement à Manhattan ni la Mercedes, dont ils se servaient rarement tant il était difficile de se garer en ville.

Tout était prêt pour une visite surprise – de la chambre d'ami soigneusement préparée par la soubrette à la voiture de maître prête à les accueillir à l'aéroport. Ils arrivaient ce soir-là, ce qui expliquait le sourire heureux de Dexter.

Si Martha et Matt Lemembre ne parvenaient pas à faire entendre raison à Rosarita, *personne* n'y arriverait.

3.

Anton Couch savait recevoir. Maniaque du détail, il donnait des dîners somptueux : ce soir-là, deux tables réunissaient vingt-quatre invités connus pour leur élégance, leur talent, leur esprit ou leur fabuleuse fortune. Dès son entrée dans le grand salon rouge feu, Madison repéra le légendaire rocker Kris Phoenix, cheveux hérissés et regard bleu profond, en conversation avec le producteur de disques Clive Davis. À plus de cinquante ans, il dégageait encore un magnétisme digne de Mick Jagger, de Rod Stewart ou d'Eric Clapton. Elle se dirigeait vers lui quand elle fut arrêtée par Peter, un verre de Martini à la main et un sourire bête aux lèvres. Grand, perpétuellement bronzé, de magnifiques yeux verts et des cheveux blonds soigneusement ébouriffés, il formait avec Jamie un couple spectaculaire.

— Comment va la meilleure amie de ma femme ? demanda-t-il en lui décochant un regard vaguement lubrique.

— Très bien, merci.

Encore un Martini, et il plonge !

— Il paraît que ma merveilleuse femme et toi avez déjeuné ensemble. Vous avez parlé de moi ?

— Évidemment, répondit-elle d'un ton léger. Tu dois bien savoir que tu es notre sujet de conversation favori ?

— Je voudrais bien, murmura-t-il d'un ton mélancolique. À vrai dire, j'ai le pressentiment que Jamie ne m'aime plus.

— D'où sors-tu ça ?

— Je ne sais pas... Une impression. Enfin, si elle me flanque dehors, il ne me restera plus qu'à partir vivre avec toi.

— Pourquoi pas ? Il y a une place, avec le chien, rétorqua Madison d'un ton sec.

— Tu sais bien que j'ai toujours eu un penchant pour toi, dit-il en se rapprochant.

Mon Dieu, Peter était vraiment pénible quand il avait bu ; toujours la même vieille rengaine, dont Jamie était exclue, bien sûr.

— Excuse-moi, Peter, je dois parler à Anton.

— Maddy, je ne comprends pas, insista-t-il en la suivant. Qu'est-ce qu'une jolie femme comme toi fait toute seule ?

— C'est mon choix, Peter, lâcha-t-elle froidement.

— David a été fou de te quitter.

— Où est Jamie ? demanda-t-elle brusquement en reculant encore d'un pas.

— Elle a rencontré Kris Phoenix et elle n'est pas encore remise. Mais qu'est-ce qu'elles ont, les femmes, avec ces stars du rock ?

— Nous avons grandi en écoutant ses disques, Peter. Au collège, c'était notre idole.

— Vraiment ? Vos premiers émois sexuels et tout le tremblement ?

— Tu voudrais bien savoir.

— En fait, oui.

— Eh bien, tu t'en passeras.

Et sans se décourager, en équilibre instable sur ses pieds, il ajouta :

— Tu as déjeuné avec ma femme aujourd'hui, ce ne serait que justice que tu déjeunes avec moi demain, non ?

Elle était perplexe : l'alcool suffisait-il à expliquer les propos de Peter ? Les soupçons de Jamie à son sujet étaient-ils justifiés ?

— Et si, pour ce soir, tu t'abstenais de prendre un nouveau Martini ? suggéra-t-elle. Tu sais à quel point tu choques Jamie quand tu bois.

— Et si, toi, tu t'occupais de tes oignons ?

— J'ai vraiment besoin de parler à Anton, dit-elle, cherchant désespérément un visage de connaissance. À tout à l'heure.

— J'espère que nous serons à la même table, lui lança-t-il.

Tu parles ! Elle allait justement s'assurer que ce ne serait pas le cas.

Anton était ravi de la voir. De petite taille, le regard vif, toujours souriant, il ponctuait ses phrases de grands gestes. Le père de Jamie avait vu juste : l'association entre Couch et sa fille s'était révélée fructueuse ; chacun était largement rentré dans ses fonds.

— Savant panachage, comme d'habitude, bel échantillonnage, apprécia Madison en observant la foule des invités.

— J'essaie de réaliser des associations intéressantes, répondit Anton d'un ton modeste.

— Toujours avec succès, confirma Madison. J'aimerais bien écrire un article sur toi.

— Pas de publicité personnelle : c'est pour ça que mes clientes me font confiance. Tu n'imagines pas ce qu'elles peuvent me raconter quand je leur propose de nouvelles tentures pour les murs de leur salle à manger.

— Tel que je te connais, dit Madison en souriant, je ne serais pas surprise que tu aies planqué un micro. Tu adores les potins.

— J'avoue. Mais ma force, c'est que je ne les confie à personne – pas même à toi.

Ils se mirent à rire tous les deux.

— Sais-tu où se trouve Jamie ? demanda Madison.

— Dans la salle de bains d'ami, répondit Anton. Baissant la voix, il ajouta : Je crois que Kris Phoenix lui a fait des propositions. Elle a besoin de se remettre.

— Que faisait Peter pendant ce temps-là ?

— Il picolait, dit Anton. Tu n'as pas remarqué ?

— Je vais tâcher de le surveiller.

— S'il te plaît. Paix et harmonie sont mes deux principes de vie.

— Vraiment ? s'étonna Madison. Alors pourquoi donnes-tu chaque mois de tels dîners ?

— Il faut bien tenir son rang, protesta Anton avec un sourire espiègle. Au fait, ta mère m'a appelé.

— Ma mère ? fit-elle, surprise.

— Tu as bien une mère, non ? Tu n'as pas jailli comme ça des rues de New York, un stylo à la main.

— Bien sûr que j'ai une mère, mais pourquoi t'appellerait-elle ?

— Il s'agit bien de Stella ?

— Oui. Que voulait-elle ?

— Me consulter pour la décoration de leur nouvel appartement.

— Quel nouvel appartement ? Mes parents habitent le Connecticut. Cela fait dix ans qu'ils ont quitté New York.

— Apparemment, ils reviennent.

— Je ne comprends pas, s'étonna Madison, interloquée. Pourquoi s'adresse-t-elle à toi et pas à Jamie ? Et comment se fait-il que je ne sois pas au courant ?

— Peut-être qu'ils veulent te faire une surprise.

— Ça m'étonnerait. La seule surprise que m'ait jamais faite ma mère, c'est de m'avoir félicitée pour un article que j'avais écrit sur Eddie Murphy. Tu te rends compte ? Je fais des portraits de personnalités toutes plus fascinantes les unes que les autres et la seule qui l'ait impressionnée, c'est Eddie Murphy.

— Peut-être qu'elle les aime noirs et culottés, essaya Anton avec un petit rire.

— As-tu déjà vu mon père ? C'est le plus bel homme que je connaisse.

— Vraiment ? fit Anton, émoustillé. Quel âge a-t-il ?

— Cinquante-huit. Trop vieux pour toi. Il paraît qu'audessus de vingt-cinq ans ils n'existent plus.

— Oh, mon Dieu, gémit Anton, feignant la consternation. On n'a plus de vie privée.

— Je vais chercher Jamie, conclut Madison en riant. J'ai besoin de parler à quelqu'un d'un peu sensé.

Jamie n'était plus dans la salle de bains.

— Miss Jamie est dans la chambre de Monsieur Anton, lui annonça la gouvernante.

— Merci, dit-elle, s'interrogeant toujours sur le coup de fil de Stella. Ses parents adoraient le Connecticut, pourquoi envisageraient-ils de revenir à New York ? Surtout sans lui en avoir parlé ? Peu importe, elle aurait la réponse demain.

Assise devant la coiffeuse Art déco d'Anton, Jamie se remaquillait d'une main tremblante.

— Qu'est-ce qui t'arrive ? lui demanda Madison en s'installant sur le bord de la baignoire.

— Kris Phoenix m'invite à le retrouver à son hôtel, fit Jamie d'une voix rauque.

— Quoi ?

— Tu as entendu. Il m'a proposé de le rejoindre.

— Quand ?

— Plus tard.

— Et Peter ?

— Quoi, Peter ?

— Il est persuadé que tu ne l'aimes plus.

— Ah bon !

— Tu es complètement folle, dit Madison.

— Pourquoi ? Je sais qu'il me trompe.

— Tu ne sais rien du tout, tu n'as que des soupçons. Tu ne vas quand même pas t'enfuir au milieu de la nuit parce qu'un chanteur sur le retour t'a fait des avances. Tu t'es disputée avec Peter ?

— Non.

— Alors pourquoi agis-tu ainsi ?

— Je veux savoir si ça lui fait quelque chose.

— Mais c'est évident, ça lui fera quelque chose, répliqua Madison, exaspérée. Sinon, il ne resterait pas avec toi.

— Oh ! les raisons sont nombreuses qui poussent les gens à rester ensemble, déclama Jamie d'un ton mystérieux et quelque peu sentencieux.

— En tout cas, j'ai le numéro d'un détective privé ; tu devrais le rencontrer.

— Moi ? Tu ne pourrais pas y aller à ma place ? gémit Jamie.

— Reprends-moi si je me trompe : c'est toi, pas moi, qui prétends avoir un mari volage.

— Oui, mais tu vas m'aider, n'est-ce pas ? implora Jamie.

— Si tu insistes, soupira Madison.

Jamie avait toujours obtenu ce qu'elle voulait.

— Je n'y arriverai pas, toute seule, Maddy. Tu ne voudrais pas prendre le rendez-vous et m'accompagner ?

— D'accord, concéda Madison, regrettant de ne pas

savoir dire non. Mais seulement si tu renonces à ton histoire avec ce vieux baiseur.

— Promis, fit Jamie avec un air angélique. Mais, je te jure, si j'apprends que Peter couche ailleurs, je retrouve la trace de Kris Phoenix et je m'arrangerai pour qu'il me saute en plein milieu de Times Square.

4.

Cette nuit-là, Rosarita fit un constat sans appel : au lit, Joel était tout ce que Dex n'était pas. Un baiseur sans limites, comme elle n'en avait imaginé que dans ses fantasmes les plus fous. Pour la pénétrer aussi profondément que possible, il la forçait à nouer les jambes autour de son cou ; il lui mordait les seins jusqu'à la faire plier de douleur et de plaisir. La jouissance lui fit pousser des hurlements tels qu'il lui plaqua sur la bouche sa grosse patte velue en lui disant de la boucler.

Elle appréciait d'être dominée. Cet homme lui rappelait son père. Physiquement, il n'avait rien de Dex. Brun et trapu, très poilu, des yeux rapprochés et des lèvres charnues, il était séduisant, mais dans le style voyant.

C'était leur deuxième rendez-vous. La première fois, en sortant du vernissage où ils s'étaient rencontrés, il s'était garé dans une petite rue sombre. Il avait partagé avec elle une ampoule de coke, puis lui avait fait brutalement l'amour à l'arrière de sa Bentley grise étincelante. Tels quels, ils étaient exposés au regard des passants qui les lorgnaient de temps en temps par la vitre ouverte, ce qu'elle avait trouvé terriblement excitant.

Cette deuxième nuit, la cote de Joel monta encore. Davantage de coke. Davantage de sexe. Rien ne pouvait davantage lui plaire.

— Bon sang ! s'écria-t-elle en cherchant une cigarette. Quel pied !

Joel avait disparu dans la salle de bains. Elle tira une

nouvelle bouffée de sa cigarette et regarda sa montre : il était grand temps de rentrer chez elle – encore une soirée assommante avec Dex. Si seulement il mourait... Une fois Dex disparu de son existence, elle aurait le champ libre avec Joel. Pour le moment, celui-ci la jouait discrète, mais rien d'étonnant : il la savait indisponible.

Elle aurait donné n'importe quoi pour passer la nuit avec lui. Elle s'imagina mariée à Joel : il annonçait trente-deux ans et dirigeait plus ou moins l'énorme affaire immobilière de son père. À eux deux, dignes rejetons d'hommes riches et puissants, ils régneraient sur New York !

Mais il y avait un hic, et de taille. Ce connard de Dex. Pourquoi donc l'avait-elle épousé ? C'est vrai, elle avait prévu qu'il deviendrait une vedette de cinéma !

Elle entendit le bruit de l'eau dans la douche. Elle en profita pour inspecter le contenu du tiroir de la table de nuit. Un pistolet – excellent, au moins, il avait des couilles. Six boîtes de pastilles de menthe. Des vidéocassettes porno. Un gros paquet intact de préservatifs « extralarges ». Et une enveloppe bleu pâle sur laquelle était écrit : *Pour mon chéri.* Elle en tira aussitôt le billet plié à l'intérieur : *Mon doux bébé. Je t'aime. Je t'aimerai toujours. À la semaine prochaine. Garde ma place au chaud.* C'était signé : *Ton trésor.*

Ton trésor ! Et quoi encore ? Rosarita était hors d'elle. Joel avait une petite amie et il ne lui en avait pas parlé ?

Elle allait poursuivre ses investigations quand la douche cessa de couler. Elle s'empressa de tout remettre en ordre.

Joel revint dans la chambre, une serviette nouée autour de la taille. Ma parole, il bandait encore.

— Viens par ici, bel étranger, roucoula-t-elle en lui faisant signe d'approcher. J'ai quelque chose pour toi.

Joel n'avait pas besoin de se le faire dire deux fois.

Dexter arpentait le salon en consultant sa montre toutes les cinq minutes. Où était Rosarita ? Il avait espéré qu'elle serait rentrée avant l'arrivée de ses parents. Mais, à six heures et demie, elle n'était toujours pas là.

À contrecœur, il décrocha le téléphone pour appeler son beau-père. Ce simple geste le mit en nage. Chas Vincent lui flanquait une trouille terrible : il avait l'air d'un second rôle dans un film de gangsters.

— Bonjour, Chas, dit-il, Rosarita est là ?

— Pourquoi serait-elle ici ? grommela Chas d'un ton méfiant. Voilà deux heures qu'elle est partie.

— A-t-elle dit où elle allait ?

Sans doute acheter un flingue pour te faire sauter la cervelle, songea Chas.

— Non. Elle doit faire les magasins. Vous connaissez les femmes ! Si à minuit elle n'est pas rentrée, ajouta-t-il d'un ton jovial, appelez-moi. Je préviendrai la police.

Dexter parcourut l'appartement afin de s'assurer une dernière fois que tout était prêt pour accueillir ses parents. Il avait lui-même choisi douze roses rouges parfaites, les préférées de sa mère. Il en avait acheté aussi pour Rosarita, des blanches, qu'il comptait lui offrir plus tard, quand ils seraient seuls.

Ce soir, ce serait un grand moment. Il en était absolument certain.

— Merde ! râla Rosarita : elle venait de faire un accroc à ses collants en montant dans le taxi.

— On va où, ma petite dame ? demanda le chauffeur, sans même prendre la peine de se retourner.

— Il y a un bout de ferraille qui dépasse de votre portière, protesta-t-elle. Vous feriez mieux d'arranger ça.

— Où va-t-on ? répéta-t-il en faisant craquer ses jointures.

Elle se pencha pour regarder sa carte. Moussaf Kiridarian. Encore un étranger. Inutile de discuter. Chas rêvait de les aligner tous contre un mur pour les fusiller – il avait parfois des côtés un peu extrémistes. Qui donc, alors, conduirait les taxis et les trains ? Viderait les poubelles ? Tiendrait les magasins de photos ?

— Soixante et unième, Park, dit-elle sèchement. Ne traînez pas. Je suis pressée.

Le taxi démarra si brutalement qu'elle faillit tomber de la banquette. Marmonnant un juron, elle chercha une cigarette dans son sac. Elle allait l'allumer quand Moussaf l'aperçut dans le rétroviseur et annonça sévèrement :

— On ne fume pas. Vous avez vu le panneau ?

— Merde, murmura-t-elle en remettant sa cigarette dans le paquet.

Quel règlement stupide ! Comment un minable chauffeur de taxi pouvait-il lui donner des ordres ?

En s'y prenant bien, elle obtiendrait peut-être de Chas qu'il lui offre une voiture avec chauffeur comme cadeau de Noël ou d'anniversaire. Il pouvait se le permettre et elle ne voyait pas au nom de quoi elle devait se trimballer dans un taxi crasseux conduit par un sale étranger qui lui interdisait de fumer. Bien sûr, Chas lui rappellerait la Mercedes qu'il lui avait offerte. Mais il savait bien que se garer dans Manhattan relevait de l'exploit.

Là-dessus, ses pensées revinrent à Joel. Quel type ! Quand même, il avait vraiment fait la gueule quand elle lui avait enfoncé les dents dans le cou, assez fort pour que la pétasse prête à lui mettre le grappin dessus ne puisse l'ignorer : il était allé jouer ailleurs.

— Putain, avait-il crié en se frictionnant le cou, qu'est-ce que tu m'as fait ?

— Pardon, avait-elle murmuré d'un ton innocent. Tu m'excites tellement : je n'ai pas pu m'en empêcher.

Maintenant, dans le taxi, elle essayait d'imaginer ce que le cher trésor penserait en voyant le cou de son petit ami. Enfin, ex-petit ami, car Rosarita avait des projets pour Joel.

— Quand pouvons-nous nous revoir ? avait-elle demandé avant de quitter son appartement.

— Tu es mariée, non ? avait-il rappelé d'un ton bougon.

— Depuis quand est-ce que ça change quelque chose ?

Joel avait ri grassement.

— De temps en temps, je donne des matinées au bureau. Tu sais, la porte fermée, les stores tirés, à cause des immeubles autour. Ça te branche ?

— Quand ? avait-elle demandé aussitôt.

— Appelle-moi dans deux jours. On arrangera ça.

Elle ne pouvait pas lui proposer de la joindre ; elle ne voulait pas courir le risque que Dex intercepte un message de Joel.

— Tu sais que je compte divorcer ? avait-elle annoncé.

— Tu as prévenu ton joli cœur ?

— Pas encore, mais je vais le faire. Mon père s'en occupe.

— Comment ça ?

— Il s'assure que Dex ne me fera pas d'ennuis.

— Toi, reconnut-il en la jaugeant d'un regard admiratif, tu es une sacrée bonne femme.

— Je suis tout à fait d'accord, avait-elle répondu avec un sourire entendu.

Puis elle lui avait donné un long baiser qu'il ne serait pas près d'oublier.

À présent, il lui fallait retrouver son abruti de mari, qui l'accueillerait inévitablement avec un truc du genre : « Devine ce qui s'est passé aujourd'hui sur le plateau ? » Comme si ça pouvait intéresser quelqu'un ! Pas elle, en tout cas.

Dex n'avait pas compris qu'elle voulait vraiment divorcer ; ce soir elle lui mettrait les points sur les « i ». Il valait mieux pour lui qu'il pige vite, sinon, le « joli cœur » serait vite refroidi – avec ou sans papa.

5.

— Il faut que je vous dise...

— Oui ? fit Madison, qui ne s'intéressait absolument pas à ce que lui susurrait son voisin de table.

— Vous avez des lèvres d'un sexy...

— Vraiment, répliqua-t-elle. C'est drôle, j'allais vous dire la même chose.

Son voisin la dévisagea sans un mot, perplexe.

— Ce que j'aime chez vous, reprit-elle, c'est votre esprit de repartie.

Elle était assise à la gauche de Joel Blaine, play-boy et fils de Leon Blaine, le milliardaire de l'immobilier. Leon était un homme remarquable, mais pas Joel. Celui-ci se contentait de croire que le statut de son père obligeait la terre entière à lui lécher les bottes.

— Qu'est-ce qui vous est arrivé ? demanda-t-elle en regardant avec insistance le suçon rouge et gonflé. Une amoureuse... emballée ?

Joel lui lança un regard noir. Cette garce de Rosarita. C'était une femme comme Madison qui lui conviendrait : élégante, ravissante, de la classe.

— Si mes lèvres vous plaisent, on pourrait sortir tous les deux un de ces soirs, proposa-t-il avec un clin d'œil encourageant. Vous et moi, on pourrait faire des choses, vous savez.

— Vous et moi, ça m'étonnerait, fit-elle avec un rire moqueur.

Vexé, Blaine se détourna. Madison était intriguée ;

pourquoi Joel était-il là, d'ailleurs ? Il n'avait rien des invités habituels d'Anton.

Elle se tourna vers son autre voisin, Mortimer Marcel, le styliste. Homosexuel et distrayant, grand et mince, la cinquantaine à peine entamée, il incarnait l'élégance.

— Il faudra venir voir notre nouvelle collection un de ces jours, dit-il. Elle est divine. Vous allez adorer.

— J'aurai des robes à l'œil ? demanda-t-elle en plaisantant.

— Vous, oui, répondit Mortimer en la prenant au sérieux. Vous êtes une publicité vivante.

— Oui ? fit-elle, surprise.

Eh bien... D'abord elle avait des lèvres « sexy », maintenant, elle était une publicité vivante. *Ma petite,* se dit-elle, *tu peux dire que ça marche bien pour toi, ce soir !*

Elle jeta un coup d'œil à l'autre table où Jamie, rayonnante, écoutait Kris Phoenix l'inonder de compliments. Quelques places plus loin, Peter, affalé sur sa chaise et l'air plutôt morose, ne s'intéressait absolument pas à sa voisine, un top model étroit comme une allumette qui devait carburer à l'héroïne.

Cette soirée, songea Madison, *n'est pas digne d'Anton.* Elle esquissa un bâillement.

— Je ne partirai pas tard, murmura-t-elle à Mortimer.

— Moi non plus. Jefferson et moi pourrions vous raccompagner, proposa-t-il en désignant son compagnon assis à la table voisine.

— Avec plaisir, dit-elle, soulagée de constater que Joel n'avait d'yeux dorénavant que pour son autre voisine, une splendide cantatrice noire.

Elle s'en alla, le dessert à peine terminé, et se retrouva à l'arrière de la limousine avec Mortimer et Jefferson – noir, chauve et sexy. *Quel gâchis !* se dit-elle. *Quand les mecs bien ne sont pas pris, c'est qu'ils sont homosexuels.*

David n'aimait pas les homos mais il n'avait rien contre les lesbiennes, cherchant même, à plusieurs reprises, à l'engager dans des parties à trois. À son vif agacement, elle avait toujours refusé. En fait, il y avait pas mal de choses chez David qui lui déplaisaient.

Alors pourquoi avoir gaspillé deux ans avec lui ?

C'était un amant formidable, dut-elle s'avouer.

— Trouvez-vous que le sexe a de l'importance ? demanda-t-elle soudain à Mortimer.

— Quoi ? fit-il, perplexe.

— Je fais une enquête. Estimez-vous que le sexe joue un rôle important entre deux personnes ?

Mortimer jeta un coup d'œil à Jefferson.

— Que répondrais-tu ?

— Mon Dieu, répondit Jefferson avec un grand sourire, le sexe, c'est ce qu'il y a de plus important au monde.

— Je ne suis pas d'accord, contesta Mortimer en ajustant un de ses boutons de manchettes en diamant. L'entente entre deux êtres est parfois plus importante, surtout quand ils vivent ensemble.

— Vous deux, ça fait combien de temps ? s'enquit Madison.

— J'ai découvert Jefferson quand il n'était qu'un enfant, dit Mortimer en caressant le genou de son amant. Dix-huit ou dix-neuf ans... Il venait d'arriver de Trinidad. À l'époque, je vivais avec un homme plus âgé. Jefferson et moi n'étions que des amis... Il était seulement mon mannequin favori. N'est-ce pas, mon chou ?

— Tu parles, s'esclaffa Jefferson. Tu m'as dragué dans la cabine dès mon premier défilé. Ça a fait rigoler tout le monde.

— Qui ça, tout le monde ? lança Mortimer d'un air pincé.

— Tes collaborateurs. Ils savent ce que tu es.

— Ils savaient, rectifia Mortimer. Maintenant, je suis un autre homme.

— J'espère bien, renchérit Jefferson. Parce que je n'aime pas beaucoup qu'on marche sur mes plates-bandes.

— Me voilà prévenu, conclut Mortimer.

Madison commençait à se sentir mal à l'aise ; elle regrettait de ne pas avoir pris de taxi.

— C'est pour votre magazine que vous nous interviewez ? s'enquit Mortimer, revenant vers elle.

— Non. Je m'interroge tout simplement sur les relations entre les gens : je sors d'une histoire, et je me rends compte qu'au fond, je n'avais pas grand-chose en commun avec ce type, même pas nos musiques préférées.

— Pas bon, observa Jefferson. Il faut toujours prendre son pied sur le même tempo. Qu'est-ce qui vous attirait alors en lui ?

— Le sexe, bien sûr. En fait, je m'étais confortablement installée dans la routine. Vous voyez ce que je veux dire ?

— Vous aviez envisagé de l'épouser ? demanda Mortimer, toujours pratique.

— C'est lui qui a rompu, précisa Madison. C'est sûrement pour ça que j'ai l'impression de... quelque chose d'inachevé. D'ailleurs, pour couronner le tout, il est allé en épouser une autre.

— Vous n'aimeriez pas le revoir, lui faire à elle ce qu'elle vous a fait à vous ? suggéra Jefferson.

— Mais elle ne m'a rien fait du tout, répondit calmement Madison. Elle s'est simplement trouvée au bon endroit au bon moment.

— Pourtant vous êtes encore fichtrement en rogne, fit remarquer Jefferson en hochant la tête.

Elle rit, un peu gênée parce que c'était vrai ; mais elle voulait tout oublier : cette rogne, précisément, et David, une fois pour toutes.

— Ma parole, je suis chez le psy, grommela-t-elle.

— C'est peut-être ce que vous devriez faire, insinua Mortimer. Moi, ça m'a beaucoup aidé.

— Pas question ! J'ai cette engeance en horreur : du fond de leurs fauteuils, ils se contentent de raconter ce que vous avez envie d'entendre.

— Réfléchissez-y, ma petite, conseilla Jefferson.

Elle n'eut pas à chercher la réplique, car la voiture s'arrêtait devant son immeuble. À son grand soulagement, ils déclinèrent son invitation à prendre un verre ; elle était crevée, énervée, et n'avait qu'une envie, se glisser dans son lit.

Harry, un grand labrador noir, l'attendait derrière la porte. Elle avait accepté à contrecœur de s'occuper de lui ; c'était le chien d'une amie partie en vacances il y avait de cela trois mois ; entre-temps, l'amie s'était fiancée en Australie...

Malgré elle, Madison s'était rapidement attachée à ce gros chien sympa. Le concierge, à qui elle avait confié une clef de son appartement, se chargeait de le promener, ce qui évitait à Madison d'avoir à traîner dans les rues. Ce soir-là, c'était particulièrement appréciable.

Son répondeur étant muet, elle appela son père malgré l'heure tardive.

— Pourquoi m'appelles-tu, ma chérie ? marmonna-t-il. Tout va bien ? s'inquiéta-t-il en étouffant un bâillement. Je te trouve bizarre.

— Ce qui est bizarre, curieux en tout cas, c'est d'apprendre par Anton Couch que vous envisagez de vous installer à New York.

— Écoute, chérie, j'ai vraiment envie de dormir. Nous en discuterons demain.

— Bien sûr, maugréa-t-elle en raccrochant brutalement.

Elle ne supportait pas que son père ne lui accorde pas toute son attention. En cela, elle était injuste car Michael avait toujours été présent, bien plus que Stella, fugitive créature élégante et parfumée qu'elle connaissait à peine. Madison avait été élevée par des nounous puis envoyée en pension pendant l'année, en camp de vacances l'été. Et, le jour de la remise de son diplôme, Michael lui avait tendu un jeu de clefs, celles du petit appartement où, désormais, elle serait chez elle. Bien qu'elle éprouvât une grande affection pour ses parents, la solution lui avait convenu parfaitement.

Agacée, elle se déshabilla et se coucha pour constater après quelques minutes qu'elle n'arrivait pas à se concentrer sur son livre. Harry en profita pour sauter sur le lit et se blottir auprès d'elle. Elle ne le repoussa pas ; cette présence, même animale, la réconfortait.

Elle repensa au dîner, pas vraiment une réussite. Puis à son amie Jamie ; elle résolut de prendre rendez-vous dès le lendemain avec le détective privé de Victor. Elle éteignit la lampe, mais le sommeil la fuyait toujours. Jefferson avait raison, peut-être avait-elle vraiment besoin de consulter. Une fois de plus, Victor serait de bon conseil ; il devait certainement connaître le meilleur psy de New York mais elle ne savait comment lui demander cela, à lui.

Renonçant à s'endormir, elle finit par allumer la télévision ; distraitement, elle regarda les scènes d'un des nombreux films porno diffusés à cette heure de la nuit, se demandant – ce qui la fit pouffer – comment toutes ces arrogantes poitrines réussissaient à défier les lois de la pesanteur. Puis, désespérant de s'endormir, elle se rabattit sur la préparation d'un énorme sandwich dont Harry engloutit les restes avec bonheur. Repus, ils retournèrent se coucher.

6.

— Quoi ? hurla Rosarita.

Dex était planté au milieu du vestibule, lui bloquant le passage. Avait-il découvert l'existence de Joel ? Peut-être. En attendant de le savoir, il fallait sauver les apparences.

— J'ai une surprise ! répéta Dexter.

— Bonne ou mauvaise ?

— Bonne.

— Alors laisse-moi entrer dans ce putain d'appartement, lança-t-elle en essayant de le repousser.

— Pas de grossièreté, lui souffla-t-il.

Aurait-il décroché un premier rôle dans un grand film ? On pouvait toujours rêver, non ?

Brusquement, Dexter fit un saut de côté et, d'un geste théâtral, dévoila aux yeux horrifiés de Rosarita la présence de ses parents, Martha et Matt Lemembre.

— Merde !

Le mot avait jailli de sa bouche avant qu'elle ait pu le retenir. Elle réussit néanmoins à contenir un : « Qu'est-ce qu'ils foutent ici, ceux-là ? », tout aussi peu amène.

— Bonjour, ma chérie, quel plaisir de te voir, dit Martha.

Grassouillette et fanée, elle arborait un tailleur pantalon en polyester tilleul, aussi fade que ses cheveux blonds ; à ses oreilles brinquebalait du strass, et des sandales en plastique blanc découvraient ses orteils.

Matt s'avança à son tour pour serrer dans ses bras une

Rosarita encore sous le choc. Bien qu'il ait été jadis un bel homme, comme son fils, son visage coloré, une brosse poivre et sel et ses yeux d'un bleu délavé révélaient une cinquantaine difficile. L'inévitable grosse bedaine, solide comme un ballon de football, complétait le tableau.

— Comment va la petite chérie de notre Dexter ? s'enquit-il paternellement.

Rosarita resta sans voix. Quel cauchemar ! Qu'avait-elle fait pour mériter une visite des Lemembre ?

— Maman, papa, proclama Dexter, rayonnant, je n'avais pas dit à Rosarita que vous veniez. Elle est toute surprise. Vous savez combien elle vous aime.

Mais oui, Dex, remets-en donc. Comment pouvait-il lui faire ce coup-là ?

— Ils descendent chez nous, chérie, reprit-il. J'ai demandé à Conchita de préparer la chambre d'ami. C'est formidable, hein ? Je savais que cela te ferait plaisir.

— Je... je suis... dans tous mes états, balbutia-t-elle. Dites-moi, Matt, comment avez-vous pu vous arracher à votre travail ?

— J'ai pris trois semaines de congé, expliqua-t-il fièrement. Au bureau, tout le monde regarde notre garçon dans « Sombres Journées ». Sa célébrité rejaillit sur moi.

Trois semaines ! Bonté divine ! Elle demandait le divorce et voilà que le fils de pute faisait venir ses parents !

— Comme ça, on pourra passer beaucoup de temps avec toi, dit Martha. Tu te souviens quand tu es venue nous voir, avant ton mariage ? La famille en parle encore.

— Je pense bien, renchérit Matt. Et j'ai hâte de revoir ton père. Il avait promis de nous faire visiter la ville.

Et comment donc ! Pourquoi pas une tournée des boîtes de strip-tease et des restaurants de la mafia ?

— Je regrette de ne pas avoir su que vous veniez, déclara Rosarita, cherchant désespérément quelque chose à dire. J'aurais organisé un dîner.

— Ne t'en fais pas, intervint Dexter. J'ai réservé une table au Twenty-One.

Elle s'efforça vaillamment de maîtriser sa colère.

— Ah oui ?

— Pour huit heures. Allons nous changer et retrouvons-nous dans le salon à sept heures et demie, suggéra Dexter.

— Il faut que je mette une cravate ? s'enquit Matt.

— Un tailleur pantalon, ça ira ? demanda Martha d'un ton anxieux.

Rosarita n'en pouvait plus. Impuissante, elle se sentait entraînée dans une spirale infernale.

Pendant tout le dîner, Rosarita parvint à maîtriser sa colère. On ne leur avait pas donné une bonne table ; elle savait bien pourquoi : ses beaux-parents étaient de vrais ploucs et Dexter Falcon, un parfait inconnu. D'ailleurs, c'était très bien ainsi car elle n'avait aucune envie d'être vue avec eux, surtout par Joel.

Jusqu'à maintenant, Dex avait réussi à éviter le tête-à-tête. Mais il ne perdait rien pour attendre, car elle comptait bien lui dire sa façon de penser : lancer cette invitation sans la consulter, au moment où elle envisageait le divorce ? Les autres, cependant, semblaient ravis de leur soirée. Martha était pompette : elle avait sifflé deux vodkas-Martini coup sur coup ; Matt était allé aux toilettes autant de fois qu'il avait commandé de bières ; quant à Dex, il arborait un grand sourire stupide. Bref, une soirée de rêve !

Ils quittaient le restaurant quand une cliente arrêta Dex pour lui demander un autographe, plongeant ses parents dans un état proche de la béatitude. Rosarita, elle, se retenait pour ne pas hurler. Pourquoi devait-elle supporter tout ça ? Pourquoi son père ne pouvait-il se montrer plus coopératif, mettre un terme à la comédie ?

— Quelle charmante soirée, ma chérie, roucoula Martha quand ils eurent regagné l'appartement. Mon petit garçon est si heureux auprès de toi. Vraiment, ça me réchauffe le cœur.

Seigneur, il lui faudrait affronter Martha à l'enterrement et jouer la veuve inconsolable !

— Qu'est-ce qui te prend ? cria-t-elle dès qu'elle se retrouva seule avec Dex. Inviter tes foutus parents sans m'en parler d'abord ! Putain, c'est inacceptable.

— Pourquoi te mets-tu dans un tel état ? demanda

Dexter sans se démonter. Tu m'as toujours dit que tu aimais mes parents.

— Ah oui, quand ?

— La première fois que nous sommes allés les voir. Tu ne te souviens pas ? Avant notre mariage.

— Avant notre mariage !... J'ai dit un tas de choses que je ne dirais plus aujourd'hui.

— Ah oui ?

Il était obtus ou quoi ?

— Écoute-moi, dit-elle en martelant chaque mot. Tu n'as pas l'air de comprendre. Je-veux-divorcer. Ça signifie que je n'ai aucunement l'intention de minauder devant tes parents.

— Tu es une garce, tu sais ?

— Oui, lâcha-t-elle. Je sais.

— Tu n'es pas la fille que j'ai épousée.

— Dis donc, quand je t'ai épousé, toi, tu allais bien devenir une vedette de cinéma, bon sang, pas un tâcheron de feuilleton télé.

— Et c'est pour ça que tu m'as épousé, hein ?

— Exactement. Je comptais que nous nous installerions dans une belle maison de Beverly Hills et que nous fréquenterions les autres vedettes. Elle lui lança un regard glacial. On ne peut pas dire que tu aies tenu tes engagements, Dex.

— Je ne me savais pas tenu par un tel engagement, répliqua-t-il. En tout cas, nous sommes mariés, et je ne veux pas divorcer.

— Ah non ? fit-elle d'un ton qui montait rapidement. Bien, laisse-moi te dire une chose : si tu refuses de divorcer, je t'assure que tu le regretteras.

— C'est une menace ?

— Ça y ressemble, non ?

L'impitoyable froideur de la femme à qui il avait donné son nom le consternait.

— J'espérais fonder une famille avec toi, murmura-t-il d'un ton navré.

— Étant donné le nombre de fois où tu arrives à bander, on peut s'estimer heureux d'avoir un putain de chat !

— Tu veux dire que nous ne faisons pas l'amour assez souvent ?

— Je dis que nous ne le faisons pour ainsi dire jamais et quand, par hasard ça nous arrive, c'est toujours dans la position du missionnaire. Elle se planta devant lui, les mains sur les hanches en lui lançant un regard accusateur. Est-ce que j'ai l'air d'une missionnaire ? Il secoua la tête. Je te prenais pour un étalon. Tu t'es bien tapé toute une bande de top models excitées avant notre mariage ?

— J'aimerais que tu évites ce genre de langage, protesta-t-il.

— Serais-tu devenu une grenouille de bénitier ? Dire que ce mec exhibait ses bijoux de famille en plein Times Square ! Regarde-toi, maintenant.

— Je n'exhibais rien, répliqua-t-il. Je portais des sous-vêtements.

— Oh, je t'en prie. Tout le monde a vu ton matériel. Je dois dire que ça faisait une sacrée impression, sur cette affiche. Ça en a fait sur moi, en tout cas.

— Je n'ai jamais posé nu.

— Ah non ? riposta-t-elle. Même pas en privé, pour ce cher vieux Mortimer ?

— Absolument pas.

— Il est homo et c'est lui qui t'a découvert, non ? insista-t-elle. Alors n'essaie pas de me faire croire qu'il n'y a pas eu quelques pipes pour aider au succès, du moins en tant que mannequin. Pour le reste...

— C'est toi qui as voulu que je me mette à jouer !

— Allons donc ! Tu ne cessais de baver devant Kevin Costner et Harrison Ford, tu voulais les imiter. Pourquoi n'y es-tu pas arrivé ?

— Je réussirai, tu verras, dit-il avec conviction.

— À la saint-glinglin !

— Écoute, soupira-t-il, je ne te demande pas autre chose que d'être gentille avec mes parents pendant leur séjour. Je sais que tu en es capable ; ensuite, après leur départ et si tu n'as pas changé d'avis, nous discuterons d'un divorce.

— Bon, se résigna-t-elle, bien que n'en croyant pas un mot. D'accord. Mais pas vingt-quatre heures sur vingt-quatre. J'ai quand même besoin de respirer.

— Sois gentille avec eux, répéta-t-il. Surtout avec ma mère. Elle t'adore.

— Mais oui, mais oui, j'emmènerai Martha chez Saks et je la lâcherai dans les rayons avec ma carte de crédit. Est-ce que c'est assez gentil ?

Lui non plus ne croyait pas un mot de ce qu'il avait dit. Mais avait-il le choix ?

7.

— Allô ! fit Madison en s'efforçant d'esquiver les grands coups de langue de Harry.

— Bonjour, ma chérie, c'est Michael.

Pourquoi ne se présentait-il jamais comme « papa » ? Depuis toujours, elle appelait ses parents par leurs prénoms ; parfois, elle aurait aimé dire « papa ».

— Je dors, marmonna-t-elle.

— Maintenant, tu sais quel effet ça fait, répliqua-t-il d'un ton jovial. Appelle-moi quand tu seras réveillée.

— Non, non, attends. Quelle heure est-il ?

— Huit heures.

— Un samedi ?

— Je pensais prendre la voiture et te retrouver pour le brunch... si tu es libre, bien sûr.

— Formidable, dit-elle en étouffant un bâillement. Tous les deux ?

— Non, dit-il sèchement. Stella ne peut pas.

— Pourquoi ?

— Peu importe. Où aimerais-tu aller ?

— Que dirais-tu du Plaza ? suggéra-t-elle. Ça fait très « grande personne ».

— Ma brillante progéniture joue à la petite fille ?

Elle sourit. Retrouver de temps à autre le statut d'enfant l'amusait.

— Tu passes me prendre ?

— Entendu.

Elle raccrocha, se leva et se dirigea vers la salle de bains, suivie par le regard mélancolique de Harry.

— Je suppose que tu veux sortir, interpréta-t-elle. Bon, bon, je me lave les dents, j'enfile quelque chose et on y va, ajouta-t-elle en réponse à un aboiement très explicite.

Une fois dans la rue, et revigorée par l'air frais du matin, elle repensa à la conversation avec son père. Pour que Michael se rende en ville, seul et durant le week-end, il fallait qu'il ait quelque chose à lui dire, sans doute à propos de cette décision de s'installer à Manhattan dont lui avait parlé l'associé de sa meilleure amie. Intriguée, elle avait hâte de revoir son père. Quelques mois auparavant, elle avait loué une voiture pour se rendre dans le Connecticut ; arrivée le vendredi soir, elle était repartie à New York vingt-quatre heures plus tard : la perspective de passer un moment avec ses parents était souvent plus excitante que le séjour lui-même, à moins d'avoir Michael pour elle toute seule ; la présence de Stella buvant du thé glacé, alanguie sur sa chaise longue, n'ajoutait en effet ni chaleur ni affection à la réunion.

— Ce n'est pas un peu mort, ici, après New York ? avait demandé Madison tout en admirant les roses du parc.

— Je m'y plais bien, avait-il répondu. Il n'y a pas de pression.

— Pas d'animation non plus, avait-elle répliqué. Quand j'étais gosse, Stella et toi vous adoriez sortir et vous mettre sur votre trente et un.

— Parfois, cela manque à Stella, avait admis Michael en hochant la tête d'un air songeur. La plupart du temps, elle est parfaitement heureuse.

Madison s'était parfois demandé s'il avait jamais trompé la belle Stella. Elle ne le pensait pas, elle le savait très droit. Elle espérait beaucoup rencontrer un homme présentant les qualités de son père.

De retour à l'appartement, elle prit une douche et réfléchit à ce qu'elle allait mettre ; elle se décida finalement pour un pantalon noir moulant, des bottes et une chemise d'homme blanche nouée à la taille. Puis, comme elle n'avait rien d'autre à faire en attendant Michael, elle appela le détective privé recommandé par Victor.

Ce fut une femme qui répondit, d'un ton sec et peu aimable.

— Oui ?

— Bonjour. Je voudrais parler à K. Florian.

— Pour un rendez-vous ?

— Exactement.

— Aujourd'hui à quatre heures ?

— Non, pas le week-end. Pourrait-on trouver un moment lundi ou mardi ?

— Lundi, dix heures.

— Où ?

— Vous voulez venir ici ? Ou préférez-vous que je vienne ?

— Vous êtes K. Florian ?

— Quelle importance ? répondit l'autre d'un ton agressif. Ça vous choque que je sois une femme.

— Non, s'empressa de répondre Madison. Je m'attendais à un homme mais je n'ai rien contre le fait que vous soyez une femme.

— Alors je viendrai chez vous. Quelle adresse ?

— Ce n'est pas moi qui vous engage, c'est une amie. Je lui dirai d'être chez moi lundi.

— De quoi s'agit-il ? Son mari la trompe ?

— Comment avez-vous deviné ?

— C'est toujours la même histoire – Une pause – S'il la trompe, je réglerai ça en vingt-quatre heures.

— Très efficace. Voici mon adresse.

Madison décida ensuite d'appeler Jamie, mais ce fut Peter qui répondit.

— Oh, là, là ! gémit-il. J'ai une de ces gueules de bois !

— Ça ne m'étonne pas.

— Ah bon ? Pourquoi ? Tu m'as vu boire, hier soir ?

— Non, mais j'ai remarqué que tu avais l'air bien parti.

— J'ai dit quelque chose que je n'aurais pas dû ?

— Tu étais parfait, Pete, vraiment.

— Rappelle-moi de ne plus jamais boire.

— Je te le rappelle toujours. Est-ce que ta femme est là ?

— Jamie ! cria-t-il. C'est Maddy.

— J'arrive, lança Jamie de loin. Salut ! fit-elle en décrochant un autre poste. Comment vas-tu ?

— Très bien, dit Madison. Et toi ?

— C'était quelque chose, hier soir, gloussa Jamie.

— Pas pour moi, en tout cas. Tu te rends compte : être coincée à côté de Joel Blaine ?

— Ne sois pas si sévère, protesta Jamie. Joel n'est pas si mal, un tantinet vulgaire, mais quand même assez séduisant.

— Quoi ? lâcha Peter, qui écoutait toujours sur son poste. Ce type est un crétin. Le contraire de son père.

— Tu dis ça parce que Leon est multimilliardaire, déclara Jamie. C'est l'argent qui t'impressionne, Peter.

— Toi aussi, ma jolie, toi aussi.

— Raccroche, Peter. Je préférerais parler à Madison sans que tu interviennes.

— Ne t'occupe pas de moi, dit-il. Je vais prendre une douche froide et avaler un tube d'aspirine. Je ne comprends pas pourquoi tu ne m'en as pas donné hier soir, tu m'aurais épargné une abominable gueule de bois.

— Tu me prends pour qui ? Pour ton infirmière ? rétorqua sèchement Jamie.

— Oh, j'oubliais. Tu étais trop occupée à flirter avec Kris Phoenix.

— Écoutez, les enfants, même si j'adore vous entendre vous chamailler, je préférerais que vous attendiez que je ne sois plus là.

— D'accord, à bientôt, dit Peter, et il raccrocha.

— Il est parti ? demanda Madison.

— Oui. Je sais quand il écoute.

— Tu t'es bien amusée hier soir.

— Ma foi oui, acquiesça Jamie en pouffant. Kris Phoenix me disait des choses extrêmement flatteuses.

— Rien d'étonnant, Jamie, on t'en dit depuis que tu as dix ans.

— Mais, Maddy, c'était Kris Phoenix ! On achetait ses disques, on suivait ses histoires d'amour dans les magazines. Ça te remue quand un type comme ça te fait du gringue. C'est comme si Mick Jagger te draguait.

— Je suis sûre que cela pourrait s'arranger, fit remarquer Madison sèchement. Mick Jagger est prêt à draguer tout ce qui respire.

Jamie se mit à rire.

— Cela dit, reprit Madison, assez sur ta vie sentimentale. Tu te souviens de ce problème dont nous avons discuté ?

— Quel problème ?

— Tu sais très bien de quoi je parle. C'est arrangé pour lundi, à dix heures, chez moi.

— Oh ! tu veux parler de cette histoire de détective.

— Oui.

— Euh ! hésita Jamie. Tu crois vraiment que c'est une bonne idée ?

— Si tu as des soupçons, oui.

— Je ne suis plus si sûre. Hier soir, en rentrant, nous avons passé un moment fantastique. Peter était ivre et j'étais un peu partie mais, quand même, c'était super.

— J'annule, alors ?

— Non. Je dois le faire, enfin, je crois. Il n'y a pas de mal à ça, n'est-ce pas ? Mais, vraiment, je n'ai plus trop de soupçons.

— Alors, ne le fais pas, dit Madison, exaspérée. Personne ne t'y oblige. Je vais annuler le rendez-vous.

— Qu'est-ce que tu ferais, toi ?

— Écoute, je sais combien tu as horreur de prendre des décisions, mais cette fois-ci je ne peux pas agir à ta place.

— Bon, conclut Jamie. Je fonce, pour en avoir le cœur net.

— Cela me paraît sage.

— Ça n'engage à rien, n'est-ce pas ?

Madison avait raison : Michael Castelli était bien le quinquagénaire le plus séduisant du Connecticut. Un mètre quatre-vingts, mince et bien bâti, les cheveux noirs et bouclés, le teint mat, il avait légué ses pommettes et ses lèvres bien dessinées à sa fille. Ils se ressemblaient. Madison en était ravie.

— Bonjour, Michael, dit-elle.

— Bonjour, ma chérie, répondit-il en la serrant dans ses bras. Je suis content de te voir.

— Moi aussi.

— Tu vis toujours seule ? demanda-t-il en entrant dans l'appartement.

— Pourquoi ? Tu préférerais que j'aie un pensionnaire ?

— Je préférerais que tu te sois trouvé un garçon.

— Plutôt qu'une fille ?

— Je ne plaisante pas.

— J'ai vingt-neuf ans, protesta-t-elle. Pourquoi cette brusque envie de me voir mariée ?

— Parce que nous vivons dans un monde dur, ma chérie, expliqua-t-il. Et que je serais rassuré de te savoir protégée.

— Protégée ? On se croirait dans une scène du *Parrain.*

Il lui lança un regard noir.

— Je plaisante.

Harry s'approcha et vint baver sur le pantalon noir de Michael, qui recula précipitamment.

— Éloigne cette bête, râla-t-il en époussetant son pantalon Armani. J'ai horreur des chiens.

— On croirait entendre Stella.

Le temps superbe les incita à faire le trajet jusqu'au Plaza à pied.

— Alors, lança-t-elle, à peine dans la rue, quand serai-je informée de ce qui se trame ?

— Tu ne peux pas attendre que j'aie pris une tasse de café ?

— Non, répliqua-t-elle, incapable de se retenir plus longtemps. Je suis vraiment en boule, Michael. Pourquoi ne m'as-tu pas annoncé que vous reveniez en ville ?

— De quoi parles-tu ? s'enquit-il, l'air déconcerté.

— Anton me l'a dit.

— Qui est Anton, et que t'a-t-il dit ?

— Anton est l'associé de Jamie dans son agence de décoration. Il paraît que Stella l'a chargé d'aménager ton appartement de New York.

— Stella lui a-t-elle précisé où on pouvait la joindre ?

— J'imagine. Je n'ai pas demandé. Pourquoi ? Que se passe-t-il ?

— Tu es bien ma fille, impatiente de tout savoir tout de suite.

— Ce n'est pas à proprement parler tout de suite, fit-elle remarquer. Je doute que tu aies dit quoi que ce soit si je ne t'avais pas forcé la main.

— Tu dois bien te douter que j'ai une bonne raison pour me comporter ainsi, n'est-ce pas ?

— Alors, quand vas-tu m'en parler ?

— Seigneur ! s'énerva-t-il. Du calme.

— Bon, je vais patienter. Au fait, comment va Stella ? Pourquoi n'est-elle pas venue avec toi ?

— Aucune idée, fit Michael en regardant droit devant lui. Cela fait un moment que je ne l'ai pas vue.

Oh, je n'aime pas ça.

— Que veux-tu dire ? Vous vivez bien ensemble ?

— Tu ne pouvais pas attendre que nous soyons assis devant notre brunch comme deux personnes civilisées, fit-il brutalement. Non, il a fallu que tu apprennes tout de suite que... Si je n'ai pas vu Stella, c'est parce qu'elle m'a quitté.

— Elle t'a quoi ? reprit Madison, le souffle coupé.

— Tu as entendu.

— Stella t'a quitté ?

— Parfaitement. Elle a filé avec un gamin de vingt-six ans.

— Je ne peux pas y croire !

— Tu as tort. C'est pourtant ce qui s'est passé.

— Maman et toi, vous avez toujours été si proches.

— C'est ce que je pensais, moi aussi.

— Comment est-ce arrivé ?

— Qui sait ? Moi, je ne suis que le type qu'on a plaqué. Je suis rentré à la maison un jour et elle n'était plus là. Je ne lui ai pas parlé depuis. Voilà l'histoire, princesse, poursuivit Michael d'un ton calme. C'est *elle* qui s'installe à New York, j'imagine, pas moi.

Ils marchèrent en silence quelques minutes, puis Madison s'arrêta tout à coup pour se tourner vers lui.

— Comment peux-tu la laisser me faire ça ?

— Personne ne te fait rien, dit-il avec un petit rire sec.

— Vous êtes mes parents, répliqua-t-elle d'un ton accusateur. Elle avait conscience de la naïveté de sa réaction mais ne pouvait la retenir. Je ne veux pas de parents divorcés.

— Ah oui ? Quel âge as-tu ? Huit ans ?

— Non, lança-t-elle. Mais je vous ai toujours admirés ; vous formiez un couple exemplaire.

— Les apparences sont quelquefois trompeuses, dit-il

d'un ton mélancolique. Stella voulait un corps plus jeune dans son lit. Que veux-tu, ça arrive.

Madison lui étreignit le bras.

— Ça va ? lui demanda-t-elle, trouvant qu'il prenait cela avec beaucoup trop de calme.

— Moi ? Très bien. Je comptais attendre un peu pour t'en parler. Je ne voulais pas te lâcher la nouvelle comme ça. C'est râpé, conclut-il avec un petit rire.

— Quand est-ce arrivé ?

— Il y a quelques semaines.

— Pourquoi ne m'a-t-elle pas appelée ?

— Vous n'avez jamais été très proches, non ?

— Mais c'est ma mère. Tu ne crois pas que c'est elle qui aurait dû me le dire ?

— Madison, soupira-t-il, tu es une grande fille. Tu as bien réussi mais je sais que ça n'a pas toujours été facile. Tu n'as pas toujours eu de nous l'attention que tu méritais, et je m'en veux.

— Je pense, murmura-t-elle, je pense qu'il n'y avait que toi et Stella ; moi, je n'étais pas dans le coup.

— Ne t'emporte pas.

— Non, Michael, je t'assure. C'est pourquoi je suis tellement choquée.

— Écoute, ma chérie, j'ai encore quelque chose à t'apprendre, quelque chose qui pourrait t'aider à mieux comprendre.

— Quoi donc ?

— Attendons d'être assis.

Elle hocha la tête, abasourdie. Cette journée serait vraiment inoubliable.

8.

— Vous avez prévu un bébé pour bientôt ? s'enquit Martha Lemembre.

— Ah, ça, non, s'exclama Rosarita, qui traînait les pieds dans le sillage de sa belle-mère au rez-de-chaussée de chez Saks. Pas dans l'immédiat, précisa-t-elle brutalement, espérant mettre ainsi un terme à cette discussion.

— Ah bon ? fit Martha d'un air déçu.

— Absolument pas, répéta Rosarita devant le comptoir Armani. Que pensez-vous de cette écharpe ?

— Elle est ravissante !

— Je vous l'offre.

— Je ne peux pas accepter, protesta Martha.

— Pourquoi donc ? Dex paiera.

— Non, je t'en prie. Il travaille dur ; je ne veux pas qu'il dépense de l'argent pour moi. De plus, ce foulard coûte beaucoup trop cher, ajouta-t-elle, horrifiée, après avoir déchiffré l'étiquette. Trois cent cinquante dollars !

Il travaille dur ! songeait Rosarita. *Tu parles ! Il arrive, on le tartine de fond de teint, il glande avec des nullités, et puis il rentre à la maison ! On peut dire qu'il s'éreinte au boulot !*

— Oui, je sais, se contenta-t-elle de dire en hochant la tête.

— Mais, reprit Martha, heureusement que tu es là pour l'accueillir quand il rentre. Il t'adore, ma chérie. Si tu lisais ses lettres ! C'est un si bon fils.

— Alors, fiston, attaqua Matt Lemembre en soulevant des poids dans le petit gymnase improvisé de Dexter, quand fais-tu de nous des grands-parents ?

— Sais pas, marmonna Dexter, qui s'escrimait sur la machine à ramer.

Matt s'éclaircit la gorge et baissa la voix.

— Quand j'ai épousé ta mère, elle était déjà enceinte de ta sœur aînée. Elle me tuerait si elle savait que je t'ai dit cela. Mais tu sais, le secret, c'est de s'y mettre de bonne heure.

— Merci, papa.

Il n'avait aucune envie de poursuivre ce genre de conversation.

— C'est que j'étais un sacré gaillard en ce temps-là, reprit Matt. Aussi beau que toi, et capitaine de l'équipe de football. Quant à ma petite Martha, elle était si jolie fille que tous les gars de l'école lui couraient après.

— Vraiment ? fit Dexter, essayant d'imaginer sa chère vieille maman en bombe sexuelle.

— Je pense bien. Dès que je l'ai rencontrée, j'ai su qu'elle serait la femme de ma vie.

— Vraiment ? répéta Dexter.

— Parfaitement. Mais j'ai dû attendre des semaines avant qu'elle me laisse l'embrasser. Je suis le seul homme qu'elle ait jamais eu.

— Papa, grogna Dexter, nerveux, je n'ai pas à connaître ces détails.

— Je sais de quoi je parle, fiston. Il faut que tu colles à ta femme un polichinelle dans le tiroir, rien de tel pour faire comprendre aux femmes où est leur place.

— Exact, approuva Dexter, tout en songeant que Rosarita était d'une autre trempe.

— Elle s'est rebiffée, récemment ? s'enquit Matt.

— Pourquoi dis-tu cela ?

— Je vous ai entendus vous disputer hier soir. À quel propos ?

— Je veux des enfants, marmonna Dexter. Pas elle.

— Elle prend la pilule ?

Dexter secoua la tête.

— Qu'est-ce qu'elle utilise ? insista Matt. Un de ces diaphragmes en caoutchouc ?

Dexter hocha la tête. Aborder un sujet aussi personnel avec son père le mettait au supplice.

— Voici ce qu'il faut que tu fasses, déclara Matt. Écoute-moi bien parce que je suis plus malin que toi – pas plus célèbre, mais plus âgé et plus malin.

— Oui, papa, approuva Dexter, résigné.

— Prends une épingle et perce son diaphragme de quelques petits trous. Elle n'y verra que du feu et elle ne tardera pas à se retrouver enceinte. Après, tout ira mieux. Crois-moi, fiston, dès l'instant où elles ont un bébé, elles se calment.

— Tu crois ?

— Je sais. Écoute la voix de l'expérience.

À peine rentrée, Rosarita s'enferma dans sa chambre, devant le téléphone. Devait-elle ou non l'appeler ? Elle désirait tellement revoir Joel. Mais c'était impossible pendant le week-end, surtout avec ses beaux-parents sur le dos.

Tout à coup elle se décida à appeler Chas.

— Tu te rappelles ce petit service que je t'ai demandé ? dit-elle.

— Ah ! tu parles d'un *petit* service ! Justement, je voulais aborder ce sujet avec toi.

— Eh bien, mets ça en attente. Ses parents sont en ville.

— Le père et la mère de Dexter ?

— Oui, ils sont à New York, chez nous. Ce qui m'amène à autre chose dont je voudrais que tu te charges.

— Quoi donc ? ricana Chas. Tu veux que je liquide toute la famille ?

— Très drôle.

— Qu'est-ce que tu veux, à la fin ?

— Papa, minauda-t-elle, reprenant son ton de petite fille, ne sois pas si méchant. Maintenant que ces abrutis sont là, il faut que je m'en occupe. Ils meurent d'envie de te voir. Pouvons-nous dîner ensemble ce soir ?

— Pas question, grommela Chas. J'ai un rendez-vous.

— Viens avec elle, proposa Rosarita. Ça ne me gêne absolument pas.

— La dernière fois que tu t'es trouvée devant une de mes conquêtes, tu l'as carrément traitée de pute.

— C'est vrai ? fit Rosarita innocemment, bien qu'elle ait gardé un souvenir très vif de l'incident.

— Oui, et je n'ai guère apprécié ; nous étions sur le point de nouer des relations tout à fait charmantes.

— Ah oui ?

— Parfaitement. Et tu sais ce qui s'est passé ? Mon amie m'a plaqué si vite qu'elle en a oublié sa culotte.

— Quelle chance, dit Rosarita en riant. Ça t'a fait un souvenir ! Mais, reprit-elle en changeant une nouvelle fois de tactique, oublions le passé. Si on venait tous dîner chez toi ce soir ? Ta cuisinière traîne toute la journée à ne rien faire. S'il te plaît, papa, s'il te plaît.

— Bonté divine ! grommela Chas. Il ne manquait plus que ça. Comment s'appellent-ils, déjà, Lajambe ?

— Non, papa. Lemembre.

— En voilà un nom !

— Dex, en tout cas, a été assez malin pour en changer, déclara Rosarita en pouffant. Tu te rends compte si j'étais devenue Mme Lemembre ?

Bah, songea Chas. *Tu n'aurais eu que le nom que tu mérites.*

Chas raccrocha pour aussitôt appeler son autre fille.

— Bonjour, papa, se réjouit Venice. Comment vas-tu ?

Sa fille aînée, nantie de deux enfants adorables et d'un mari affable et discret, était toujours de bonne humeur ; elle avait un mot aimable pour tout le monde et ne cherchait pas à faire supprimer son mari.

— Comment ça va, Choupinette ?

— Nous allons tous très bien, merci, papa. Justement, je pensais t'amener les enfants demain. Est-ce que cela t'irait ?

— Bien sûr. Mais je voudrais aussi vous voir, toi et...

Il hésita, il ne se rappelait jamais le prénom de son gendre.

— Eddie, lui rappela-t-elle.

— Oui, Eddie. Venez dîner à la maison ce soir. Les beaux-parents de Rosarita sont en ville.

— Martha et Matt. Je me souviens d'eux. Des gens charmants.

— Je suis content que quelqu'un se souvienne d'eux.

— À quelle heure nous attends-tu, papa ?

— Vers sept heures et demie. Il eut un moment d'hésitation : Venice était une fille sensible, il ne voulait ni la choquer ni la surprendre. Dis-moi, mon chou, ça ne te gêne pas que j'invite une amie ?

— Pourquoi voudrais-tu que cela me gêne ? Je sais combien tu aimais maman, c'est pour cela que tu ne t'es jamais remarié. Mais je suis heureuse que tu invites une amie. Je suis certaine que ce doit être quelqu'un de bien.

— Oh oui, ma chérie, tout à fait.

— Que fait-elle ?

Chas pataugea un moment.

— Elle est... elle est infirmière, finit-il par dire en se demandant comment il allait annoncer à sa petite amie du moment, une strip-teaseuse, le rôle qu'elle devrait endosser pour un soir.

Et comment la persuader de dissimuler son énorme poitrine siliconée ?

Seigneur ! Des problèmes, toujours des problèmes.

— À tout à l'heure, petite, dit-il, et il raccrocha.

Dexter se faisait l'impression d'être un criminel : suivant le conseil de son père, il avait déniché le diaphragme de Rosarita dans son armoire à pharmacie et y avait percé quelques trous minuscules. Mais il éprouvait des scrupules. D'un autre côté, était-ce bien correct de la part de Rosarita de demander le divorce après seulement dix-huit mois de ce que lui considérait comme un mariage heureux ?

Depuis leur dispute de la veille au soir, Rosarita s'était montrée parfaite : elle avait emmené sa mère faire des courses et lui avait offert une superbe écharpe ; elle avait longuement parlé avec son père d'un film de Clint Eastwood ; enfin, elle avait organisé un dîner chez Chas. Les Lemembre étaient aux anges.

— Qu'est-ce que je dois mettre ? demanda Martha, tout agitée.

— Ne t'inquiète pas, la rassura Matt en lançant un clin d'œil à son fils. Je propose d'abord une petite sieste ; laissons nos deux amoureux se reposer.

Dexter savait exactement à quoi pensait son père.

— C'est une bonne idée, déclara-t-il en refermant la porte de la chambre.

— Qu'est-ce qui est une bonne idée ? demanda Rosarita.

— Une petite sieste avant d'aller chez Chas. Tu as eu une rude journée. Je sais que ce n'est pas facile d'emmener maman faire du shopping. Elle n'a pas ce talent de se décider rapidement, comme toi.

— C'est une pierre dans mon jardin ?

— Non, c'est vrai, tu sais acheter. Rappelle-toi le jour où nous avons acheté des chemises chez Bloomingdale. Ça n'a pas traîné. Tu les as bien choisies et elles étaient formidables. Je les porte encore.

— Pourquoi es-tu si gentil avec moi ?

— Parce que... je t'aime.

Rosarita s'assit au bord du lit.

— L'amour n'est pas ce qui fait tourner le monde, Dex, je regrette, dit-elle.

— Tu es superbe aujourd'hui, déclara-t-il.

— Ah oui ? fit-elle, savourant ce compliment.

Elle lui avait passé sous silence les diverses interventions de chirurgie esthétique qu'elle avait subies ; il était persuadé que sa beauté était naturelle. Seigneur ! Il fallait qu'elle déchire toutes ses vieilles photos : son visage d'autrefois était une horreur.

Dexter se tenant debout devant elle, Rosarita ne pouvait manquer de remarquer qu'il la désirait. Et si elle en profitait pour lui apprendre une ou deux petites choses avant de tirer sa révérence ? C'est vrai qu'il avait un corps splendide. Et, au lit, il ne s'en tirait pas si mal. Bien sûr, ce n'était pas Joel, mais, d'ici au départ de ses beaux-parents, elle aurait le temps de lui enseigner quelques nouveaux tours.

— Oh ! oh, roucoula-t-elle, nous avons l'air en forme ! Je reviens tout de suite.

Elle passa précipitamment dans la salle de bains.

Il en profita pour fermer à clef la porte de la chambre, se déshabilla et s'allongea sur le lit.

Il craignait qu'elle ne remarque qu'il avait manipulé son diaphragme, qu'elle ne jaillisse de la salle de bains en poussant des cris d'orfraie. Mais comment pourrait-elle s'en apercevoir ?

C'était sournois mais elle ne lui avait pas laissé le choix. Et, lorsqu'ils auraient leur premier enfant, un beau bébé plein de santé, elle le remercierait.

Dexter en était sûr.

9.

— Je vais t'expliquer, dit Michael à Madison, toujours abasourdie.

Pendant qu'il avalait une seconde tasse de café, elle remarqua ses yeux cernés et les quelques fils gris qui parsemaient ses cheveux d'un noir de jais. Se pourrait-il que son père finisse par vieillir ? Non. Pas Michael. C'était impossible.

— Il ne me semblait pas nécessaire de te parler. Mais, maintenant que Stella a pris cette décision, tu dois connaître la vérité.

— La vérité sur quoi ? demanda Madison, avec l'impression de vivre un cauchemar.

— Sur toi et moi. Sur notre famille. Tu sais, ma chérie, je t'ai toujours aimée et je t'aimerai toujours. Je tiens beaucoup, beaucoup à toi.

Oh, mon Dieu ! pensa-t-elle. Il était en train de lui apprendre qu'elle était une enfant adoptée. Voilà pourquoi elle avait dû les appeler Stella et Michael. Et non papa et maman, comme des parents normaux. C'était évident.

— Alors ? supplia-t-elle d'une voix blanche. (*Vite, ce suspense est intolérable.*)

— Eh bien, voilà, lâcha-t-il en la regardant droit dans les yeux. Stella... n'est pas ta mère.

Tu parles d'une surprise ! Allez, la suite : *Je ne suis pas ton père, mais sache bien que nous t'avons désespérément voulue. En fait, nous t'avons choisie.* N'est-ce pas le genre de conneries que débitent d'ordinaire des parents adoptifs ?

— Donc, vous m'avez adoptée, articula-t-elle péniblement.

— Non, dit-il en secouant vigoureusement la tête. Moi, je suis ton père. Ton vrai père.

— Vraiment ? murmura-t-elle, de plus en plus déconcertée.

— Bien sûr que oui. Jamais je ne t'aurais abandonnée. Jamais.

— Je ne comprends pas.

— Laisse-moi essayer de t'expliquer, dit-il, après avoir avalé une grande gorgée de café. J'étais célibataire et j'avais une petite amie, Gloria. Nous étions comme des jumeaux, inséparables. Nous avons grandi ensemble, nous avons tout fait ensemble. Pour finir, nous avons fait un bébé ensemble. Après une longue pause, il reprit : Ce bébé, ma chérie, c'était toi.

— Moi ? balbutia-t-elle.

— À l'époque, j'étais embarqué dans des activités qui n'étaient pas tout à fait légales. Un vrai gâchis ! Un jour, tu avais six mois, mes associés décidèrent qu'il fallait me punir.

— Te punir ? répéta Madison. De quoi ?

Sans répondre à sa question, il poursuivit son récit.

— Le marché était simple : ou je leur donnais ce qu'ils voulaient ou ils enlevaient ma famille. Je ne les ai pas crus. Et, d'ailleurs, votre protection était bien assurée. Puis, un jour, Gloria a réussi à sortir de la maison en douce – pour me choisir un cadeau d'anniversaire. Ils ont sauté sur l'occasion ; ils l'ont descendue.

— Qui ça ?

— C'est trop compliqué. Bref, ils l'ont tuée. Ces salauds l'ont tuée.

— Oh, mon Dieu ! s'écria Madison.

— Je ne m'en suis jamais remis, reprit Michael. Et Stella le savait.

Madison se retrouvait brutalement au cœur d'un invraisemblable feuilleton. Tout s'écroulait autour d'elle. Stella – la belle Stella – n'était pas sa mère. Et de Gloria, sa vraie mère, elle ne savait rien ; elle n'avait pas même une photo. Étaitelle morte sur le coup, avait-elle été seulement blessée ? Mon Dieu, que de questions !

— Un an plus tard, j'ai rencontré Stella, l'opposé de Gloria. J'ai mis mes conditions à notre mariage : elle devait se comporter en mère vis-à-vis de toi et nous n'aurions pas d'autres enfants. Toi seulement. Elle accepta, mais je sais qu'elle n'a pas tenu auprès de toi la place de Gloria. Il haussa les épaules dans un geste d'impuissance. Et maintenant, reprit-il en durcissant le ton, la garce m'a trahi. Pour moi, elle est morte.

Une violente migraine submergea brutalement Madison. Le mélange de champagne et de jus d'orange ? Ou tout simplement le tête-à-tête avec cet homme dont elle se rendait compte, soudain, qu'elle ne savait rien ? Bon sang, dire que toutes ces années elle avait vécu dans le mensonge.

— Il faut que je rentre pour... digérer tout ça, réussit-elle à dire en se levant.

— Ne m'abandonne pas, supplia Michael en lui empoignant la main. J'ai besoin de toi, ma chérie. J'ai toujours eu besoin de toi.

— Peut-être bien. Mais je viens de subir un choc et il faut que j'encaisse.

S'arrachant à son étreinte, elle se dressa et sortit à grands pas du restaurant.

La rue lui parut différente. Terrassée par les sanglots, elle ne reconnaissait plus rien, elle était désorientée.

Pourquoi as-tu envie de pleurer ? murmura en elle une petite voix.

Parce que je ne sais plus qui je suis.

Comme ils en étaient convenus, Jamie et Peter passèrent presque toute la journée à faire du shopping. Peter, après chaque cuite, était pris de remords et, pour se faire pardonner, dépensait sans compter. Jamie en profita pleinement.

— Sais-tu que tu es la plus belle fille de New York ? lui déclara Peter d'un ton admiratif en la voyant drapée dans un long manteau de cachemire bleu qu'elle venait d'acheter. Et j'ai vraiment une chance folle de t'avoir épousée.

Jamie sourit. Pourquoi donc s'était-elle mise à le soupçonner ? Il était adorable et leur mariage était une réussite totale. Ce n'était pas parce qu'ils n'avaient pas fait l'amour pendant quelques semaines qu'il y avait une autre femme. D'ailleurs, il s'était rattrapé, la nuit dernière !

Non. Elle n'avait absolument aucune raison de rencontrer le détective de Madison. Peter était un mari fidèle et aimant : il le lui avait prouvé aujourd'hui. Ils repartirent enfin, croulant sous les paquets.

— Madison ne devait pas nous retrouver plus tard ? dit Peter, tandis qu'il cherchait un taxi.

— Ton portable est ouvert ? s'assura Jamie.

— Bien sûr.

— Alors elle a dû se trouver coincée.

— Il serait temps ! fit Peter avec un rire gras. Elle aura connu une longue période de jeûne, non ?

— Tu connais Madison, expliqua Jamie. Elle est très exigeante, surtout après David.

— Je l'aimais bien, observa Peter.

— Comment peux-tu dire cela ?

— Je ne t'ai pas raconté que j'avais dîné avec sa femme et lui un soir où tu étais à Boston, avec Anton ?

— Mais non. Comment as-tu pu, Peter ? Ce n'est pas sympa pour Madison.

— Il m'a appelé à plusieurs reprises, et comme je n'avais rien d'autre à faire... Nous sommes allés chez Elaine.

— Comment est sa femme ?

— Blonde, un peu soûlante, d'énormes nichons. Vrais, je pense.

— Ah ! ricana Jamie. Vous autres, les hommes, vous vous laissez toujours prendre. Ces filles-là n'ont jamais de vrais seins. C'est du sur mesure.

— Je te trouve un peu garce, ma chérie.

Une fois chez eux, Jamie attendit que Peter fût passé dans son bureau pour appeler Madison. Elle tomba sur le répondeur.

— Annule le rendez-vous de lundi, chuchota Jamie. Je te rappellerai plus tard. Ou bien appelle-nous quand tu auras ce message. En tous les cas, pas un mot à Peter.

Quand Madison rentra chez elle une heure plus tard, elle trouva le message de Jamie. Cette fille ne savait vraiment pas ce qu'elle voulait. D'abord, Peter la trompait, ensuite, non, pas du tout. Après tout, aucune importance. Elle s'en foutait.

Harry l'accueillit avec une joie débordante. Elle s'assit par terre auprès de lui ; aussitôt, il se retourna, les pattes en l'air, sollicitant ses caresses : elle s'exécuta et lui gratta le ventre, ce qu'il appréciait par-dessus tout.

— Tu es un drôle de numéro, toi, hein ? fit-elle.

Pourquoi Michael ne lui avait-il pas dit la vérité plus tôt ? Pourquoi avait-il obligé Stella à mentir ?

Des souvenirs de la femme qu'elle avait cru être sa mère lui traversèrent l'esprit. Son premier soutien-gorge : Stella l'avait fait accompagner par la femme de chambre pour en acheter un chez Bloomingdale. Son premier béguin, à douze ans : Stella n'avait pas manifesté le moindre intérêt. Sa première rencontre avec un garçon : Stella n'avait pas voulu en discuter.

Elle comprenait maintenant pourquoi elle n'avait jamais eu de vrais liens avec Stella : parce que celle-ci n'était pas sa mère, qu'elle n'avait aucune envie de lui en tenir lieu, et qu'elle était sans doute jalouse de Gloria.

Et elle comprenait aussi pourquoi Michael, ce bel homme, ce charmeur qui en faisait toujours un peu trop, prenait constamment son parti. Le remords. Purement et simplement le remords.

Elle repensa à ce qu'il lui avait révélé. *Ils l'ont tuée.* Qui ça, *ils* ? Et pourquoi quelqu'un avait-il voulu se débarrasser de Gloria ?

Il avait également évoqué la légalité douteuse de ses activités. De quoi pouvait-il bien s'agir ? Lui dissimulait-il encore d'autres secrets ?

C'était évident. Et il était tout aussi évident qu'il savait les garder. Oh, Seigneur ! Elle avait tellement besoin de tout connaître.

Elle décida alors de provoquer un tête-à-tête avec Michael dès qu'il se manifesterait. Elle le sommerait très calmement de tout avouer.

La vérité la libérerait. Alors seulement elle pourrait retrouver une vie normale. Enfin, presque.

10.

La dernière en date des petites amies de Chas, contorsionniste très douée, avait choisi Varoomba comme nom de scène. Grande et planturcuse, souriante et bavarde, elle plaisait infiniment à Chas.

Cet après-midi-là, il l'avait envoyée chez Bloomingdale s'acheter une robe convenable.

— Il faut camoufler la marchandise. Et, pendant que tu y es, trouve-toi un soutif qui aplatisse un peu tout cela.

— Qu'est-ce qui se passe ? Tu as peur que je te fasse honte ?

— Non, mais je ne tiens pas à ce que mes filles sachent que je sors avec une strip-teaseuse.

— Quel âge ont-elles ? Dix, douze ans ?

— Elles sont plus âgées que toi.

Varoomba en conclut qu'elles allaient la détester : c'était le cas de la plupart des femmes quand elles apprenaient son statut auprès de leur père.

Chas était gêné de révéler à Venice et à Rosarita que Varoomba n'avait que vingt-trois ans.

— Si on te pose la question, avait-il suggéré, évoque la trentaine.

— Trente ans ! s'était-elle écriée, horrifiée. Tu veux ruiner ma carrière ?

— Mais personne ne saura qui tu es, avait-il affirmé. Tu n'auras qu'à raconter que tu es une de mes amies. Une infirmière.

— Une infirmière ? avait-elle répété, scandalisée. Tu trouves que j'ai l'air d'une infirmière ?

— Si tu estompes un peu ton maquillage, et si tu laisses tomber cette coiffure en choucroute qui, de toute façon, ne te va pas...

— Est-ce que, par hasard, tu me ferais passer une audition pour un feuilleton télé ?

— Tâche de te tenir, d'accord ?

— Je t'aime bien, Chas, avait-elle répondu en prenant des airs de pensionnaire. Ne t'inquiète pas, je me tiendrai très bien : on pourra même me prendre pour la mère de tes petites filles.

— Je te l'ai dit, fit-il, exaspéré. Tu as deux ans de moins que la plus jeune.

— Pas du tout, j'ai trente ans, dit-elle en ouvrant de grands yeux, démontrant une fois de plus qu'elle s'adaptait vite.

Venice, qui devait son prénom à la romantique ville d'Italie où elle avait été conçue, arriva la première. Sans être exceptionnellement jolie, Venice avait le mérite d'être totalement naturelle. De longs cheveux bruns et raides, d'assez beaux yeux, un nez un peu trop long, des lèvres un peu trop minces n'empêchaient pas Eddie, son mari, de la trouver parfaite ; et c'était le principal. Elle embrassa son père sur les deux joues.

— Nous sommes les premiers ? demanda-t-elle.

— Mais oui, ma petite. Entre donc que je te présente mon... amie.

— Tu peux dire petite amie, papa.

— C'est... cette infirmière avec laquelle je sors, expliqua Chas. À vrai dire, elle est à peine plus jeune que moi. Mais elle ne fait pas son âge, alors ne sois pas surprise.

— Papa, je ne critiquerai jamais une de tes relations. Je te l'ai déjà dit : ce qui compte, c'est qu'elle te rende heureux.

Chas serra distraitement la main de son gendre avant de les introduire dans le salon, où Varoomba, rebaptisée Alice pour la circonstance, attendait.

Chas lui lança un coup d'œil critique : sa poitrine plantureuse s'était laissé enfermer dans une robe orange à col montant, mais, se dit-il avec agacement, du noir aurait mieux masqué les bouts de seins qui pointaient sous le tissu ; elle avait atténué son maquillage mais elle ne pouvait guère pour autant passer pour une infirmière.

— Voici ma petite Venice, présenta Chas.

— Venice, répéta Varoomba.

Elle avait une voix de crécelle qui l'horripilait. Au lit, il lui criait de la boucler, mais, dans un salon, c'était plus délicat.

— Bonsoir, fit Venice. Quelle jolie robe !

Varoomba se détendit aussitôt et lança un clin d'œil à Chas comme pour lui dire : « Tu vois, j'ai déjà conquis une de tes filles. »

Rosarita entra d'un pas conquérant vingt minutes plus tard, suivie par Dexter et ses parents.

— Monsieur Vincent, roucoula Martha en se ruant sur Chas, votre maison est superbe. C'est la première fois que je pénètre dans un hôtel particulier à New York.

Oh, bon sang, du calme, songea Rosarita.

— Merci, dit Chas en lui désignant un gros canapé. Installez-vous. Que voulez-vous boire ?

Découvrant la présence de sa sœur, Rosarita s'arrêta net. Elle n'aimait pas la concurrence, et, selon elle, Venice lui disputait l'attention de leur père – sans parler de son fric. Et, par-dessus le marché, ses neveux, deux morveux braillards, hériteraient sans doute d'un bon paquet.

— Bonjour, dit-elle fraîchement. Tu ne m'avais pas dit que tu venais.

Venice ne savait jamais sur quel pied danser devant l'hostilité que lui manifestait sa sœur mais, au fil des années, elle avait appris à s'en accommoder. Elle lui répondit par un sourire et embrassa Dexter sur les deux joues, ce qui exaspéra Rosarita encore davantage car elle ne supportait pas leur évidente complicité. Au point que Dexter se demandait parfois s'il ne s'était pas trompé de sœur.

Pendant que Rosarita toisait Varoomba, Venice s'empressait auprès de Matt et de Martha Lemembre.

— Quel superbe foulard !

— N'est-ce pas ? fit Martha, radieuse. C'est Rosarita qui me l'a acheté aujourd'hui. Elle ajouta en baissant la voix : Il a coûté trois cent cinquante dollars. Je ne voulais pas qu'elle fasse une telle dépense, mais elle a insisté.

Sur ces entrefaites, Rosarita fonça sur Venice.

— Qui c'est, cette pouffiasse, avec papa ? chuchota-t-elle.

— C'est Alice. Une infirmière.

— Si cette pute est infirmière, marmonna Rosarita, moi, je sui astrophysicien.

Venice s'éloigna.

Pendant tout le dîner, Rosarita se montra odieuse avec Venice. Sa rage atteignit son comble quand, au milieu du repas, Venice fit circuler des photos de ses enfants. Martha examina les clichés en poussant des oh ! et des ah ! d'admiration. Puis, regardant Chas droit dans les yeux, elle déclara :

— Matt et moi espérons bien que la prochaine future maman, ce sera votre petite Rosarita.

Ma *petite* Rosarita, se répéta Chas. Qu'ils la connaissaient mal, cette fille qui lui avait demandé de liquider son mari, leur fils chéri. Il était furieux contre elle. Pour qui le prenait-elle ? Pour un tueur ? Dexter ne lui semblait pas mal du tout : beau garçon, et pas du tout le genre coureur ; il n'avait même pas lorgné les nichons de Varoomba, alors que la plupart des hommes en restaient pantois.

Varoomba, elle, était ravie, car ses amants n'avaient pas l'habitude de la présenter à leur famille. Elle avait sifflé deux verres de vin sous l'œil atterré de Chas, qui craignait qu'elle n'ait l'idée de distribuer des cartes d'invitation au Boom Boom Club.

— C'est l'heure de partir, annonça Rosarita dès le dîner avalé.

— Vraiment ? implora Martha. Je m'amuse bien.

— Oui, il faut y aller, répéta Rosarita d'un ton sévère. Demain, c'est le seul jour de repos de Dex. Il aime bien faire la grasse matinée.

— S'il a la possibilité de dormir tard, pourquoi partir, alors ? demanda innocemment Venice.

Rosarita l'aurait giflée.

— Tu ne comprends donc pas ? Il lui faut douze heures de sommeil. Si nous partons maintenant, il les aura. Mais si nous rentrons plus tard, il n'en aura que huit.

Chas observait ses deux filles. Il se demandait une fois encore pourquoi elles étaient si différentes. Il les aimait également toutes les deux. Cependant, il avait déjà décidé de laisser le plus clair de sa fortune à Venice et à ses enfants – elle était assez responsable pour cela. Rosarita, elle, laisserait le premier gigolo venu claquer l'héritage.

— Qu'est-ce qui te fait sourire, papa ? demanda Rosarita, retrouvant ses airs de petite fille modèle.

— Je réfléchissais.

— Votre père a un si joli sourire ! s'exclama Varoomba en lui prenant la main.

Rosarita en eut la nausée. Décidément, cette fille était un vrai cauchemar, avec ses nichons en tourelle et sa voix grinçante. Et stupide, avec ça.

— Ne me parle pas comme ça devant mes filles, souffla Chas, très gêné.

— Pardon, mon chou.

La soirée s'acheva sans dommage ; Rosarita et sa troupe partirent en même temps que Venice et Eddie, laissant le champ libre à Varoomba, qui libéra aussitôt sa crinière rousse. Puis, faisant coulisser la fermeture à glissière de sa robe orange, elle révéla au regard appréciateur de Chas un string tricolore et un soutien-gorge artistement découpé autour des mamelons.

— Comment m'as-tu trouvée ? lança-t-elle. La reine de la soirée !

— Viens par ici, approuva-t-il d'un geste de la main vers ses deux énormes seins. Pilonne-moi, atomise-moi, écrase-moi sous tes bombes.

Elle obtempéra sans rechigner.

Cependant, à l'autre bout de la ville, Joel Blaine se plaignait au directeur du Boom Boom Club.

— Où est la fille avec les gros nibards ? Comment se fait-il qu'elle ne soit pas là un samedi soir ?

— Elle a téléphoné, elle est malade.

— Malade mon cul, Vous allez me rembourser.

— Une jolie petite Portoricaine a débarqué hier...

— Pas d'étrangère.

— Que diriez-vous d'une Texane pur sang ?

— De gros nichons ?

— Petits mais mignons.

— Laissez tomber. Je reviendrai la semaine prochaine, et que l'autre soit là avec son étagère.

Des petits seins, ça se trouve n'importe où. Rosarita elle-même n'avait pas grand-chose à lui proposer. D'ailleurs, c'était du toc ; ses cicatrices ne lui avaient pas échappé.

Mon chou, avait-il failli lui dire, *pourquoi ne les as-tu pas demandés plus gros ?* Mais il avait deviné que Rosarita n'acceptait pas facilement la critique. Et s'il la testait, juste pour savoir jusqu'où elle était prête à aller pour lui ? « Mon chou, tes nichons sont formidables, mais je les préfère plus gros. Voilà vingt sacs pour les faire refaire. »

Est-ce qu'elle valait cela ? Sûrement pas ! Alors que Madison Castelli... Une vraie femme. Son décolleté n'était sans doute pas aussi généreux que celui d'une effeuilleuse, mais sa cervelle tournait vite. Bref, elle avait de la classe. Peut-être qu'il devrait faire quelque chose. Au moins l'appeler.

Peut-être.

— Merci, dit Dexter.

— De quoi ?

— D'avoir été gentille avec mes parents. Depuis que nous avons eu cette conversation, tu as été formidable.

— Tu trouves ?

— Oui.

Allongé sur le lit, les mains derrière la nuque, il la regardait se déshabiller.

— Viens auprès de moi pour qu'on bavarde un peu, suggéra-t-il.

Hum ! songea Rosarita. Depuis qu'elle lui avait fait remarquer qu'ils ne faisaient jamais l'amour, ça l'avait un peu secoué. Elle se laissa tomber sur le lit.

— Une pipe ? proposa-t-elle.

Il était choqué par sa vulgarité.

— Je préfère rester ainsi et te tenir dans mes bras, dit-il, toujours romantique.

— Tu es sûr que c'est tout ce que tu veux ? insista-t-elle en commençant à le caresser.

En quelques secondes, elle atteignit le résultat escompté ; elle disparut alors dans la salle de bains où elle resta le temps, pour Dexter, de compter jusqu'à vingt.

Ce soir, il en avait le pressentiment, ça marcherait : elle serait enceinte.

11.

Harry, en comédien consommé, tirait la langue, bavait et boitillait, cherchant à attirer l'attention de Madison. Deux heures à arpenter Central Park par une chaleur accablante était plus qu'un vrai chien d'appartement new-yorkais comme lui ne pouvait supporter. Il avait hâte de rentrer, de boire et de faire une sieste.

— Bon, je te ramène à la maison, fit-elle en soupirant.

Avait-elle marché assez longuement pour apaiser sa fureur ? *J'ai vingt-neuf ans,* songea-t-elle. *Pas d'homme à la maison ; en guise de père, un menteur, et de mère, un fantôme.*

Si elle ne trouvait pas quelqu'un à qui parler, elle allait sombrer dans la folie. Michael ? Hors de question, elle ne supportait plus ses airs évasifs. Jamie ? Comme on était samedi, Peter serait là. Natalie, alors... Son autre très chère amie. *Allons-y pour deux heures au téléphone avec LA.* Pourquoi pas ?

Quand elle rentra chez elle, son répondeur clignotait. Trois appels. Le premier, de Michael. « Il faut qu'on parle, disait-il d'une voix tendue qui ne lui ressemblait pas. J'ai pris une chambre au Plaza. Je ne retournerai pas dans le Connecticut avant de t'avoir vue. »

Le deuxième était de Victor : « J'ai plusieurs idées pour ta prochaine victime... qui ne plairont pas, bien sûr. Passe au bureau lundi ; on en discutera. Et si tu es très sage, je t'inviterai à déjeuner. »

Le troisième message était celui d'un revenant, Jake Sica, le type qu'elle avait rencontré à LA au début de l'année. Son frère, Jimmy Sica, avait travaillé avec Natalie comme présentateur.

« Salut. C'est Jake. Je passe quelques jours à New York la semaine prochaine et j'aimerais beaucoup qu'on se revoie. Tu sais, Madison, je crois que nous... » La suite de la communication n'était pas passée.

— Ça alors ! fit-elle, se remémorant soudain Jake.

Quelle diversion bienvenue ! Brillant photographe, désinvolte, avec, autant qu'elle s'en souvenait, des cheveux bruns un peu longs et des yeux marron au regard moqueur. Il portait un vieux blouson de cuir et des chemises en jean qui lui donnaient une allure d'éternel étudiant.

Il lui avait beaucoup plu. Mais leur rencontre avait eu lieu sous des auspices compliqués : elle enquêtait sur une affaire de meurtre à LA et lui sortait avec une call-girl. Victor s'était laissé persuader de passer ses photos dans le magazine, ce qui leur avait permis de garder un contact épisodique jusqu'au moment où il était reparti pour l'Arizona ; ils s'étaient alors perdus de vue. Et voilà que la semaine prochaine il venait à New York.

Jake serait un auditeur idéal, songea-t-elle : elle le connaissait peu, et elle pourrait vider son cœur. Et, surtout, il était intelligent et bon.

Mais comment le contacter ? Elle ne connaissait pas son numéro de téléphone. Aussi décrocha-t-elle le combiné pour se renseigner auprès de Natalie, à LA.

Ce fut son frère, Cole, qui répondit.

— Devine qui c'est ? dit-elle.

— Facile, répondit Cole. Je reconnaîtrais entre mille cette voix d'une chaude sensualité.

— Comment ça va ?

— Super.

— Natalie me dit que tu vis toujours avec le Big Boss, alors comment se fait-il que tu sois là ?

— Je passe de temps en temps. Mais ma grande sœur me parle à peine : elle m'en veut toujours ; elle attend que le Grand Patron me plaque pour pouvoir me lancer : « Je te l'avais bien dit ! »

Natalie désapprouvait le choix de Cole : son amant était

un méga-homme d'affaires bien plus âgé que lui qu'elle avait baptisé le Big Boss.

— Ça fait un moment que ça dure, ta relation avec ce type, non ?

— Je pense que c'est précisément cela qui l'inquiète, répondit Cole. C'est un monsieur ; tandis que moi, pour gagner ma vie, j'étire des muscles. Mais, bah, on s'amuse. Et toi ?

— Ça va.

— Où en est ton projet de film sur les call-girls ?

— Le studio a laissé tomber. Mais j'ai quand même ramassé plein de fric et, surtout, j'ai fait la connaissance d'Alex Woods. C'est quelqu'un, celui-là.

— Reviens, on refera du jogging !

Ils éclatèrent de rire. Madison avait beaucoup d'affection pour le jeune frère de Natalie, un beau garçon de vingt-trois ans avec des abdominaux en acier et un large sourire. Cole gagnait sa vie comme professeur de gym, un des plus réputés de LA. Madison se rappela le choc qu'elle avait éprouvé en retrouvant, à la place de l'adolescent rappeur et camé qu'elle avait connu, cet homme superbe, homosexuel et, selon sa sœur, « bien dans ses baskets ».

— Où est Natalie ? demanda Madison.

— Sans doute au studio. Elle est complètement plongée dans son nouveau boulot.

— Je croyais qu'elle en avait marre de couvrir les nouvelles du show-biz.

— C'était avant d'avoir sa propre émission.

— Elle ne présentait pas le journal avec Jimmy Sica ?

— Ce truc-là, c'est bien mieux, mon chou.

— Demande-lui de m'appeler.

— D'accord.

Le message de Jake Sica avait eu au moins le mérite de lui changer les idées. Elle songea à rappeler son père puis décida qu'elle ne se sentait pas d'humeur. Elle passa dans sa chambre, débrancha le téléphone, avala un somnifère pris dans un flacon abandonné par David et se glissa tout habillée sous les couvertures. Elle ne tarda pas à sombrer dans un profond sommeil.

Elle fut réveillée le lendemain matin par des coups frappés à sa porte. Il lui fallut un moment pour ouvrir les yeux : elle n'avait pas l'habitude du sommeil artificiel.

Elle se leva en trébuchant. On frappait toujours.

— Oui ? fit-elle d'un ton revêche.

— C'est moi, dit Michael. Laisse-moi entrer, bon sang. Voilà dix minutes que j'attends.

Que voulait-il encore ? Avait-il d'autres histoires ? Cherchait-il à la perturber davantage ?

Elle ouvrit la porte et il se précipita.

— Qu'est-ce que tu fabriques ? fit-il, furieux. J'ai appelé six fois hier soir et trois fois ce matin. Où étais-tu ?

— Je dormais, dit-elle en lui tournant le dos. Ça te gêne ?

— Qu'est-ce qu'il y a ? fit-il, surpris de ce ton.

— Je te vois trois fois par an et la troisième, c'est pour m'annoncer que ma mère est une dénommée Gloria. J'ai enregistré, mais, excuse-moi, je ne sais plus très bien où j'en suis, alors j'ai pris un somnifère et j'ai dormi comme une souche.

— Désolé, dit-il. Je ne pensais pas devoir en arriver là.

— Qu'est-ce que tu espérais, Michael ? répliqua-t-elle froidement. Que je ne sache jamais la vérité ? Que je prononce votre oraison funèbre dans la même sainte ignorance ? C'était ça, ton plan ? Elle le dévisagea, consternée. Dans quelques semaines, je vais avoir trente ans. Tu avais prévu de me parler pour mes quarante ans ?

— Il ne me semblait pas nécessaire que tu sois au courant, murmura-t-il en secouant la tête.

— À sept ou huit ans, j'aurais pu l'accepter.

— Tu as raison.

— Te rendais-tu seulement compte de la froideur de Stella à mon égard ? À ton avis, pourquoi crois-tu que j'ai été ravie d'avoir mon propre appartement après le collège ? Non seulement je me foutais de quitter la maison, mais j'en étais enchantée.

— Tu ne me l'as jamais dit.

— Parce que tu crois que c'était facile d'avouer que je ne comprenais rien à l'attitude de ma propre mère ?

— Combien de fois faudra-t-il que je te répète que je suis désolé ?

— C'est plutôt moi qui suis désolée pour toi, reprit-elle en haussant le ton. Ça t'a pété au nez, n'est-ce pas ?

Elle éprouvait une sorte de satisfaction morbide à le voir en si mauvaise posture. Michael, toujours maître de lui, Michael, le père irréprochable.

— Je vais faire du café, lança-t-elle brusquement. Tu en veux ?

Il acquiesça.

Elle s'engouffra dans la cuisine et mit la cafetière en marche. Puis elle attrapa la laisse de Harry et se dirigea vers la porte.

— Je reviens, annonça-t-elle. Pendant ce temps, jette un coup d'œil à la liste de questions que j'ai notées sur ce bloc. Je veux une réponse pour chacune d'elles. Bien entendu, finies les conneries, maintenant, Michael. Je veux *tout* savoir.

12.

Dexter était déjà parti faire son jogging quand Rosarita s'éveilla. Elle s'étira longuement en souriant. Sacré Dex ! Il s'était déchaîné, la veille au soir, au point qu'elle en avait oublié Joel pendant presque un quart d'heure. Elle avait retrouvé le Dex de leur voyage de noces aux Bahamas (payé par Chas), sans imagination, comme d'habitude, mais tout en puissance. Ses cris de plaisir avaient certainement tenu Matt éveillé mais pas Martha, protégée par ses inévitables boules Quiès.

C'était l'heure de se lever. Conchita ne venait pas le dimanche, et elle espérait que Dex ou sa mère avaient eu la bonne idée de faire du café. Peut-être même, si elle s'y prenait bien, obtiendrait-elle de Martha qu'elle lui prépare des œufs au bacon. Celle-ci, enfoncée dans le canapé, feuilletait un exemplaire de *Cosmopolitan.*

— Tu as bien dormi, ma chérie ? demanda-t-elle en reposant le magazine.

— Ma foi ! fit Rosarita en s'étirant. Où est Matt ?

— Il a accompagné Dex, expliqua Martha. Tu sais, quand il était petit, Matt l'cmmenait partout.

— Vraiment ? dit Rosarita, qui s'ennuyait déjà. Quelqu'un a fait du café ?

— Je vais m'en occuper, proposa Martha.

— Vous voulez bien ? demanda Rosarita comme si elle venait d'y penser. Il y a des œufs et plein de charcuterie dans le frigo. Quand les hommes rentreront, ils auront faim, et ils apprécieront un bon breakfast.

— Je m'occupe de tout. Comme ça, nous déjeunerons tous les quatre ensemble, suggéra Martha.

— Excellente idée, approuva Rosarita en regagnant sa chambre, dont elle referma la porte.

N'y tenant plus, elle composa le numéro personnel de Joel mais n'obtint que le répondeur. Il devait sans doute dormir encore.

Est-ce que sa copine avait remarqué le suçon ? Elle imaginait la scène.

— *Joel, comment t'es-tu fait ça ?*

— *Pas la moindre idée, mon chou.*

— *Joel, tu as vu quelqu'un d'autre ?*

— *Bien sûr que non, mon chou.*

— *Je ne te crois pas, je m'en vais.*

Rosarita en riait toute seule. Elle appela Chas.

— Je ne te réveille pas, papa ?

— Qu'est-ce qu'il y a encore ? répondit son père, méfiant.

— Je voulais te remercier pour le dîner d'hier soir. C'était si gentil de ta part de nous inviter avec les parents de Dex.

— Penses-tu ! dit Chas, sur le qui-vive. *Pourquoi ce ton suave ?*

— Venice n'avait pas l'air dans son assiette.

— Elle a sûrement besoin de vacances. Je vais peut-être l'envoyer à Hawaii avec les gosses, reprit-il, sûr de l'agacer.

— Tu veux dire que c'est toi qui vas payer ? s'énerva effectivement Rosarita.

— Pourquoi pas ? Ce sont mes petits-enfants, après tout.

Elle s'empressa de changer de sujet, dans l'espoir de lui faire oublier Hawaii.

— Qui était cette femme, avec toi, hier soir ?

— Ce ne sont pas tes oignons, grommela Chas.

— Papa, dit-elle, reprenant son rôle de fille qui ne pense qu'au bien-être de son père, tu ne devrais pas t'afficher avec des créatures pareilles. Depuis toujours, je te vois sortir avec des femmes impossibles : voyantes, et avec une poitrine énorme. Qu'est-ce que tu leur trouves ?

— Je ne suis pas d'humeur à écouter tes conneries, ce matin, alors remballe les critiques.

— Je voulais simplement te remercier pour la soirée d'hier.

— Bon ! C'est fait. À plus tard.

Et il raccrocha.

— Je les déteste, tous ! marmonna-t-elle.

Et puis, histoire de s'amuser un peu, elle fit une nouvelle fois le numéro de Joel.

— Alors, fiston, tu as tiré ton coup ? demanda Matt avec un clin d'œil paillard tandis qu'ils trottaient côte à côte dans Central Park.

— Papa ! s'exclama Dexter. Ne me pose pas ce genre de question. C'est trop personnel.

— Je vous ai entendus, hier soir. Quand ta mère était jeune...

— Je ne veux pas en entendre parler, protesta Dexter.

— Pourquoi donc ? fit Matt piqué. Tu as suivi mon conseil ?

— Papa ! Laisse tomber.

— J'aimerais être grand-père avant d'être trop vieux.

— C'est à Rosarita qu'il faut le dire, pas à moi.

— Mignon petit lot, apprécia Matt, qui s'était arrêté net pour admirer une jolie sportive dont les petits seins dansaient sous un débardeur.

Dexter se promit de piquer les boules Quiès de sa mère la prochaine fois qu'il courrait avec son père.

Martha avait préparé un vrai festin : saucisses, bacon, tomates grillées, œufs brouillés, toasts, café fumant et jus d'oranges fraîchement pressées.

— Je vois que Rosarita n'a pas mis les pieds dans la cuisine, dit Dex en embrassant sa mère. Où est-elle ? demanda-t-il.

— Elle prend sa douche.

En entrant dans la chambre, il trouva sa femme allongée sur le lit, dans un peignoir de soie.

— Bonjour, chéri, dit-elle, levant à peine les yeux de son magazine.

— Tu t'es bien débrouillée, c'est maman qui a préparé le petit déjeuner, remarqua-t-il en se déshabillant.

— C'est elle qui a insisté.

— Oui, bien sûr, dit-il en se plantant nu devant elle. Je prends une douche rapide et je te retrouve à la cuisine.

— Et si je te retrouvais dans la douche ? suggéra-t-elle. Je vais te montrer un truc avec le jet que tu ne connais sûrement pas.

13.

Madison s'était longuement promenée, mais en vain, car Michael n'avait répondu à aucune des questions de sa liste.

— Je suis incapable de me soumettre à un questionnaire de ce genre, dit-il. Demande-moi ce que tu veux savoir.

Il tenta de s'expliquer, ne cessant de répéter combien Gloria était extraordinaire, qu'il allait retrouver des photos... Mais, quand elle l'interrogea sur les circonstances dans lesquelles Gloria avait été abattue, il se déroba.

— Bon sang, Michael. Tu ne me donnes aucun renseignement. Estimerais-tu que je n'ai pas le *droit* de savoir ?

— Je t'ai dit tout ce dont je me souviens. Je leur devais de l'argent, ils m'ont menacé. Je croyais Gloria à l'abri, mais ils l'ont quand même descendue.

— Qui ça ? insista Madison.

— Ces gens.

— Quels gens ?

— Un groupe de joueurs.

— Dirigé par qui ?

— Va savoir.

Madison comprit qu'elle ne tirerait rien de son père. Qui d'autre pourrait-elle interroger ? Peut-être Stella. Après tout, sa prétendue mère lui devait bien une explication.

— Où puis-je joindre Stella ?

— Je n'en ai aucune idée. Elle ne m'a appelé qu'une fois sans me dire où elle se trouvait. Si tu apprends quelque chose, j'aimerais que tu m'en informes.

Les deux heures suivantes n'apportant rien de plus, Madison lui annonça qu'elle était fatiguée et demanda à Michael de rentrer chez lui.

— Quand viendras-tu me voir ? s'inquiéta-t-il.

— Où cela ?

— Dans le Connecticut.

— Tu vas rester dans cette grande maison ? Sans Stella ?

— Je n'ai encore rien décidé.

— Tu ne m'as pas appris grand-chose, conclut Madison d'un ton las, et je n'ai toujours aucune idée de ce à quoi ressemblait ma mère.

— Elle était aussi belle que toi. J'essaierai de retrouver une photo.

Sachant pertinemment qu'il n'en ferait rien, elle le laissa partir et sortit une nouvelle fois courir dans le parc avec Harry. Les questions se pressaient dans sa tête : que lui cachait encore Michael ? De sa mère, elle savait seulement qu'elle avait été mystérieusement abattue à vingt ans et qu'elle n'avait ni famille ni amis.

Dans la journée, Natalie rappela Madison.

— Quand reviens-tu par ici ? Tu me manques ! déclara-t-elle après avoir débité ses doléances à propos des célébrités qu'elle avait récemment interviewées.

— Je vois Victor demain. Peut-être qu'une de ses brillantes idées me ramènera à LA.

— J'espère. Et côté cœur, comment ça va ? Tu as quelqu'un en vue ?

— Qui verrais-je ? répondit sèchement Madison. Ce sont tous des crétins. Et toi ?

— Pas le temps. Avec cette nouvelle émission, je n'ai pas une seconde à moi.

— Comment est ton coprésentateur ?

— Il est plus âgé que moi, et pas du tout ravi de travailler avec une Noire. Jimmy Sica était bien plus agréable.

— Traduction : il ne cherche pas à te faire du gringue.

— Exact ! fit Natalie en riant.

— Ça doit te manquer de ne plus travailler avec Jimmy... À propos, son frère, Jake, m'a appelée.

— Sans blague ? Tu as bien eu un petit penchant pour

lui ? Seulement, il était trop occupé à courir après cette pute de Kristin.

— Merci de me le rappeler.

— Que veux-tu, c'est vrai.

— Bon, je te rappelle d'ici à deux jours quand j'en saurai plus, conclut Madison. Crois-moi, je suis d'humeur à bouger.

À dix heures, le lendemain matin, on sonna à sa porte.

— Merde ! lâcha-t-elle.

En se précipitant pour regarder par le judas, elle avait trébuché sur Harry.

Une personne de taille exceptionnelle se tenait sur le palier. Madison la fit entrer.

— Bonjour. Je suis Kimm Florian. Nous avons rendez-vous.

Kimm Florian était une Amérindienne au visage large sans maquillage et aux cheveux d'un noir de jais ramenés en une longue tresse. Elle portait un pantalon kaki, un chandail marron et des baskets. Non pas grosse mais athlétique.

Tout en s'étonnant que Kimm Florian ressemble si peu à l'image qu'elle se faisait d'un détective privé, Madison présenta ses excuses : préoccupée, elle avait oublié d'annuler le rendez-vous.

— Vous avez un problème ?

— Mon amie a changé d'avis, Je suis désolée.

Navrée d'avoir imposé à Kimm un déplacement inutile, Madison l'invita à s'asseoir.

— Puis-je vous offrir un café, un jus d'orange, quelque chose ?

— Un verre d'eau, ce sera parfait.

— Vous n'avez pas l'air d'un détective privé.

— Non ? répondit Kimm avec une lueur amusée dans le regard. À quoi ressemble un détective privé, selon vous ?

— Je ne sais pas, hésita Madison. Le genre Don Johnson...

— Je vais tenter de me laisser pousser la barbe, répliqua Kimm en se laissant tomber sur le canapé. Vous savez, c'est très pratique de ne pas avoir l'air de ce que je suis. Les gens ne se doutent jamais que je les observe. Bon, parlez-moi de votre amie.

— Elle a eu des soupçons sur son mari, qu'elle a abandonnés cinq minutes après les avoir formulés.

— Les femmes ne se trompent jamais, déclara Kimm d'un air entendu. L'instinct, c'est tout. La première fois qu'une femme se doute que son mari la trompe, elle est dans le vrai.

— Comment savez-vous cela ?

— Après cent cinquante cas de ce genre, je suis en mesure de le savoir. Votre amie aura besoin de mes services, peut-être pas maintenant ni même la semaine prochaine, mais je peux vous assurer qu'elle me rappellera.

— Vous avez l'air fichtrement sûre.

— Je vais lui proposer un test.

— Lequel ? demanda Madison pour lui faire plaisir.

— Qu'elle regarde si le portefeuille de son mari contient un préservatif. La plupart des hommes en ont.

— Pas les hommes mariés.

— Vous seriez surprise. Elle fait une petite marque au coin de l'emballage. Et, une semaine plus tard, elle vérifie si le sachet est toujours là.

— Qu'est-ce que cela prouvera ?

— Si la marque a disparu, c'est un nouveau sachet. Et... s'il n'utilise pas de préservatifs avec elle...

— Est-ce que ça n'est pas un peu élémentaire ?

— Ce sont les choses simples qui les font trébucher.

— Vraiment ? fit Madison, impressionnée.

Elle sentait germer en elle une brillante idée.

— Dites-moi, ajouta-t-elle aussitôt, pouvez-vous remonter dans le passé des gens ? Par exemple vingt-neuf ans en arrière.

— Bien sûr.

— Bon, j'aimerais, alors, que vous enquêtiez au sujet d'un homme et d'une femme.

— Donnez-moi leurs noms et tous les renseignements en votre possession.

— Je n'ai pas grand-chose. La femme s'appelle Gloria Delegado. Elle avait une liaison avec un nommé Michael Castelli. Apparemment, elle a été tuée. On l'a abattue.

— Castelli, c'est bien votre nom ?

— Oui...

— Michael, c'est un parent ?

— Mon père.

— Vous voulez que je me renseigne sur votre père ?

— Oui. Je veux tout savoir sur lui parce que j'ai l'horrible impression d'avoir vécu avec un étranger.

— Je peux m'en occuper. Mais il faut que vous soyez consciente de ceci : s'il ne vous donne pas les renseignements dont vous avez besoin, ce que je découvrirai ne vous plaira peut-être pas.

Kimm avait quelque chose de rassurant ; elle inspirait confiance à Madison.

— Je sais, dit-elle. Allez-y, faites tout votre possible.

Il était midi passé quand Madison arriva au bureau.

— J'ai deux choses à t'annoncer, lança Victor d'une voix plus forte que jamais. Et crois-moi, jeune personne, les deux vont te plaire.

— Ne m'appelle pas « jeune personne », lança-t-elle, agacée.

— Pourquoi ?

— Ça fait paternaliste. Bon, je t'écoute.

— As-tu jamais interviewé un boxeur ?

— Non.

— Un grand combat va avoir lieu à Vegas, qui opposera Antonio Lopez, la « Panthère », au tenant du titre, Ali Jackson, le « Taureau ». La Panthère me semble être un sujet fascinant.

— Parce que tu es un homme. Mais pour nos lectrices ?...

— Tu mettras l'accent, comme tu le fais toujours, sur sa personnalité, ses femmes, sa façon de s'habiller, ses relations...

— Il est marié ?

— Non, mais il a eu trois enfants de trois femmes différentes et il n'a que vingt-trois ans. Ça te suffit ? La rencontre aura lieu à Vegas dans six semaines. Tu seras au premier rang.

— Au premier rang ! s'écria-t-elle, écœurée. Mais qui

peut avoir envie de regarder deux abrutis en train de se massacrer ?

— Toi. Et ce sera follement excitant.

— Quel macho tu fais, Victor. Tu y connais vraiment quelque chose, à ce qui excite les femmes ?

— Parfaitement, un nouveau manteau de vison chaque hiver. En tout cas, avec Evelyn, ça marche.

— On ne t'a pas dit que c'était politiquement incorrect de porter de la fourrure ?

— Je me tue à le lui répéter, mais ça ne change rien.

— Comment réagirais-tu si quelqu'un jetait un seau de peinture sur son manteau ?

— Je lui glisserais un billet, dit-il en riant.

— Alors, tu veux que j'aille à Vegas ?

— Qu'est-ce que tu en dis ?

— Pourquoi pas... J'avais envie de partir.

— Tu as l'air vannée, reprit plus sérieusement Victor en la dévisageant. Tout va bien ?

— Bien sûr.

— Encore un long week-end solitaire ?

— Absolument pas, répliqua-t-elle, énervée. D'abord j'ai des tas d'amis, ensuite j'ai un chien. Ce n'est pas parce que je ne suis pas avec un type que je ne m'amuse pas.

— David te manque.

— Je l'emmerde.

— Oui, il te manque. Mais j'ai la solution à tes problèmes.

— Ah bon ?

— Nous donnons un dîner auquel Evelyn tient absolument à ce que tu viennes.

— Et pourquoi donc ?

— Parce que ma chère épouse, se considérant comme la meilleure marieuse de Manhattan, pense t'avoir trouvé la perle rare.

— Non, Victor, gémit Madison. Assez. À l'un de ces derniers dîners, le parti idéal était un connard de vingt et un ans ; le précédent avait quatre-vingt-six ans. Malgré tout le respect que je lui dois, Evelyn n'a pas la moindre idée de ce que je cherche. D'ailleurs, je ne cherche rien du tout. Si je tombe dessus, parfait, sinon, je suis très heureuse toute seule.

— Cette fois-ci tu ne peux pas refuser, insista Victor. C'est l'anniversaire d'Evelyn.

— Oh, mon Dieu !

— Je suppose que ça veut dire oui ?

— Bon, je viendrai. J'apporterai même un cadeau. Mais, je t'en prie, ne cherchez plus à me caser.

14.

— Venez donc à mon bureau, proposa Joel. À une heure moins le quart.

Pas besoin de le lui dire deux fois. On était mardi et Rosarita en avait soupé de ses beaux-parents, même si, depuis quelque temps, les choses allaient un peu mieux au pieu avec Dex.

Chas n'avait fait aucune allusion à la mission dont elle l'avait chargé ; pourtant, évacuer un mari qui bousillait la vie de sa fille, ce n'était pas si terrible ! Elle n'avait plus le choix...

D'un autre côté, s'il se montrait coopératif, s'il acceptait de divorcer sans faire d'histoire, peut-être lui accorderait-elle un sursis.

Elle ne s'était jamais rendue dans le Blaine Building, magnifique tour de verre et de béton appartenant à Leon Blaine. Joel lui avait confié qu'il était sur le point de reprendre l'affaire. « Leon est prêt à prendre sa retraite, lui avait-il annoncé. C'est moi qui lui succéderai. »

Rosarita découvrit avec surprise que le bureau de Joel n'était qu'au trente-cinquième étage – d'après ses renseignements, celui de Leon Blaine occupait le trente-sixième.

À la réception se tenait une petite Noire revêche avec des ongles peints en vert et une crinière décolorée : Bijou, l'assistante de Joel.

— Oui ? fit-elle d'un air hargneux.

— Je viens voir M. Joel Blaine.

— Qui dois-je annoncer ?

— M. Blaine m'attend.

— Alors, répliqua Bijou, vous devez avoir un nom.

— Dites-lui que Rosarita est ici, murmura-t-elle entre ses dents, une fois de plus gênée par ce prénom de putain mexicaine dont ses parents l'avaient affublée sous le prétexte qu'ils l'avaient conçue sur une plage de Puerto Vallarta.

— Rosarita, répéta Bijou d'un air narquois. Je le préviens. Asseyez-vous, mon chou.

Mon chou ! Quel sans-gêne ! Rosarita, aussi naturellement qu'elle en était capable, s'installa dans un fauteuil et choisit négligemment un magazine.

La fille aux ongles verts chuchotait et ricanait au téléphone, sans se soucier d'elle. Après dix minutes, n'y tenant plus, elle se leva.

— M. Blaine sait-il que j'attends ? grinça-t-elle.

— Oh, répondit Bijou, peu impressionnée. Il était au téléphone. Je vais voir s'il est libre. Elle appuya sur une touche et s'enquit familièrement : Joel ? Une certaine Rosarita attend ici. Je vous l'envoie ? Un silence. Bon, reprit-elle en adressant à Rosarita un long sourire insolent, vous pouvez entrer.

Malgré le mobilier en cuir et la grande baie vitrée donnant sur la Sixième Avenue, Rosarita fut un peu déçue. Elle s'attendait à une vaste enfilade de pièces luxueuses.

Assis à son bureau, Joel arborait un pull rose en cachemire et un large sourire.

— Salut, bébé, dit-il. Entre et ferme la porte.

Il se leva et fit le tour de son bureau pour venir au-devant d'elle. Au-dessous de la taille, il était nu.

— Joel ! s'écria-t-elle, mi-choquée, mi-amusée. Je constate que ma visite te fait plaisir.

— J'ai voulu te réserver un bon accueil.

Elle suivit son regard et vit par la grande baie que, de l'autre côté de la rue, un autre immeuble de bureaux les dominait. Naturellement, il avait gardé les stores relevés.

À l'idée que des gens se trouvaient aux aguets, comme il le souhaitait, Rosarita fut tout de suite excitée.

— Comment s'est passé ton week-end ? demanda-t-elle.

— Plutôt décontracté, dit-il en se caressant d'un air désinvolte.

— Qu'est-ce que tu as fait ?

— Qu'est-ce que je n'ai *pas* fait ?

D'instinct, elle retint les questions qu'elle avait en tête.

— Si tu t'agenouillais devant moi ? suggéra-t-il sans aucune équivoque possible.

Il jouit très vite. Elle crut alors que son tour était venu, mais non. Il s'en alla enfiler son pantalon et se rassit à son bureau.

— Et moi ? demanda-t-elle en se relevant.

— Reviens demain. Je t'étalerai sur mon bureau et je te lécherai comme on ne te l'a jamais fait, promit-il, la faisant frissonner d'impatience.

— Bon, bébé, dit-il en la congédiant d'un geste de la main. J'ai des affaires à régler. Même heure demain.

On n'avait jamais traité Rosarita avec une telle désinvolture. C'était incroyablement excitant.

Quand elle sortit du bureau, la réceptionniste lui lança un regard complice. Bon sang ! Elle avait oublié de se plaindre d'elle. Demain...

À l'autre bout de la ville, Dexter prenait un café avec ses parents et la vedette de « Sombres Journées », Silver Anderson, magnifique sexagénaire qui régnait sur la télévision depuis vingt ans. Martha et Matt vivaient un rêve.

— Vous voyez, mes chéris, articula Silver en exagérant son accent pseudo-britannique, *j'adore* ce métier et ce métier m'adore. Et travailler avec de jeunes acteurs pleins d'avenir comme votre fils me ravit positivement. Regardez-moi ce garçon... N'est-il pas un divin spécimen de virilité ?

Dexter prit un air modeste.

— Sûrement, approuva Martha, le regard brillant.

Matt resta muet. Fasciné par cette femme incroyable, il se revoyait adolescent de quatorze ans, assis au dernier rang du cinéma local et se masturbant devant l'image de l'immense vedette étalée sur l'écran. Encore superbe, Silver Anderson avait à peine changé.

Après avoir mis ses parents dans un taxi, Dexter regagna le plateau.

— Merci, dit-il sur le pas de la porte de la loge de Silver. Vous ne pouvez pas savoir ce que cette rencontre représente pour eux. Et la photo avec eux, n'en parlons pas !

— Ton père est *adorable*, dit Silver, scrutant son reflet dans le miroir de sa coiffeuse. Dis-moi, Dexter, où est donc ta femme ? Comment se fait-il qu'elle ne vienne jamais sur le tournage ?

— Rosarita est toujours occupée.

— Elle travaille ?

— Non, mais vous savez... Entre les cheveux, les ongles, l'épilation...

Silver eut un rire un peu rauque.

— Je vois. Genre Hollywood.

— J'essaie de lui faire un gosse, avoua-t-il.

— Bonne idée. Et vlan ! À la cuisine, avec un tablier et des savates, et plein de mômes autour. Voilà comment on vient à bout d'une femme. Surtout si elle passe son temps à dépenser ton argent.

— Son père est riche, précisa-t-il par honnêteté.

— Ce sont les pires, soupira Silver. Au moindre problème, elles courent chez papa. Impossible d'avoir de l'autorité.

Autorité : le mot plaisait à Dexter. Il était le mari de Rosarita. Il exercerait son autorité.

La prochaine fois qu'elle aborderait le sujet du divorce, il cognerait, avec « autorité ».

15.

Les quelques jours suivants passèrent si rapidement que Madison n'eut pas trop le temps de penser aux révélations de son père.

À peine eut-elle quitté Victor qu'elle entreprit de se documenter sur Antonio Lopez, la Panthère. À vingt-trois ans, encore invaincu, le jeune boxeur s'apprêtait à affronter à Vegas le tenant du titre. Son âge, cependant, ne l'empêchait pas d'avoir déjà un passé bien rempli.

Madison était contente de quitter New York et d'aller voir comment Vegas, la cité du délire, avait changé depuis sa dernière visite, quelques années plus tôt.

Le mercredi soir, elle dîna avec Jamie, Peter et Anton, qui se confondit en excuses.

— Ma chérie, dit-il avec de grands gestes, *jamais* je ne t'aurais placée à côté de Joel Blaine ! *Jamais* je n'ai eu l'intention de l'inviter. C'était Leon qui devait venir. Joel a simplement pris sa place.

— J'aurais dû m'en douter. Mais ne t'en fais pas, dit-elle en attaquant un travers de porc. Je m'en suis remise.

Au milieu du dîner, Jamie se leva pour aller aux toilettes. Madison l'accompagna.

— Figure-toi, dit Madison, que j'ai oublié d'annuler ton détective. Elle a rappliqué lundi matin.

— *Mon* détective ?

— Enfin, celui que tu voulais charger de filer Peter.

— Chut !

— Il n'y a personne ici. D'ailleurs, c'était une femme

extrêmement intéressante. Et pleine de bons conseils. Tiens, elle te fait une suggestion.

— Laquelle ?

— Regarde si Peter planque des préservatifs dans son portefeuille.

— Pourquoi Peter aurait-il un préservatif dans son portefeuille ?

Jamie éclata de rire.

— S'il est clean, tu n'en trouveras pas. Mais Kimm pense que la petite voix intérieure ne se trompe jamais.

— Charmant ! Je peux t'assurer que, moi, je me suis trompée. Peter n'a jamais été plus amoureux.

— Alors ça ne te coûte rien de jeter un coup d'œil.

— Suppose que j'en trouve un ?

— Fais une petite marque au coin de l'emballage puis vérifie la semaine suivante. Si elle a disparu, c'est parce qu'il a eu besoin d'utiliser un préservatif, et donc qu'il te trompe.

— C'est moche ! Et compliqué, aussi.

— Je trouve ça plutôt futé.

— Nous n'utilisons pas de préservatifs, fit observer Jamie.

— C'est d'autant mieux. Comme ça, s'il en a, tu le tiens. Que peut-il prétendre ? Que c'était pour un copain ?

— C'est ridicule, lança Jamie en brossant un peu trop vigoureusement ses courtes mèches blondes.

— Tu n'as donc rien à perdre à essayer.

— On verra, dit Jamie. Puis, changeant de sujet, elle ajouta : Au fait, Peter a rencontré au bureau l'homme qu'il te faut.

— J'en ai ras le bol de votre sollicitude, grommela Madison. Si cet homme existe, je le trouverai toute seule. Tiens, reprit-elle, Jake Sica m'a appelée.

— Qui est Jake Sica ?

— Le garçon de LA dont je t'ai parlé, qui frétillait derrière une call-girl, tu sais, celle qui avait pour client un dingue authentique.

— Qu'est-ce qu'il voulait, ce Jake ? insista Jamie.

— Il vient à New York cette semaine. Malheureusement, mon répondeur n'a pas pris la fin de son message.

— Tu vas le voir quand même ?

— Bien sûr.

— Parfait, dit Jamie. Mais ça ne t'empêche pas de rencontrer l'ami de Peter.

— Pas question.

— On verra, murmura Jamie avec un sourire mystérieux.

— Toi, peut-être, mais pas moi.

— Peter dit qu'il te plaira sûrement.

— Peter ne connaît pas mes goûts.

— Viens pour voir.

— Tu ne vas pas me faire ça, gémit Madison.

— Écoute, proposa Jamie, si tu acceptes de dîner avec ce garçon, je ferai le coup du préservatif pour te faire plaisir. Qu'est-ce que tu en dis ?

— Attends ! Ce n'est pas pour moi, le coup du préservatif, mais pour toi !

— Si tu veux, mais...

— Bon, je viendrai dîner, je rencontrerai un type formidable, nous nous marierons et nous aurons six superbes enfants. Ça te va ?

— On a vu des choses plus étranges.

— Tu parles !

Elles riaient encore quand elles regagnèrent leur table.

— Qu'est-ce que vous avez fabriqué ? demanda Peter. Ça fait une heure que vous avez disparu.

— Si tu tiens à le savoir, répondit Jamie, nous parlions de *toi*.

— Je serai le premier à convenir que c'est un sujet fascinant.

— Et tu aimes tellement savoir qu'on parle de toi, s'amusa Jamie en se penchant pour lui mordiller le lobe de l'oreille.

— Je trouve ces manifestations d'affection en public extrêmement déplacées, protesta Anton.

— C'est vrai, renchérit Madison. On pourrait penser qu'ils ont mieux à faire de leur temps.

— En effet, dit Peter avec un rire gras. C'est pourquoi je vais demander l'addition.

Madison ouvrait sa porte quand la sonnerie du téléphone retentit. Sans doute Michael, ou peut-être Kimm. Elle décrocha le combiné à l'instant même où le répondeur se déclenchait.

— Salut, fit-elle, essoufflée.

— Il était temps ! s'écria la voix de Jake Sica. J'allais raccrocher.

— Comment ça va ? demanda-t-elle, ravie. J'ai trouvé votre message, l'autre jour. Je vous aurais rappelé, mais vous n'avez pas laissé de numéro.

— C'est que je n'avais pas de numéro à laisser, expliqua-t-il. Ces derniers mois, j'ai pas mal erré.

— C'est vague.

— Vous savez ce que c'est. J'avais besoin... de me retrouver.

— Je comprends parfaitement, d'autant mieux que... moi aussi, je traverse une période un peu dure.

— Dure ?

— Je ne tiens pas à en parler au téléphone.

— Dans ce cas, je vous emmène au restaurant – je suis à New York. Que préférez-vous, déjeuner, dîner, prendre le thé ?

— Disons dîner, suggéra-t-elle. Je suis libre demain soir.

— Va pour demain soir. C'est bon d'entendre de nouveau votre voix.

— Cela me fait plaisir aussi, murmura-t-elle, émue comme une gamine.

— Je ne connais pas bien New York. Je vous laisse choisir.

— Vous aimez la cuisine chinoise ?

— J'adore.

— Je vais vous donner mon adresse et vous pourrez passer me prendre. Où êtes-vous descendu ?

— Un hôtel minable à côté de Times Square. Vous me connaissez... Les palaces, ça n'est pas mon genre.

— Donnez-moi votre téléphone, au cas où je me casserais une jambe...

— Vous en avez l'intention ?

— Non.

— Heureux de l'entendre, fit-il en s'éclaircissant la voix.

Au fait, je viens d'avoir une idée. Vous venez de rentrer, alors vous devez être habillée... exact ?

— Oh, je vous en prie. Vous n'allez pas me demander ce que je porte ?

— Non, répondit-il en riant. Si nous allions prendre un verre maintenant ?

— Maintenant ? répéta-t-elle bêtement.

— C'est bien ce que j'ai dit !

— Eh bien, ma foi... Oui, pourquoi pas ?

— Super. Je passe vous prendre.

Elle lui donna son adresse et raccrocha, troublée. Elle connaissait à peine ce garçon mais, à l'idée de le revoir, son cœur battait la chamade.

Elle se précipita dans la salle de bains et jeta au miroir un regard critique. Elle portait un chemisier blanc, un jean noir et une courte veste également noire. Elle se maquilla légèrement, suivant en cela les conseils de Jamie. Quant à Harry, elle coupa court à ses intentions de sortir avec elle et le confia à Calvin, le concierge – il avait un faible pour Madison, c'était bien commode quand elle avait besoin d'un service.

Son corsage blanc lui paraissant trop strict, elle enfila un débardeur en cachemire rouge, beaucoup plus sexy.

— Vous êtes très bien, comme ça, mademoiselle Castelli, confirma Calvin en l'examinant de la tête aux pieds.

— Merci, dit-elle distraitement en refermant la porte.

Elle était préoccupée par son parfum. Un soupçon de « Pamplemousse » ? Une fragrance qui rendait David fou. *Pas assez fou pour qu'il reste,* songea-t-elle amèrement. Il aurait dû se rendre compte que personne ne l'aimerait comme elle. Enfin !

Nouvelle sonnerie de l'Interphone.

— Il y a ici un monsieur qui vous demande, mademoiselle, annonça Calvin.

Jake avait dû appeler du coin de la rue, pour être déjà au pied de l'immeuble.

— Dites-lui que je descends, répondit-elle en se regardant une dernière fois dans la glace.

Elle attrapa son sac et sortit en courant.

Pendant l'interminable descente de l'ascenseur, elle

envisagea de faire une allusion à la call-girl que fréquentait Jake, puis y renonça, optant pour un accueil amical.

Les portes de l'ascenseur s'ouvrirent. Il lui tournait le dos, jouant avec Harry. Un bon point pour lui : il aimait les chiens.

— Salut, bel étranger, dit-elle.

Il se redressa pour lui faire face. C'était David !

16.

Chas Vincent regrettait parfois de ne pas avoir eu de fils. Deux filles sur les bras ! Il les aimait, oui, mais Rosarita était résolument casse-pieds. Venice, en revanche, était un ange, tout comme ses gosses en qui il voyait, à chaque rencontre, la descendance des Vincent assurée, ce qui comptait beaucoup pour lui.

Rosarita avait tort de le prendre pour un tueur. Certes, sa vie tumultueuse, dont il ne se cachait pas, lui avait procuré autant d'ennemis que d'amis. Mais comment pouvait-elle imaginer qu'il était capable de faire descendre qui que ce soit ? Surtout son gendre...

Peut-être devrait-il mettre Dexter en garde. Mais non ! Personne ne croirait Rosarita capable de demander à son propre père de supprimer son mari sous le simple prétexte que ce schnock ne voulait pas divorcer.

Varoomba se préparait pour la nuit dans la salle de bains. Depuis ce dîner familial, elle faisait partie des meubles. Pour l'instant, l'arrangement lui convenait : il avait même songé à la faire renoncer à son travail dans la boîte pour l'installer chez lui, oubliant un instant qu'il serait quasi impossible de la déloger au cas où il voudrait s'en débarrasser. Pour éviter un problème supplémentaire – il en avait assez comme ça –, la meilleure solution consistait à payer le loyer de l'appartement qu'elle occupait ; de cette façon, elle pourrait se trouver là où il avait envie qu'elle soit.

Varoomba sortit de la salle de bains dans un déshabillé qui lui plaisait particulièrement.

— Très joli, bébé, apprécia-t-il en baissant le son de la télé.

— Merci, papa, roucoula-t-elle.

Papa ! Il détestait.

— Ne m'appelle pas comme ça.

— D'accord, dit-elle, mais comme tu m'as fait remarquer que j'étais plus jeune que tes deux filles, tu pourrais très bien être mon papa. Elle eut un petit gloussement. Mon papa gâteau !

Ces paroles firent sur lui l'effet d'une douche froide. Quand donc les femmes apprendraient-elles à fermer leur clapet ?

Rosarita déboula à l'étage de Joel comme si elle était propriétaire des lieux. La même petite Noire était installée derrière son bureau à limer ses atroces ongles verts.

— Vous vous souvenez de moi ? lança Rosarita.

— Non, répliqua Bijou, toujours aussi aimable.

— Dites à M. Blaine que Rosarita est là.

— Ah oui, Rosarita. Un drôle de nom quand on n'est pas mexicaine, hein ?

— Quoi ? fit Rosarita, scandalisée.

— Vous avez entendu, répliqua Bijou, assurée que Joel ne la congédierait jamais ; elle en savait trop.

Rosarita s'éloigna en faisant claquer avec impatience les talons aiguilles de ses Gucci sur le dallage de marbre. Pourquoi avait-elle oublié de dire à Joel de virer cette fille ?

— Attendez un peu, fit Bijou en se lançant à sa poursuite. Vous ne pouvez pas...

— Essayez donc de m'en empêcher, cria Rosarita en ouvrant la porte du bureau de Joel.

Installé dans son fauteuil, celui-ci se masturbait nonchalamment, le sexe bien en vue.

— Oh ! s'écria Rosarita.

— Oh ! là, là ! gloussa Bijou en reculant.

— Qu'est-ce que tu fais ? reprit Rosarita.

— Ça se voit, non ?

Refermant la porte derrière elle, elle approcha.

— Je ne voudrais pas te déranger, grinça-t-elle, d'un ton sarcastique.

— Bébé, je peux t'assurer que tu ne me déranges pas, répondit-il en se rajustant.

— Et devant ta prétendue assistante !

— T'occupe pas de Bijou, elle a déjà vu tout ça.

— Tu ne couches tout de même pas avec cette... cette traînée ?

— Ne dis pas n'importe quoi, bébé, je suis Joel Blaine. Tu sais, ajouta-t-il avec un clin d'œil complice, quand deux personnes vivent toute la journée côte à côte, elles n'ont plus de secrets entre elles.

Rosarita était exaspérée. Il était complètement dingue. Mais il l'excitait... terriblement.

— Rapplique un peu et cesse de me faire chier. Saute donc sur ce bureau, bébé. Je vais te montrer quelques petits trucs que tu ne connais pas. Soulève ton cul et ôte ta culotte, ordonna-t-il.

— Qu'est-ce qui te fait croire que j'en ai une ? répliqua-t-elle d'un ton qu'elle espérait provocant.

— Oh, bébé, bébé, murmura-t-il, toi et moi, on est vraiment faits pour s'entendre.

— Qu'as-tu fait aujourd'hui ? demanda Dexter à Rosarita, qui venait de rentrer.

— Des courses, éluda-t-elle en essayant de ne plus penser aux caresses de Joel.

— Maman pensait que tu allais l'emmener au musée. Elle est déçue.

— Je l'emmènerai demain, dit Rosarita en ajoutant sèchement : J'ai ma vie aussi, tu sais.

— Ta vie est avec moi, déclara Dexter.

C'est ce que tu crois.

— Depuis quelque temps, tout ce qui t'intéresse, c'est de faire plaisir à ta foutue mère !

— Ne commence pas, dit-il en lui lançant un regard menaçant.

— Il n'est question que de toi, gémit-elle. De ce que tu veux, toi. Tu pourrais de temps en temps penser à ce que moi, je veux. Et tu sais très bien ce que c'est.

— Quoi donc ?

— Divorcer, lança-t-elle d'un ton triomphant.

— Tu avais promis que nous n'en discuterions pas avant le départ de mes parents.

— C'est toi qui n'arrêtes pas de me harceler.

— Je te demande pardon. Je ne dirai plus rien.

Et il tint parole. Ce soir-là, il lui fit deux fois l'amour. Il était déterminé à la mettre enceinte, et, au train où ils allaient, cela irait vite.

17.

— Mmm... Sensationnelle ! commenta David.

— David ? Madison n'en croyait pas ses yeux. Qu'est-ce que tu fais là ?

— Je suis passé par hasard au cas où tu serais là, dit-il d'un ton nonchalant.

C'était la première fois qu'elle le revoyait depuis qu'il l'avait plaquée.

— Justement, je ne suis pas là, dit-elle tout net. Je sors dîner.

— Vraiment ? fit-il, surpris.

— Mais oui.

— Quel accueil ! dit-il en la regardant droit dans les yeux.

— Peux-tu me préciser un point, articula-t-elle en s'efforçant de recouvrer son sang-froid. Tu es vraiment venu me voir ?

— Manifestement.

— Pourquoi ?

— Il me semblait que nous avions à parler.

— Tu n'aurais pas pu décrocher un téléphone ?

— Je n'étais pas sûr que tu ne me raccrocherais pas au nez.

— Je vois, fit-elle d'un ton glacial. Tu t'es mis dans la tête que mieux valait débarquer ici à dix heures et demie du soir pour m'affronter en personne.

— Tu es sensationnelle, répéta-t-il.

— Tu me l'as déjà dit, répondit-elle, déconcertée.

— Alors, reprit-il sur le ton de la conversation, que deviens-tu ?

— Qu'est-ce que c'est que ces foutaises ? s'exclama-t-elle, s'emportant brusquement. Retourne où tu devrais être, auprès de ta femme.

— Je l'ai quittée. C'est fini entre nous.

— Comment as-tu fait ? Tu es sorti acheter des cigarettes et tu as oublié de revenir ?

— Ce monsieur vous ennuie, mademoiselle Castelli ? s'enquit Calvin en sortant de derrière son bureau avec un air agressif.

Harry aboya. Il tirait sur sa laisse, mais Calvin ne le promènerait pas avant d'avoir éclairci la situation.

— Non, Calvin, tout va bien, s'empressa-t-elle de dire. Ce monsieur n'est pas la personne que j'attendais et, d'ailleurs, il s'en va.

— Ah ! dit Calvin, en lançant à David un regard mauvais.

Elle ne savait pas si elle devait rester dans le hall au risque de voir Jake arriver ou regagner son appartement.

— Où vas-tu dîner ? demanda distraitement David.

— Ce n'est pas ton affaire.

N'avait-il pas pris un ou deux kilos ?

— Notre histoire était super, soupira-t-il. Géniale.

— En effet, David, répondit-elle tranquillement en regardant Calvin s'éloigner avec Harry. Enfin, jusqu'à ce que tu foutes tout en l'air. Alors, ne viens pas geindre parce que ton mariage n'a pas marché. Vois-tu, très franchement, je m'en fous.

— Pas du tout, s'empressa-t-il de dire. Il paraît qu'il n'y a personne dans ta vie depuis notre séparation. Ça veut dire que tu ne t'en fous pas.

— Non, ça veut dire que je n'ai trouvé personne avec qui j'aie envie de coucher. Très différent.

— Je n'ai nulle part où aller ce soir, annonça-t-il.

— Tu n'as jamais entendu parler du mot « hôtel » ? dit-elle d'un ton caustique. La ville en est pleine.

— Je ne m'attendais pas à ce genre de réaction. J'espérais plus de compassion.

— David, expliqua-t-elle avec patience, le soir où tu m'as plaquée, ma compassion est partie avec toi. Tu comprends ?

— Seigneur, Madison, combien de fois faut-il que je te dise que je regrette ?

— Autant de fois que tu voudras. Ça ne changera rien.

— Tu veux déjeuner avec moi demain ?

— Tu dis n'importe quoi.

— C'est donc ça, reprit-il d'un ton d'enfant boudeur. Je suis puni.

— Tu ne comprends donc pas, David ? Tu n'es pas puni. Nous avions en commun quelque chose que tu as cassé en mille morceaux. Maintenant, c'est fini.

— Non, insista-t-il. Ce ne sera jamais fini.

— Mais si. C'est absolument terminé et je vais remonter, alors tu ferais mieux de partir.

Va-t'en, cria-t-elle en silence. *Va-t'en avant que Jake arrive.*

Cette prière muette ne fut pas exaucée car Jake arriva juste à ce moment-là. En pleine forme, six centimètres de plus que David, le cheveu en bataille et des yeux marron au regard tendre.

— Salut, fit-il, sans se rendre compte qu'il déboulait en pleine scène.

— Bonsoir, dit-elle en l'agrippant par la manche de son blouson de cuir pour l'entraîner vers la porte. Je suis prête, allons-y.

David allait leur emboîter le pas mais elle l'arrêta d'un regard qui disait : *pas question !*

— J'ai interrompu quelque chose ? demanda Jake en débouchant dans la rue. Vous m'avez poussé dehors comme si l'immeuble était en feu !

— C'est exactement ça, vous m'avez sauvée.

— De ce type ? Qui est-ce ?

— Quelqu'un que j'ai connu autrefois. Elle ajouta, après un long silence éloquent : Et je peux l'affirmer sans risque de me tromper : je ne le connais plus.

— Bon. New York vous va bien.

— Vous voulez dire que LA ne m'allait pas ?

— Vous étiez rudement bien, à LA, mais, comme nous le savons tous les deux, j'avais l'esprit ailleurs. Seigneur, ajouta-t-il avec un grand sourire, je devais être aveugle.

— Je suis contente que vous soyez là.

— Pourquoi donc ?

— Parce que j'ai désespérément besoin de quelqu'un à qui parler.

— C'est la seule raison ?

— Une des raisons.

— Alors parlez.

— D'abord, j'ai besoin d'un verre. Puis je veux savoir pourquoi vous êtes à New York, quels sont vos projets, où vous comptez aller et puis, après cela, j'aimerais tout simplement m'amuser un peu.

De nouveau, un sourire éclaira son visage ; un sourire ravageur, elle s'en souvenait.

— C'est exactement ce que j'avais en tête, dit-il. M'amuser avec vous.

Trois heures plus tard, ils finissaient tout juste de faire l'amour dans le lit de Madison.

— C'est la première fois, soupira-t-elle en s'étirant voluptueusement.

— Vraiment ? fit-il en riant. Tu veux dire que tu es une vierge de vingt-neuf ans ?

— Tu me comprends, murmura-t-elle en souriant doucement. Je ne me suis jamais retrouvée au lit au premier rendez-vous... Enfin, peut-être une fois, au collège, et puis une aventure d'un soir à Miami, précisa-t-elle par souci d'exactitude.

— Tu sais, dit-il, l'interrompant, je ne pose pas de questions. D'ailleurs, c'est notre second rendez-vous. Vous vous souvenez de LA ?

— Bien sûr.

— Depuis, j'ai beaucoup pensé à toi.

— Moi aussi, avoua-t-elle.

Il bâilla et roula sur le côté.

— J'espère que ce n'est pas l'homme de ta vie qui, en débarquant ce soir, t'a poussée dans mes bras.

— Il y a plus d'un an que David n'est plus l'homme de ma vie. J'ai même failli ne pas le reconnaître.

— Parfait, fit-il en se retournant vers elle pour la couvrir de baisers. Sur le visage, le cou, puis il descendit lentement, très lentement.

Elle eut un petit gémissement ; elle atteignait avec Jake un bien-être largement au-delà de ce qu'elle avait espéré. Plus tôt dans la soirée, devant un verre dans un bar voisin, elle lui avait raconté les révélations de Michael : il l'avait écoutée avec attention. Elle lui avait parlé aussi de la détective engagée pour se renseigner au sujet de ses parents.

— A-t-elle trouvé quelque chose ?

— Je n'ai pas encore de ses nouvelles.

— Si elle est consciencieuse, elle attendra d'être en mesure de vous apporter des informations complètes.

— Complètes ? Comment savoir ? Je suis totalement perdue.

À vrai dire, allongée là tout près de lui, elle ne se sentait plus du tout perdue, surtout lorsque les mains de Jake exploraient son corps, faisant naître de longs frissons d'excitation.

Au matin, il était toujours là. Elle se glissa hors du lit, passa dans le salon, où elle affronta le regard furieux de Harry, privé de sa place dans la chambre, et entra dans la cuisine pour mettre la cafetière en route. Puis elle passa un jean et une chemise, attrapa la laisse du chien et l'emmena courir autour du pâté de maisons.

Lorsqu'elle revint, Jake servait le café.

— Et donc, déclama-t-il avec son sourire à craquer, elle est aussi merveilleusement belle le matin...

— Poète ?

— Cette nuit a vraiment été exceptionnelle, précisa-t-il en lui tendant une tasse, et même exceptionnellement exceptionnelle.

— Comment cela a-t-il pu arriver si vite ? s'étonna-t-elle en se juchant sur un tabouret de bar.

— Parce que je suis irrésistible.

Il but une gorgée de café et ajouta, plus sérieux :

— Comment va le travail ?

— Toujours le train-train. Tu sais que j'ai écrit un article sur les call-girls de LA ? Comme tu me l'avais demandé, je n'ai pas cité ta fiancée.

— Elle n'était pas ma fiancée, précisa-t-il, seulement une

gentille fille avec qui j'ai eu une aventure. Et si elle a pris ce job, c'est parce qu'elle avait une sœur à charge.

— Bel exemple de compassion.

— Ne sois pas garce.

— Je dois admettre, reconnut Madison à contrecœur, qu'elle était vraiment très belle.

— Jolie, seulement, corrigea-t-il avec un regard appuyé. Toi, tu es belle.

— Merci.

Madison se retenait d'être touchée. Le départ de David lui avait donné une bonne leçon : désormais, elle ne souffrirait plus, elle ne rêverait plus, elle ne serait plus déçue. Elle s'amuserait, c'est tout.

— Et toi ? demanda-t-elle. Comment ça marche, côté boulot ?

— Ça va. Je reviens d'Afrique où j'ai fait des photos de guépards en liberté.

— Oh ! vraiment ? J'adore les guépards. Ce sont les plus beaux animaux du monde. Je peux voir tes photos ?

— Quand tu voudras.

— J'aimerais bien.

— Et moi... j'aimerais...

— Quoi donc ? fit-elle, retenant son souffle.

— Je crois que tu sais, dit-il en se penchant pour l'embrasser voluptueusement.

Elle sentit sur ses lèvres un goût de café, et, une nouvelle fois, le désir la traversa. Elle avait envie de lui et il n'y avait absolument aucune raison de s'en priver.

Une semaine plus tard, Jake était parti. Un interminable baiser sur le pas de la porte et fini... Il était en route vers Paris pour un reportage.

— Viens avec moi, avait-il proposé.

— Je ne peux pas, avait-elle dit, sachant qu'il était trop tôt pour le suivre à travers le monde. J'attends des nouvelles de ma détective. J'ai des choses à faire pour le magazine et il faut que je parle à Stella.

Tout cela, c'étaient des excuses. Elle aurait pu partir si elle l'avait voulu.

— Tu vas me manquer.

— Combien de temps seras-tu absent ?

— Le temps qu'il faudra. Tu me connais... je ne suis pas du genre à faire des projets.

Ainsi, il avait disparu de sa vie après une semaine d'union parfaite. La vie quotidienne reprit son cours, avec une liste impressionnante de gens à rappeler. Pendant sept jours, son répondeur n'avait cessé d'enregistrer des appels : Victor, Michael (tous les jours), Jamie, Natalie, Anton et David.

Elle commença par Victor.

— Tu pourrais me dire où tu étais passée ? hurla-t-il. Comment oses-tu disparaître de cette façon sans rien dire à personne ? Tu n'es pas venue à l'anniversaire d'Evelyn. Plus important encore, tu n'as pas vu le brillant parti qu'elle voulait te présenter.

— Désolée, Victor, j'ai sombré dans la luxure.

— Quoi ?

— J'ai retrouvé un vieil ami.

— Tu veux dire que tu as passé la semaine à t'envoyer en l'air ?

— Cela ne te regarde pas.

— Je te conseille de trouver un moyen pour obtenir le pardon d'Evelyn. Elle n'est pas contente du tout. Et moi, de quoi ai-je l'air ? Tu m'avais promis de venir.

— Je ne connaissais même pas la date de ta fameuse soirée.

— J'ai laissé six messages sur ton répondeur.

— Je ne les ai écoutés que ce matin.

— Et si ç'avait été une urgence ?

— Ça n'était pas le cas, non ?

— Tu as toujours réponse à tout.

— Tu m'as bien formée.

— Où en es-tu de tes recherches sur la Panthère ?

— Ça avance, dit-elle sans vergogne.

— Tu es prête à partir pour Vegas ?

Au lieu de répondre, elle demanda, soudain frappée par une idée géniale :

— Quel photographe as-tu choisi ?

— Je n'y ai pas encore réfléchi. Il me faut le meilleur, car la Panthère fera la couverture, s'il gagne.

— Et s'il perd ?

— Dommage.

Elle hésita un instant et se lança.

— Dis-moi, tu te souviens de Jake Sica ? Le photographe que tu avais engagé à LA ?

— Celui qui m'a annoncé qu'il ne pouvait plus travailler pour nous parce qu'il devait photographier des fauves en pleine brousse ou Dieu sait quoi ?

— Il est rentré.

— Dans ton lit ?

— Tu voudrais bien le savoir, hein ?

— Dans ton lit, répéta Victor, cette fois affirmatif.

— Je pensais qu'il pourrait faire du bon travail et m'accompagner à Vegas.

— Je ne suis pas bouché. J'ai compris. Où puis-je le contacter ?

— Pour l'instant, il est à Paris. Je vais lui dire de t'appeler.

— Je voulais aussi te demander : ton livre avance ?

— Mon livre...

Elle n'y avait pas touché depuis des semaines.

— Je te promets, reprit-elle, que tu seras le premier à le lire.

— Envoie des fleurs à Evelyn.

— Non, toi, envoie des fleurs à Evelyn et mets mon nom sur la carte.

— Radine.

— C'est toi qui peux faire passer d'énormes notes de frais. Je ne suis qu'une employée.

Ensuite, elle appela Michael.

Il était plus tendu encore que lors de leur dernière conversation.

— Que se passe-t-il ? Tu pars en voyage et tu ne me préviens même pas ?

— Pourquoi as-tu besoin d'être informé ? répliqua-t-elle pour ne pas avoir à fournir d'explications.

— Parce que ça fait deux jours que j'essaie de te joindre.

Dommage, songea-t-elle, cherchant encore à démêler ses

sentiments à son égard. *C'est mon père et je l'aime. Mais, à cause de lui, mon passé a perdu toute signification. Je le déteste.*

— Qu'y a-t-il de si important ?

Un long silence.

— C'est à propos de Stella, lâcha-t-il enfin. Elle est... morte. Une autre longue pause, et il conclut : L'enterrement aura lieu demain. J'aimerais que tu sois là.

18.

Dieu merci, Chas était parfait. Il était royal avec les Lemembre. Sans lui, elle ne s'en serait pas sortie.

Le lendemain soir de son « rendez-vous d'affaires » avec Joel, ils allèrent tous dîner au restaurant Le Cirque, Chas avec sa petite amie, malgré les supplications de Rosarita.

— Alice ne te plaît pas ? interrogea-t-il d'un ton rogue. C'est une infirmière, bon sang. Respecte-la un peu.

— Infirmière mon cul, répliqua Rosarita. C'est une danseuse de cabaret avec de gros seins refaits. Je connais ton faible pour le silicone.

C'est pourquoi Chas avait choisi d'ignorer son agaçante fille et faisait la conversation à Martha et à Matt, qui buvaient chacune de ses paroles comme s'il était une célébrité.

Rosarita avait déjà consommé deux Martini et un steak de bonne taille, lorsque Joel fit son entrée dans le restaurant, flanquée d'une blonde grande et mince, enroulée autour de lui comme une étole de vison. Rosarita enrageait. Folle. Bien sûr, il avait une vie en dehors d'elle... Puisqu'elle était mariée, puisqu'elle avait si peu de temps pour lui. Mais le voir s'afficher avec une de ces blondasses transparentes aux jambes interminables qui courent les revues de mode, c'était intolérable. Seule consolation : cette fille était plate comme une limande.

Elle vida d'un trait le reste de son troisième Martini et se redressa. Comment réagir ? Aller jusqu'à leur table, faire un geste de la main, dire bonjour ? Bien qu'elle ait fait vaguement allusion à sa rencontre avec les Blaine père et fils lors d'un cocktail, Dex ne devait pas se rappeler qu'elle connaissait Joel – savait-il seulement qui était Leon Blaine ?

Elle jeta un coup d'œil au miroir de son poudrier. Navrant. Quoi d'étonnant ? Elle s'étiolait, à passer ses soirées avec les Lemembre, sans parler de la dernière poupée gonflable de Chas...

Dieu merci, Joel lui tournait le dos, et il ne l'avait pas vue. Irait-elle ?

Non. Elle n'avait aucune envie d'être présentée à la grande cruche qui accompagnait son amant.

— Je suis crevée, déclara-t-elle à Dexter.

— Nous n'avons pas encore pris le dessert, répondit-il en examinant le menu.

— Je sais, mais je suis vannée.

— Tu n'aurais peut-être pas dû boire trois Martini.

— Tu comptes mes verres ? fit-elle d'un ton agressif.

— Non. J'ai simplement remarqué combien tu en avais descendus.

— Allons, allons, les enfants, interrompit Martha avec un petit rire badin, pas de chamailleries à table.

Chas pouffa. Varoomba eut un petit rire grinçant.

— Dans quel hôpital travaillez-vous, ma petite Alice ? s'intéressa soudain Martha. Dans un de ces services d'urgence où de beaux docteurs courent dans tous les sens ? J'adore George Clooney.

— Oui, oui, aux urgences, répondit précipitamment Varoomba. Dans le privé.

— Ah, fit Martha. Vous allez chez les gens ?

— Si on me paie assez, précisa Varoomba avant que Chas ne la fasse taire du regard. Rosarita commanda un autre Martini sans quitter des yeux le dos de Joel : la fille glissait autour de ses épaules un long bras décharné, sa main remontant jusqu'à sa nuque où ses doigts se mirent à pianoter affectueusement.

Qu'est-ce qu'elle lui veut, cette planche à repasser ?

Elle parvint à quitter le restaurant sans être remarquée de Joel.

Le lendemain matin, son premier geste fut de l'appeler. Tombant sur le répondeur, elle essaya son bureau.

— Joel va être absent quelques jours, annonça une voix féminine que Rosarita attribua à la fille aux ongles verts.

— Où puis-je le joindre ?

— Qui le demande ?

Seigneur ! Nous voilà repartis, songea Rosarita.

Bon sang, Joel ne l'avait pas prévenue. Après tout, pourquoi aurait-il à le faire ? Ils n'avaient pas de comptes à se rendre, tant qu'elle aurait Dexter dans les jambes, en tout cas.

Plus tôt elle se débarrasserait de lui, mieux cela vaudrait pour tout le monde.

Le seul avantage qu'elle voyait à la présence de Matt et Martha, c'était l'état d'excitation dans lequel se trouvait Dexter.

— Qu'est-ce qui te prend ? avait-elle demandé un soir après une séance particulièrement sportive.

— Tu es ma femme, avait-il répondu. Je t'aime.

— L'amour ne suffit pas toujours.

— On verra, avait-il répliqué.

Savait-il quelque chose qu'elle ignorait ?

Le béguin de Martha pour Chas sautait aux yeux : elle le couvait d'un regard adorateur ; une tocade de femme préménopausée que Rosarita jugeait pitoyable. Chas endossait avec bonheur le rôle que lui prêtaient les Lemembre, celui d'un homme important vivant dans un somptueux hôtel particulier avec une succulente petite amie. Martha l'écoutait bouche bée évoquer son pittoresque passé d'entrepreneur tandis que Matt gardait les yeux braqués sur le corsage de Varoomba-Alice. Rosarita, elle, s'appliquait à ignorer la présence de la fille. Libre à son père de traîner avec des roulures : rien ne l'obligeait, elle, à se montrer polie.

Pendant cinq jours, Joel fut injoignable. Et, lorsqu'il revint, il refusa de répondre à ses questions – où était-il ? Avec qui ?

— Je ne savais pas que je devais pointer.

— Je t'ai vu l'autre soir, fit-elle d'un ton accusateur.

— Où ça ?

— Au Cirque, avec un échalas.

— Il se trouve, fit Joel en riant, que cet échalas est un modèle célèbre.

— Célèbre, tu parles, ricana Rosarita. Quelle différence y a-t-il entre un top model et une vendeuse ? D'ailleurs, ajouta-t-elle, elle n'est pas si célèbre que ça, car je ne l'ai jamais vue.

— Tu n'as pas à être jalouse, protesta Joel. Elle est trop maigre pour être sexy.

— Qui est jalouse ? riposta Rosarita.

— Tu ne veux pas passer au bureau aujourd'hui ? proposa-t-il pour l'amadouer. Peut-être vers l'heure du déjeuner ?

Bien sûr qu'elle en avait envie. Mais elle ne voulait surtout pas se montrer trop empressée.

— Cela dépend de ce qu'il y a au menu, lança-t-elle d'un ton désinvolte.

— Une séance de gala sur mon bureau. Avec ton joli petit cul en vedette. Midi et demi. Je te promets du spectacle. Ça te plaît ?

Si ça lui plaisait !

— J'y serai. Mais rends-moi un service : dis à cette petite conne qui travaille à la réception de me laisser entrer dès que j'arrive. Je n'aime pas beaucoup qu'on me fasse poireauter.

— Bijou a fait quelque chose qui t'a vexée ?

— Il faut la virer.

— À plus tard, bébé.

Rosarita jeta un coup d'œil à sa montre. Dix heures et demie. Compte tenu des projets de Joel, il était prudent de se faire épiler le maillot. Frissonnant d'impatience, elle prit rendez-vous chez Elizabeth Arden.

— Es-tu au courant ? demanda Silver Anderson en braquant sur Dexter ses yeux généreusement maquillés.

— De quoi ?

— Je suis navrée d'avoir à te l'annoncer, mais tu dois savoir. Tu es mon favori. Un de ces jours, toi aussi, tu seras une vedette, souviens-toi de cela.

— Qu'est-ce que tu cherches à me dire, Silver ?

— On arrête la série.

— On arrête ? fit-il, consterné. Quand l'as-tu appris ?

— J'ai mes espions. Ce n'est pas encore officiel mais je peux t'assurer que d'ici à la semaine prochaine tu auras ta lettre recommandée. Comme moi, aussi ridicule que ça paraisse.

— Qu'est ce qui va nous remplacer ?

— Qui sait ? Une nullité pour adolescents prépubères, probablement.

— Que vas-tu faire ? Retourner à LA ?

— Peut-être. À moins que je ne reste à New York. Je m'y plais beaucoup. Je pourrais aussi m'installer en Europe ; ils adorent les femmes mûres. Ils savent bien qui détient les secrets du bonheur des hommes. Elle lui lança un long regard pénétrant. Est-ce que ta femme fait vraiment ton bonheur, Dexter ?

Il n'avait pas envie de discuter de sa vie sexuelle avec Silver Anderson, qu'il admirait et respectait infiniment.

— Nos relations sont... très satisfaisantes, marmonna-t-il avec gêne.

— Je l'espère bien, susurra-t-elle. Tu sais, Dexter chéri, qu'autrefois je couchais toujours avec mes partenaires masculins.

— Sans blague ?

— Je considérais cela comme un avantage acquis, précisa-t-elle avec un petit rire de gorge. Et, crois-moi, eux aussi. Ah, soupira-t-elle, les choses ont bien changé. Elle tendit vers lui une main alanguie. Viens par ici, Dexter, approche-toi.

Il se sentait comme un chevreuil pris dans la ligne de mire d'un chasseur.

— Je ne te fais pas peur, tout de même ?

— Tu es... si célèbre, balbutia-t-il.

— Tu es un garçon très séduisant. Et je m'y connais en hommes séduisants. J'aurais toute une collection d'histoires à raconter sur certaines vedettes avec qui j'ai travaillé, mais les secrets d'alcôve, ce n'est pas mon genre. Pourtant..., fit-elle en marquant une pause friponne, je pourrais faire frémir Esther Williams elle-même. As-tu lu son livre ? Non, sans doute pas, dit-elle en lui agrippant solidement la main. Tu ne lis pas beaucoup, n'est-ce pas, Dexter ?

— Euh... non.

De son index, elle traçait des petits cercles dans la paume de sa main, provoquant en lui, et malgré lui, une excitation inattendue.

— Ferme le verrou, Dexter, murmura-t-elle d'une voix sourde. C'est l'heure de ton cadeau d'adieu.

Rosarita, cette fois, n'était pas disposée à se laisser impressionner par la petite pétasse. Elle déboula à la réception, jetant à peine un coup d'œil à la fille aux ongles verts qui était au téléphone.

— Bijou, mon petit, dit-elle d'un ton condescendant, Joel m'attend. Il m'a dit d'entrer directement.

— Ah bon ?

Rosarita sourit, découvrant ses dents ravissantes, blanches et régulières – elles avaient coûté une fortune à Chas –, et fut dans le bureau de Joel avant que la fille ait pu réagir.

Elle claqua la porte derrière elle et lança :

— Ravie de te revoir !

Il était au téléphone. Elle s'approcha de lui et continua sur le même ton :

— Au fait, où étais-tu passé ?

— En train de m'éclater à Miami, répondit-il avec un clin d'œil paillard en cachant le micro de sa main. Assieds-toi donc. Il reprit sa conversation. Bon, mon chou, à plus tard.

Rosarita mourait d'envie de savoir qui était « mon chou » mais elle s'abstint sagement de l'interroger.

— Comment ça va ? dit-il en raccrochant.

— Ma belle-douce et son mari sont toujours en ville. Dès qu'ils seront partis, Dex et moi entamons la procédure de divorce.

La nouvelle ne le fit pas sauter de joie. En fait, il ne broncha pas. Il se contenta d'ouvrir le tiroir de son bureau, y prit un petit flacon de coke, renversa la poudre devant lui et la disposa en lignes régulières.

— Un coup de reniflette, bébé ? proposa-t-il en lui tendant une paille en plastique.

Elle hésita puis décida qu'un peu de coke en guise de déjeuner, c'était parfait pour la ligne ; elle inspira délicatement par une narine.

— Déshabille-toi, bébé, dit-il.

— Tu ne crois pas qu'on devrait fermer ?

— Combien de fois faut-il que je te le répète ? Personne n'entre ici à moins d'y être invité.

Tout d'un coup, elle se sentit submergée par l'excitation qu'il provoquait toujours chez elle. En quelques gestes, elle se retrouva avec le string et le soutien-gorge en dentelle très décolleté qu'elle avait mis tout exprès pour lui.

Il se leva, se débarrassa de son pantalon, qu'il expédia sous le bureau.

— Ôte-moi ça et allonge-toi.

Pourquoi discuter ? Elle fit ce qu'il lui demandait, et la danse commença.

19.

Peter et Jamie emmenèrent Madison à l'enterrement, dans le Connecticut. Elle était encore terriblement secouée.

— C'est surréaliste, murmurait-elle, assise à l'arrière de la BMW de Peter. C'est difficile à expliquer, mais j'ai l'impression que tout se passe au ralenti. D'abord, je découvre que Stella n'est pas ma mère, et puis, avant même d'avoir eu la possibilité de lui parler, elle... s'en va.

— Que t'a dit Michael exactement ? demanda Jamie.

— Pas grand-chose. Stella et ce type avec qui elle vivait auraient été tous les deux abattus au cours d'un cambriolage.

— Ils n'ont pas résisté ? interrogea Jamie.

— Qui sait ? fit Madison, se rappelant combien Michael lui avait paru bizarre au téléphone, comme détaché.

Il y avait dans sa voix une froideur qu'elle n'arrivait pas à comprendre. Stella était pourtant son épouse depuis vingt-sept ans, et il l'adorait.

La mort affecte les gens de différentes façons, songea-t-elle. *Il va sans doute s'effondrer à l'enterrement.* Et, pour la centième fois, elle regrettait de ne pas avoir eu l'occasion de parler à Stella : elle aurait peut-être compris pourquoi on ne lui avait jamais dit la vérité.

Maintenant, c'était trop tard.

Michael l'accueillit à la porte de sa vaste maison de campagne. Bien que vêtu de noir, il paraissait serein. Elle le prit dans ses bras et le serra contre elle.

— Quelle tragédie, murmura-t-elle.

— Je sais, acquiesça-t-il d'un ton bizarre.

Sans lui laisser le temps de rien ajouter, il l'abandonna pour se diriger vers Jamie et Peter. Elle l'étudia un instant et remarqua qu'il n'avait pas pleuré. Était-ce parce que Stella l'avait quitté pour un autre homme qu'il était d'une telle froideur ? De plus en plus déconcertée par ce père qu'elle avait cru connaître, elle devait admettre qu'il se comportait, à bien des égards, en parfait étranger.

Une limousine noire attendait dans l'allée pour les conduire à l'église. Madison s'y installa auprès de Michael. Celui-ci ne prononça pas un seul mot.

Ce fut un enterrement très simple, suivi par une vingtaine de personnes. Victor s'était fait conduire de New York par son chauffeur ; il étreignit Madison en lui murmurant quelques paroles de réconfort. À part lui, Madison ne connaissait personne, la plupart des gens étant des amis récents de Michael et de Stella. La seule autre tête familière était Warner Carlysle, la meilleure amie de Stella, joaillière new-yorkaise. Celle-ci savait certainement que Stella n'était pas sa mère.

Warner était une grande femme séduisante avec de courts cheveux châtains et de grosses lunettes teintées. Elle semblait très émue.

— Je n'arrive pas à comprendre ce qui s'est passé. Pourquoi aurait-on voulu les tuer ?

— C'est dingue, renchérit Madison.

— C'est le mot. A-t-on volé ses bijoux ?

Madison se souvint de la magnifique collection Art déco de Stella. Pourquoi Warner s'en inquiétait-elle dans un moment pareil ?

— Je n'en ai aucune idée, mais Stella était très prudente. Je crois qu'elle gardait ses objets de valeur au coffre. Elle ajouta, changeant de ton : Dis-moi, tu connaissais l'homme avec qui elle vivait ? Qui était-ce ?

— Lucien Martin, un artiste d'une vingtaine d'années, répondit Warner. Dès l'instant où ils se sont rencontrés, ç'a été le coup de foudre ; elle s'est installée avec lui quelques semaines plus tard. Warner secoua la tête d'un air incrédule. Et, maintenant, ils nous ont quittés.

Après le service religieux et une courte cérémonie au

cimetière, on se retrouva à la maison pour une brève réception.

Warner se servait au buffet quand Madison l'aborda de nouveau.

— Était-elle vraiment si malheureuse avec Michael ?

— Ton père ne lui a jamais prodigué les attentions qu'elle attendait. Stella avait besoin qu'on lui répète constamment qu'elle était la plus belle créature du monde. Au bout d'un moment, Michael s'est lassé, et c'est alors qu'elle a fait la connaissance de Lucien : lui, il le lui affirmait mille fois par jour.

— Comment était-il ?

— Michael en plus jeune, dit brièvement Warner. Et il l'adorait.

Warner entraîna Madison vers le canapé. Une fois assise, elle murmura, tout en regardant nerveusement autour d'elle :

— Surtout, ne parle pas de Lucien devant Michael. Il était furieux et très amer. Il l'a même menacée.

— Menacée ?

— Oui. Stella avait si peur qu'ils ont quitté la maison de Lucien pour s'installer dans un immeuble extrêmement surveillé. Elle avait coupé les ponts avec Michael. Elle ne voulait rien de lui, pas d'argent, absolument rien. Quand Michael a appris qu'ils allaient déménager pour New York, il est devenu furieux.

Madison prit une profonde inspiration avant de reprendre :

— Tu... tu ne veux pas dire qu'il pourrait être pour quelque chose dans leur mort, non ?

Warner tourna vers elle un visage impassible.

— Je ne peux pas en discuter maintenant. Nous nous verrons la semaine prochaine.

Cette femme est bouleversée, pensa Madison. *Elle ne sait pas ce qu'elle dit.*

— Je connais maintenant la vérité à propos de Stella et de moi, lâcha soudain Madison.

— La vérité ? répéta prudemment Warner en reposant son assiette sur la table basse.

— Michael m'a tout raconté.

— Oh, mon Dieu, je pensais qu'il ne le ferait jamais.

— J'imagine que tu l'as toujours su ?

— Oui. Stella et moi étions amies depuis plus de trente ans. C'est moi qui l'avais présentée à Michael. C'était un ami de mon compagnon d'alors. Je n'avais pas idée...

— Tu sais, mon grand regret, c'est de n'avoir pas eu le temps de parler à Stella.

— Ce doit être très dur pour toi.

— Très. D'autant plus que nous n'avions jamais été proches. Stella était toujours un peu... froide, non, plutôt distante.

— Parfaitement, parce que tu n'étais pas à elle et que tu ne pourrais jamais l'être, expliqua Warner. Tu lui rappelais constamment que Michael avait eu un grand amour avant elle. Stella avait besoin d'occuper la première place et elle n'a jamais eu ce sentiment.

— Comment cela ? protesta Madison. Michael l'adorait.

— Il faut que nous parlions, dit Warner en hochant de nouveau la tête. Mais ce n'est pas le lieu. Je t'appellerai la semaine prochaine.

— Je t'en prie. J'avais tant de questions à poser à Stella. J'attendais tellement ses réponses. Peut-être pourras-tu m'en donner quelques-unes.

— J'essaierai.

Madison tint le coup le temps que dura la réception. Plus tard, quand la plupart des gens furent partis, elle proposa à Michael de rester pour la nuit. Il refusa. Alors, sans insister, elle lui dit adieu et rentra à New York avec Jamie et Peter.

— Seigneur ! soupira Peter, quelle journée.

— Heureusement que vous étiez là. Elle secoua la tête et reprit : Quelle ironie du sort ! Aujourd'hui, j'ai enterré une mère que je n'ai jamais eue. C'est quelque chose, non ?

Jamie hocha la tête.

— Tu as été formidable.

— Vois-tu, murmura Madison, j'éprouve une grande tendresse pour Michael, seulement, en ce moment, je suis complètement désorientée. Je ne sais plus qui il est.

— Viens passer quelques jours avec nous, suggéra Jamie. On ne va pas te laisser toute seule dans ton appartement.

— Je ne suis pas seule. J'ai un chien et un concierge. Oh ! et puis David, pendu tous les jours au téléphone.

— Celui-là, raye-le de tes tablettes.

— Et puis, évidemment, Jake, quelque part dans Paris, je ne sais absolument pas où.

— Je ne voudrais pas être moche, déclara Jamie, mais l'histoire de Jake me paraît sans lendemain. Je ne dis pas que tu ne lui plaises pas, s'empressa-t-elle d'ajouter, mais ça ne m'a pas l'air sérieux.

— Qu'est-ce qui te fait croire cela ?

— À LA, il vivait bien avec une call-girl ?

— Non, c'était juste une aventure.

— Écoutez, les filles, lança Peter avec la voix de l'expérience, un homme qui couche avec une call-girl n'est pas un gagnant au tiercé de l'amour. Forcément, il a payé !

— Il ne payait pas, l'interrompit Madison, agacée. Il ne savait pas qu'elle en vivait.

— Oh, je t'en prie, dit Peter avec un petit rire. Un homme s'en aperçoit tout de suite.

— Comment ? intervint Jamie, fixant sur lui un regard soupçonneux.

— Ces femmes-là ont une certaine technique. C'est très professionnel.

— Comment le saurais-tu ? insista Jamie.

— Je suis un homme, non ?

— Un homme *marié*, Peter. Aurais-tu déjà... payé ?

— Jamais, chérie.

— Alors comment sais-tu ?

— J'ai des copains qui ont enterré leur vie de garçon, dit-il avec un petit sourire supérieur.

— Mais voyons ! s'exclamèrent Jamie et Madison en chœur.

Peter n'insista pas.

Une fois garés devant l'appartement de Madison, Jamie répéta à son amie :

— N'oublie pas, tu as tout juste un coup de fil à passer...

Calvin l'accueillit chaleureusement.

— J'espère que tout s'est bien passé, mademoiselle, dit-il en l'accompagnant jusqu'à sa porte. J'ai promené le chien il y a environ une heure, il n'a donc pas besoin de ressortir.

— Merci, Calvin.

Et elle entra. Harry manifesta bruyamment sa joie. Elle le caressa une minute puis passa dans la cuisine pour lui donner un biscuit. Après cela, elle consulta comme d'habitude son répondeur. Aucun message de Jake, deux de David.

« On peut se voir ? disait la voix de David. Je pense que tu me dois bien ça. »

Je ne te dois rien, mon vieux. Tiens-le-toi pour dit.

Le troisième message était de Kimm Florian. Un énigmatique : « Appelez-moi tout de suite. »

Ce qu'elle fit. Kimm décrocha à la première sonnerie.

— Il faut que je vous voie le plus tôt possible, annonça-t-elle. Je peux passer maintenant ?

Il était presque minuit.

— Il faudra que ça attende demain. Je viens de rentrer d'un enterrement et je suis vannée.

— Un enterrement ? De qui ?

— De la femme qui n'était pas ma mère.

— Stella est morte ?

— Malheureusement oui.

— Comment est-ce arrivé ?

— Elle et son petit ami ont été abattus par des cambrioleurs... d'après la police.

— Dans le style « exécution » ?

— Comment cela ?

— S'agissait-il d'une exécution ? répéta Kimm.

— Je ne connais pas les détails. Tout ce que je sais, c'est qu'ils ont été tués tous les deux.

— À quelle heure, demain ? Le plus tôt possible, insista Kimm.

— Vous avez des nouvelles ?

— Oui. Il s'agit de renseignements dont vous devriez avoir connaissance sans plus tarder – Une pause – Au sujet de Gloria.

— Qu'est-ce que vous avez découvert ?

— Je ne peux pas vous le dire au téléphone.

— Venez pour le petit déjeuner.

— J'y serai, promit Kimm. Préparez-vous, Madison. Ce que vous allez entendre ne va pas vous faire plaisir.

20.

Dexter était bourrelé de remords au point qu'il osait à peine regarder Rosarita.

— Qu'est-ce que tu as ? finit-elle par lui demander.

— Oui, mon garçon, renchérit Martha, qu'y a-t-il ? Je te trouve bien silencieux, ce soir.

— Eh bien, il est question d'arrêter le feuilleton, murmura-t-il.

— D'où tiens-tu cela ? s'enquit Rosarita, se gardant bien de révéler que la rumeur courait depuis deux mois.

— Silver Anderson.

— Quelle belle femme, observa Matt, le regard émerveillé. Elle n'a absolument pas vieilli.

— Bien sûr que si, riposta Martha. Ta vue baisse, tout simplement.

Et toc, pensa Rosarita.

— Que vas-tu faire, alors ? interrogea Matt sans se soucier de l'intervention de sa femme.

— Il faut que j'en parle à mon agent.

— Tu aurais dû commencer par là, remarqua Rosarita. C'était à lui de te prévenir, non ?

— Cela m'étonne, reconnut Dexter. Je ne suis quand même pas n'importe qui, pour l'agence. J'ai des tas de fans, tu sais, et je reçois des centaines de lettres par semaine.

— Oh, mon chéri, intervint Martha, j'aimerais tant les lire. Que t'écrivent donc tous ces admirateurs ?

— Ils évoquent leurs fantasmes sexuels, assura Rosarita pour le taquiner.

Dexter la fit taire d'un regard sévère, qu'il détourna pourtant rapidement, repensant à Silver Anderson et à ce qu'elle lui avait fait. Mon Dieu ! Lui, un homme marié. Malgré tous ses défauts, jamais Rosarita ne songerait à le tromper, alors que lui, il n'avait pas su résister. Bien sûr, lui ne l'avait pas touchée, mais quand même... Comment réagirait Rosarita si cette l'histoire lui venait aux oreilles ? Il préférait ne pas y penser.

— Pourrions-nous revoir Chas ? demanda alors Martha. Il me manque.

Ça ne m'étonne pas, se dit Rosarita. *Je parie que tu aimerais bien te faufiler dans son lit. Seulement tu es un peu vieille pour lui, ma petite, et tu as les seins qui tombent.*

— Puisque vous devez bientôt repartir, dit-elle en adressant un charmant sourire à sa belle-mère, si nous organisions un dîner d'adieu ?

Bordel, qu'elle avait hâte de les voir foutre le camp !

— Je vais regretter toute cette animation, observa Martha d'un ton navré.

— C'est bien vrai, renchérit Matt, même si les nouvelles que tu me donnes m'inquiètent. Que vas-tu faire maintenant, fiston ?

— Je suis sûr que mon agent trouvera une solution, le rassura Dexter.

C'était déjà assez pénible de se trouver sans travail, il n'avait pas besoin que sa famille s'en mêle. En outre, il était tourmenté par l'idée d'avoir à affronter Silver le lendemain, et tous les jours jusqu'à la déprogrammation officielle du feuilleton. Impossible de tourner la page, d'oublier qu'il avait trompé sa femme. Tout confesser à Rosarita le soulagerait peut-être.

Mais non, elle n'aurait alors plus aucun scrupule à demander le divorce. Tous les soirs il priait le cicl d'arriver à la mettre en cloque. Ainsi, il serait tiré d'affaire. Quant à Silver, il n'y avait qu'une solution : l'éviter autant que possible.

Varoomba arriva au Boom Boom Club pour rassembler ses affaires – Chas lui avait interdit d'y retravailler et était prêt à l'installer dans un appartement, à régler toutes ses factures. Enchantée qu'on s'occupe enfin d'elle, elle lui pardonnait sa lourdeur, surtout que son âge l'empêchait de la tripoter à longueur de journées comme certains hommes plus jeunes qu'elle avait connus. Elle n'était pas mécontente de quitter la boîte, de ne plus avoir à subir les regards des voyeurs. Passe encore pour les pauvres schnocks qui se rinçaient l'œil, mais il y avait des pervers, des types aux goûts bizarres...

Son patron, Crâne verni, comme l'avaient baptisé les filles, n'était pas content.

— On te fait une meilleure offre ailleurs ? grommela-t-il. Je m'aligne sur ce qu'on te propose.

— Non, dit-elle, occupée à empaqueter ses produits de maquillage, ses perruques et autres accessoires. Un ami me veut pour lui tout seul.

— Ça durera une semaine, ricana M. Crâne verni.

— Pas du tout, protesta-t-elle. Il est extrêmement amoureux.

— Amoureux ! Amoureux, tu parles, mon chou. Il parut s'étrangler puis reprit : Je te donnerai cent dollars de supplément si tu danses ce soir : un de tes fans, qui est venu tous les jours cette semaine, tient absolument à te voir te trémousser.

— Qui donc ? demanda-t-elle, intriguée.

— Tu sais, Joel.

— Oh, celui-là, dit-elle en plissant le nez. Il a quelque chose de dérangeant.

— Qu'est-ce que tu lui reproches ? Il a plein de biftons qu'il ne demande qu'à glisser entre tes petits nichons.

— Petits ? hurla Varoomba, furieuse. C'est bien la première fois que je les entends traiter de petits. Elle se remit à ses bagages puis releva soudain la tête. Combien, si je danse pour ton malade ce soir ?

— Cent dollars de plus.

— Pas assez.

— Bon... deux cents. Je ne peux pas faire mieux, mais tu peux compter sur un bon pourboire de ce schnock.

— Il est là ?

— Je pense bien. Il t'a réclamée toute la semaine.

— Deux cents cash.

Elle se féliciterait d'avoir pris ces précautions quand elle aurait les seins en rideau.

— Deux cent cinquante et marché conclu, lança-t-elle.

— Seigneur ! marmonna Crâne verni, écœuré. Tu ne te prends pas pour de la gnognote.

— Certainement pas, déclara-t-elle en lançant un regard hautain à Crâne verni, qui s'en allait.

Elle entreprit alors de s'habiller pour cette soirée d'adieu. Pourquoi pas l'uniforme de collégienne ? Il plaisait à tout le monde. Corsage blanc bien repassé, cravate rouge, minijupe plissée bleu marine, petite culotte de coton, socquettes blanches et chaussures à brides. Une fois habillée, elle se coiffa de deux charmantes petites nattes.

M. Crâne verni revint pour lui confirmer la présence de Joel : celui-ci, extatique, réclamait un numéro de danse du ventre. Elle avait déjà dansé pour lui en privé ; il lui avait alors serré les seins si fort qu'elle en avait eu des bleus pendant une semaine. Il avait dû allonger cent dollars de plus pour le dommage. Aussi, dès qu'elle entra dans la petite cabine, le menaça-t-elle du doigt.

— Ce soir, on ne touche pas.

— Montre-moi un peu ces putains de nibards et boucle-la, répondit Joel en se carrant dans son fauteuil.

— Pas de gros mots non plus, minauda Varoomba en tirant sur une de ses nattes. Je suis une bonne petite fille, une bonne petite fille catholique.

Et elle se mit à danser. Joel se sentait un peu frustré à l'idée que personne d'autre n'était du spectacle et caressa l'idée de la faire venir à son bureau à l'heure du déjeuner. Il attendit qu'elle soit en soutien-gorge et en petite culotte pour lui poser la question.

— Désolée, répondit-elle en s'approchant jusqu'à lui effleurer le nez de ses bouts de sein. Je prends ma retraite.

— Tu ne vas pas faire ça, protesta-t-il. Tu devrais donner des représentations privées, cela te rapporterait. Tiens, ajouta-t-il en se redressant, cinq cents dollars cash pour une petite séance à mon bureau demain à l'heure du déjeuner.

— Humm, fit-elle, tentée par une offre aussi généreuse.

Je pourrais peut-être m'arranger plus tard dans la semaine. Je te préviendrai.

— Pas de problème, dit-il en lui attrapant le sein droit. Passe-moi un coup de fil. Je t'assure, bébé, tu ne le regretteras pas.

21.

Malgré sa fatigue, Madison n'arrivait pas à dormir, troublée par le coup de téléphone de Kimm. Qu'allait-elle encore apprendre de déplaisant ? Elle essaya de lire mais ne réussit pas à se concentrer ; elle tenta la télé en guise de somnifère. Rien à faire, elle avait la tête ailleurs : les dernières semaines avaient été trop agitées. La réapparition de David n'avait rien arrangé. Qu'est-ce qu'il croyait ? Qu'elle allait se précipiter dans ses bras en soupirant : « Tout est pardonné » ?

Fichtre non. Elle ne pardonnerait jamais.

Et puis il y avait Jake. Pourquoi n'avait-il pas appelé ? Pourquoi se souciait-elle autant de ce qui était censé être une aventure sans lendemain, sans engagement, sans promesse ? Pourquoi ne pouvait-elle s'empêcher d'y penser ?

À cinq heures du matin, elle renonça et finit par se lever. Était-il trop tôt pour appeler Kimm ? Bien sûr qu'il était trop tôt, même si elle en mourait d'envie. Alors, elle enfila un gros chandail, un jean, des chaussures et emmena Harry faire une longue promenade, s'arrêtant au passage pour acheter des croissants et deux pots de café.

Ayant ramassé le *New York Times* devant sa porte, elle s'affala sur le canapé et se mit à lire. Elle se rendit compte au bout de quelques minutes que la lecture du journal ne retenait pas son attention, que ses pensées revenaient sans cesse à l'enterrement, à Warner, selon laquelle Stella aurait eu peur de Michael ; cela lui semblait bien théâtral. Michael avait certainement été ulcéré par le départ de sa femme avec un garçon deux fois plus jeune que lui, mais on ne pouvait croire qu'il lui ait fait peur, encore moins qu'il l'ait menacée.

La question de Kimm lui tournait aussi dans la tête : *est-ce que cela avait l'air d'une exécution ?*

Bon sang, qu'avait-elle voulu dire par là ?

Madison se leva du canapé, fit réchauffer deux croissants, les tartina généreusement de confiture et les engloutit. Brillant début de journée ! Très diététique. Dieu merci, son poids ne lui avait jamais causé d'inquiétude.

Si elle n'avait pas autant désiré quitter New York, elle aurait demandé à Victor de confier le reportage sur Antonio Lopez à quelqu'un d'autre. Elle ne se sentait, en effet, absolument pas d'humeur à fouiller dans la vie de la Panthère. Elle en savait d'ailleurs déjà pas mal sur son compte, et interviewer un boxeur n'était pas bien difficile : il aimait se battre, n'est-ce pas ? Son truc, c'était de cogner sur les autres. Et après ?

Kimm arriva à huit heures et demie. Elle portait un survêtement bleu marine et des Nike ; elle n'était toujours pas maquillée et ses cheveux bruns étaient serrés en longues tresses.

— Une tasse de café ? demanda Madison en la faisant entrer.

— Je n'en bois jamais, répondit Kimm en caressant la tête de Harry, qui semblait s'être pris de sympathie pour elle.

— Vraiment ? Je ne peux pas m'en passer.

— De l'eau le matin, du jus de fruits l'après midi, une tisane le soir.

— Pas d'alcool entre-temps ?

Un petit sourire passa sur le visage d'ordinaire impassible de Kimm.

— L'alcool ralentit mes réflexes, expliqua-t-elle. Tout comme le tabac et le sucre. J'ai constaté qu'un corps sain abritait plus facilement un esprit sain.

— Je voudrais bien être aussi disciplinée, murmura Madison. Ce n'est pas facile.

— Ce qui est bien n'est jamais facile, observa Kimm.

Tiens, détective philosophe ? songea Madison. Elle ne savait pas encore si Kimm lui plaisait ou non.

— De l'eau d'Évian ? proposa-t-elle en passant dans la cuisine.

— À la température de la pièce, ce sera parfait, lui cria Kimm.

— J'espérais avoir de vos nouvelles plus tôt, lança Madison en revenant avec une bouteille d'eau minérale.

— Est-ce que votre amie a fait le test du préservatif ? enchaîna Kimm en s'asseyant sur le divan.

— Vous savez, il s'est passé tant de choses que je ne lui ai pas posé la question.

— Demandez-le-lui.

— Pourquoi ? fit Madison en souriant. Vous cherchez des clients ?

— Absolument pas. On me recommande toujours à eux. N'est-ce pas ainsi que vous avez fait appel à moi ?

— Si, reconnut Madison, sonnée par le manque de sommeil. Maintenant... pouvons-nous nous mettre au travail ? Votre coup de téléphone d'hier soir m'a déconcertée : pourquoi avez-vous dit que ce que j'allais apprendre ne me plairait pas ?

— Parce que, dans la mesure du possible, je veux vous éviter un choc. Kimm l'étudia gravement avant de continuer : Vous me faites l'impression de quelqu'un de plutôt équilibré. Qu'est-ce que vous préférez ? Je vous l'enveloppe ou je vous le sers tout de suite ?

— Tout de suite, répondit Madison. *Avant que je devienne folle !*

— C'est ce que je pensais d'après la lecture de vos interviews, dit Kimm en se levant pour arpenter la pièce. Je les ai lues ; il est préférable de connaître un peu la personne pour qui on va travailler.

Allez-y ! suppliait Madison intérieurement.

— Vous êtes très perspicace quand il s'agit d'autrui, reprit Kimm, mais quand il s'agit de votre propre vie... Vous ne vous êtes jamais penchée sur votre passé.

— Je ne savais pas que c'était nécessaire, répliqua Madison.

Elle parlait d'un ton désinvolte, mais son estomac s'était brutalement contracté.

— Que savez-vous vraiment de votre père ? demanda Kimm.

— C'est une question bizarre.

— Bizarre mais tout à fait essentielle.

— J'imagine.

— Alors ?

— Michael est un homme merveilleux, dit-elle lentement. Un père formidable.

— Quelle est sa profession ?

— Sa profession ? répéta Madison, déconcertée. Eh bien... en fait, il a pris sa retraite... quand il s'est installé dans le Connecticut, il y a quelques années. Vous estimez sans doute qu'il était bien jeune pour cesser ses activités, mais c'était précisément pour profiter de la vie avant d'en être empêché par l'âge. Stella et lui... adorent voyager. Ils ont toujours une destination en vue. Ou, du moins, ils avaient.

— Ça ne me donne aucune indication sur la profession de votre père.

— La finance.

— C'est vague.

— Il gagnait beaucoup d'argent.

— J'en suis certaine.

— Il vivait très bien. Aujourd'hui encore.

— Je n'en doute pas.

— Où voulez-vous en venir ? s'énerva Madison.

Kimm resta un moment silencieuse avant d'assener :

— Votre père était un tueur au service de la Mafia.

— Quoi ? Elle avait hurlé le mot comme pour un appel à l'aide. C'est... c'est impossible.

— Ce n'est pas impossible, c'est un fait, déclara Kimm.

— Pourquoi affirmer une telle énormité ? parvint-elle enfin à articuler du fond du cauchemar dans lequel elle venait de sombrer. C'est... c'est ridicule, impensable, absolument faux.

— Malheureusement non, répliqua Kimm sans se départir de son calme exaspérant. Le vrai nom de votre père est Vincenzio Michael Castellino, qu'il a changé légalement en Michael Castelli après le procès.

— Quel procès ?

— On l'a accusé d'avoir assassiné votre mère – Un long silence pesant – Qui ne s'appelait pas Gloria ; il vous a menti là-dessus aussi ; mais Beth – Une brève pause – Je suis désolée d'avoir à vous annoncer d'aussi terribles nouvelles mais, hélas, c'est la vérité... Je détiens des preuves.

22.

— J'ai une surprise pour chacun d'entre vous, annonça Chas.

Oh, Chas et ses surprises, s'amusa Rosarita, que la perspective du départ imminent des Lemembre rendait bienveillante.

À ce dîner d'adieu, Chas avait invité Venice, Eddie et leurs deux affreux gniards pour lesquels Martha était aux petits soins quand elle ne faisait pas les yeux doux à Chas. Matt, comme d'habitude, avait la bave aux lèvres chaque fois que son regard plongeait dans le décolleté bien fourni de Varoomba. Quant à Dex, il était effondré, un état chronique depuis l'annonce officielle de la cessation de son feuilleton. La mauvaise nouvelle, heureusement, n'avait en rien affecté ses capacités sexuelles, songea Rosarita. Entre ses « rendez-vous d'affaires » avec Joel, deux fois par semaine, et ses nuits avec Dex, elle était proche de la satiété.

— Quelle surprise, papa ? demanda Venice en roulant des yeux de merlan frit.

— Une surprise pour toi, déclara-t-il, un voyage à Hawaii avec les gosses, tous frais payés.

Le visage de Rosarita s'allongea. Comment osait-il gaspiller ainsi l'héritage qui lui revenait ? Venice méritait peau de balle.

— Pour toi, reprit-il en se tournant vers Rosarita, un voyage à Vegas parce que je sais que tu adores l'endroit.

— Vegas ? répéta-t-elle, ébahie.

— Oui. J'ai pris pour vous tous des places pour le grand combat de boxe. Qu'est-ce que tu dis de ça ?

Ce qu'elle disait de ça ? Rien, pour le moment.

— Et puis, en prime, poursuivit Chas, il y a deux places au premier rang pour Martha et Matt. Se tournant vers Martha : Vous n'y êtes jamais allée, n'est-ce pas ? Si on n'a pas vu Vegas, on n'a pas vécu.

— Oh, mon Dieu ! Je suis folle de joie, bégaya Martha en battant des mains.

Rosarita était abasourdie. Elle demandait à Chas de la débarrasser de Dex et voilà qu'il invitait toute la bande à Vegas – y compris Dex et ses connards de parents. Elle l'aurait étranglé.

Matt s'éclaircit la voix.

— Je ne sais pas comment vous remercier, balbutia-t-il. C'est formidable.

— Ne vous inquiétez pas. Comme vous partez demain et que la rencontre n'a lieu que dans quelques semaines, je vous enverrai les billets d'avion et on se retrouvera tous à Vegas.

Rosarita restait muette. Varoomba également. Celle-ci avait compris que, chez Chas, le mieux était de la boucler, surtout en présence de ses deux filles. Venice, ça allait, mais l'autre était une chienne ; elle l'évitait donc prudemment.

— Alors... qu'est ce que vous en pensez ? reprit Chas, radieux.

— Hawaii, ça me paraît un rêve, murmura Venice.

— Merci, Chas, renchérit Eddie, toujours lèche-cul. On a tous besoin de vacances.

« Et moi ? » brûlait de demander Varoomba, mais elle s'abstint. Elle jugea inutile, également, de mentionner qu'elle avait travaillé à Vegas, à une époque. D'ailleurs, sa grand-mère, une ex-reine du strip, y vivait encore.

Rosarita avait hâte de se retrouver en tête à tête avec son père pour lui remonter les bretelles. Pendant le trajet du retour, elle bouda, supportant difficilement la joie délirante de sa belle-mère.

— Toi, tu ne pourras pas venir, aboya-t-elle finalement à l'adresse de Dex.

— Pourquoi donc ?

— Tu travailleras.

— Non, dit-il. C'est ma dernière semaine. À partir de vendredi, je serai libre comme l'air.

— Oh, alors, parfait, dit-elle d'un ton sarcastique. Un petit voyage à Vegas, c'est exactement ce qu'il te faut. Pourquoi travailler quand on peut passer la journée à regarder défiler de belles images sur les machines à sous ?

— Mais merde ! lança Dex, à la surprise générale, tu ne pourrais pas être moins négative ? Et la fermer un peu ?

— C'est comme ça que tu me parles devant tes parents ?

— Allons, fit Matt en bâillant, nous sommes tous fatigués. Ces deux semaines ont été bien remplies.

— Trois, en fait, souligna Rosarita, sans ajouter qu'elle en avait compté chaque minute.

Le lendemain matin, à peine réveillée, Rosarita décrocha son téléphone.

— Papa, qu'est-ce qui t'a pris ? piailla-t-elle.

— Hein ? marmonna Chas, qu'est-ce qui se passe ?

— Je viens te voir.

Et, sans lui laisser le temps de protester, elle raccrocha.

Vingt minutes plus tard, elle débarquait chez lui. Sans se soucier de Varoomba, qui traînait dans le vestibule drapée dans un déshabillé rose, elle s'engouffra dans la bibliothèque. Quelques minutes plus tard, Chas, à regret, vint la rejoindre. Il savait qu'elle allait l'engueuler et il savait aussi qu'une fois lancée rien ne pouvait arrêter Rosarita.

— Ça ne va pas, non ? cria-t-elle en claquant bruyamment la porte. Tu sais ce que je pense de Dex, et tu l'invites à Vegas avec ses abrutis de parents ! Je t'ai demandé quelque chose que tu refuses de faire, et à cause de toi je vais devoir me débrouiller toute seule.

— Arrête ces conneries. Tu n'as qu'à faire comme tout le monde quand on veut divorcer : attendre.

— Je ne vais pas lui donner la moitié de tout, hurla-t-elle. C'est pour *moi* que tu as acheté la Mercedes. Les cadeaux de mariage sont à *moi*. L'appartement est à *moi*. Il n'a droit à *rien* !

— Boucle-la, répéta Chas, rouge de colère. Les parents de Dexter sont des gens bien et, même s'il est mauvais acteur, il m'a l'air d'un brave type. Et, plus important encore, Dieu le garde, il t'aime. Où est-ce que tu trouveras ça ? La plupart des hommes sont des merdes, et tu le sais.

— Selon toi, riposta-t-elle, je devrais sacrifier mes chances de bonheur et rester avec Dex.

— Tu pourrais faire pis.

— Et je pourrais faire mieux. D'ailleurs, laisse-moi te dire... que c'est fait, ajouta-t-elle, triomphante.

— Quoi ?

— Je vois quelqu'un.

— Dexter le sait ?

— Bien sûr que non, fit-elle en levant les yeux au ciel. C'est pour ça qu'il faut que je me débarrasse de lui.

— Qui vois-tu ?

— Je suis sûre que tu as entendu parler de Leon Blaine.

— Tu te fais baiser par ce vieux sagouin ?

— Pas lui. Son fils, Joel. Il est fou de moi.

— Joel Blaine est fou de toi ? répéta Chas, persuadé que sa fille aînée délirait.

— Il n'y a pas de quoi prendre cet air ahuri, grogna-t-elle, vexée. Tous les hommes sont fous de moi. Et puisque je peux avoir le fils de Leon Blaine, je ne vais pas me priver.

— Toi, s'étonna Chas en secouant la tête, tu es impayable !

— Je n'ai pas l'intention de laisser filer Joel Blaine, insista-t-elle. Il faut que j'agisse.

— Tu es folle, conclut Chas en se grattant le menton, chaque jour plus folle.

— Va te faire voir ! s'écria-t-elle, exaspérée. Tu ne m'es d'aucun secours. Tu m'obliges à régler cette histoire moi-même. Et je vais le faire. Je te le promets !

Sans lui laisser le temps de répondre, elle sortit de la maison en claquant la porte.

Le silence de Varoomba agaçait profondément Joel. Pourtant, il avait tout préparé : il la ferait danser sur son bureau, et tous les voisins pourraient en profiter. Lassé de

Rosarita, il cherchait de nouvelles distractions ; Varoomba serait parfaite.

Au bout de quelques jours, il contacta le patron du Boom Boom Club, mais celui-ci n'avait aucune idée de ce qu'était devenue la fille.

Là-dessus, l'Interphone sonna.

— Je viens encore d'avoir cette femme, dit Bijou, celle qui a un nom mexicain. Que faut-il lui dire ?

— Que je suis sorti, répondit-il sèchement. Pour elle, définitivement sorti.

— Bon.

Elle avait l'habitude. Une fille venait, l'autre partait... Joel pouvait bien avoir les « rendez-vous d'affaires » qu'il voulait, elle s'en foutait. Du moment qu'elle avait la paix... Une paix royale ! Jamais d'e-mails, jamais de fax ni de lettres. Joel ignorait le sens du mot « travail ». Aucune importance. De toute façon, tout le monde savait que le vrai patron, c'était Leon Blaine.

Dexter avait fait de son mieux pour limiter les contacts avec Silver Anderson aux seules scènes qu'ils devaient tourner ensemble. Peine perdue... Le lendemain de l'annonce officielle de l'arrêt de la série, elle avait fini par le coincer.

— Tu m'évites, méchant garçon.

— Pas du tout, balbutia-t-il.

— Mais si, insista-t-elle d'un ton de reproche. Et je sais pourquoi. Tu es mal à l'aise de m'avoir mise dans une situation compromettante. Un silence. Un sourire. En fait, je trouve que tu te conduis en vrai gentleman.

Pas très sûr de ce qu'il fallait comprendre, il s'empressa de renchérir.

— Tu as raison, Silver, je ne voudrais surtout pas te mettre dans une position délicate. Et, comme tu le sais, je suis marié.

— Je comprends, chéri, et ça ne me gêne pas le moins du monde car je n'ai absolument aucune envie de te voler à ta femme. Elle eut un petit rire coquin. On ne va pas faire tout un plat pour une pipe.

Dexter était scandalisé. Comment une femme de son âge et d'une telle distinction pouvait-elle s'exprimer de façon aussi vulgaire ? Il y avait au moins un point positif dans l'annulation de l'émission : il n'aurait plus à la rencontrer.

Deux jours auparavant, il avait contacté son agent. Depuis, pas de nouvelles. Ce n'était pas bon signe. Mais il gardait confiance : quelque chose allait arriver...

Oui, Dexter Falcon connaîtrait la gloire. Il en était sûr.

23.

Cela faisait une semaine que Madison vivait ce cauchemar. Terrée dans son appartement, elle n'adressait la parole à personne, n'écoutait même plus son répondeur. Kimm l'avait bouleversée. Elle avait laissé une serviette bourrée de documents : vieilles coupures de presse, articles de magazines, vidéocassette du procès. Madison s'était tout d'abord refusée à y toucher, mais, après quelques jours, elle avait cédé.

Elle n'avait pas tardé à découvrir que Kimm avait raison. Michael avait bien été arrêté, jugé et acquitté pour le meurtre de sa mère. Les faits étaient là, noir sur blanc, avec de nombreuses coupures de presse regorgeant d'allégations sur le passé de Michael et sur ses fréquentations, notamment sur l'avocat, apparemment un des meilleurs, engagé par son patron, don Carlo Giovanni, de la tristement célèbre famille des Giovanni.

Elle lut attentivement les comptes rendus du procès. Michael et Beth habitaient une maison dans le Queens. Un soir, en l'absence de Michael, quelqu'un s'était introduit par effraction et avait abattu Beth d'une balle dans la nuque avant de s'enfuir. Madison, âgée alors de neuf mois, dormait dans son berceau.

L'acquittement de Michael avait été traité par la presse. Les photos le montraient debout sur les marches du palais de justice ; il faisait de la main droite le signe de la victoire. Elle étudia longuement les clichés. C'était bien son « papa », Michael, mais si jeune et tellement différent, avec ses longs cheveux tirés en arrière, son costume très années soixante-dix et ses lunettes de soleil, et déjà terriblement attirant.

Le visage de sa mère lui fut révélé la première fois par le *New York Post.* La fraîche beauté de Beth lui coupa le souffle. Ce soir-là, en se regardant dans la glace, elle s'était rendu compte à quel point elle ressemblait à ses parents. À la question de Kimm concernant la profession de Michael, elle avait répondu : la finance. Jamais elle n'avait demandé de précisions. Quelle naïveté !

Kimm avait raison, Madison, capable de tout dénicher au sujet des gens qu'elle interviewait, n'avait pas eu l'idée d'enquêter sur sa propre famille. Mais pourquoi l'aurait-elle fait ?

Blessée, furieuse, désemparée, elle se sentait incapable d'affronter Michael. Il était une ordure et un menteur, et elle le haïssait. Et pourtant... c'était quand même son père.

D'aussi loin que remontaient ses souvenirs, Michael avait toujours prétendu que ni lui ni Stella n'avaient de famille proche. À l'en croire, ses parents ayant péri dans un incendie quand il avait une dizaine d'années, il avait été placé dans des familles d'accueil où, parfois, on l'avait exploité. Pour sa part, Stella racontait qu'elle s'était enfuie de chez elle à seize ans et qu'elle n'avait jamais, depuis lors, repris contact avec sa famille.

Madison avait donc grandi avec l'idée qu'elle n'avait pas de grands-parents, pas de cousins, que sa famille se limitait donc à Michael et à Stella, ses parents chéris. Quelle imposture !

Elle avait été élevée dans un appartement new-yorkais avec pour seule compagnie une nurse ou une femme de chambre. Dès son plus jeune âge, on l'avait mise dans un pensionnat d'où elle ne sortait que pour aller l'été dans un camp de vacances. Ainsi se souvenait-elle fort bien de ses rares séjours à la maison. Lors des voyages d'affaires de Michael, Stella s'enfermait dans sa chambre pour écouter de la musique classique après avoir expliqué à Madison qu'il ne fallait pas la déranger.

À son retour, Michael rapportait toujours des cadeaux, des ours en peluche ou des poupées puis, plus tard, des livres, des bijoux, des stylos en or... Elle espérait ces voyages car ils se terminaient invariablement par une sorte de Noël.

Cette enfance solitaire lui avait paru normale, et Madison avait appris à se contenter de sa propre compagnie. Ce n'est qu'à partir du moment où elle avait fréquenté le collège qu'elle avait fini par se faire des amies. Là, elle avait rencontré Jamie et Natalie, qui étaient devenues comme les sœurs qu'elle n'avait jamais eues.

— Je suis désolée d'apporter de si mauvaises nouvelles, lui avait répété Kimm avant de partir. Pensez à tout cela. Je sais que vous aurez d'autres questions à me poser ; je reviendrai quand vous serez prête.

Oh, elle y avait pensé. Elle n'avait même rien fait d'autre.

Ton père était un tueur de la Mafia.

Ton père a été accusé d'avoir tué ta mère.

Ta mère ne s'appelait pas Gloria, mais Beth.

Michael, en prétendant que la mère de Madison s'appelait Gloria, voulait contrecarrer toute velléité d'en apprendre davantage. Bien sûr, il n'avait jamais imaginé que cela pourrait être le cas, mais il l'avait fait à tout hasard, soucieux de brouiller les pistes.

Un nouvel entretien avec Kimm se révélait nécessaire, trop de questions restant encore sans réponse. Qui était responsable de la mort de Stella ? Était-ce Michael ? S'était-il rendu chez elle pour l'abattre, ainsi que son amant ?

Autre chose : fallait-il révéler aux policiers qui enquêtaient sur le double homicide la véritable identité de Michael ? Ou bien la découvriraient-ils seuls ? Probablement pas, car les faits et le procès remontaient à près de trente ans.

Son premier réflexe, lorsque Madison commença à émerger du brouillard, fut d'appeler Kimm.

— Il faut que j'en sache plus.

— Je comprends.

— Pouvez-vous venir ?

— Je serai là dans une heure.

Ponctuelle comme à son habitude, Kimm évalua en un coup d'œil l'état de Madison et s'enquit aussitôt :

— Avez-vous mangé ? Vous avez dû perdre cinq kilos depuis la dernière fois que je vous ai vue.

— Vous auriez faim, à ma place ? répliqua Madison.

Tout ce que je savais de mes parents reposait sur le mensonge. Je suis absolument seule au monde.

— Vous avez besoin d'aide, déclara Kimm d'un ton déterminé. Sans parler d'une douche.

— En quoi pouvez-vous m'aider ? interrogea Madison. Les faits sont irréversibles.

— Analysons la situation. Que vous est-il arrivé, en fait ? Vous avez découvert que votre père est un tueur, que votre mère n'est pas votre mère ; que la vraie a été assassinée et que votre père a été accusé du meurtre.

— Formidable, non ?

— Vous êtes une adulte, capable de faire face. Nous avons en nous la force d'affronter tout ce que Dieu nous réserve.

— Vous recommencez à philosopher, soupira Madison. Où dénichez-vous tous ces dictons ?

— Préférez-vous que je vous parle de mon passé ?

— Pourquoi ? Il est pire que le mien ?

— Tout ne va pas si mal pour vous... Vous êtes belle, vous réussissez et vous êtes en bonne santé. Moi, je suis une lesbienne amérindienne d'un mètre quatre-vingts avec un ou deux kilos en trop. Violée par mon oncle à sept ans puis renversée par une voiture à dix. On m'avait prédit que je ne remarcherais plus jamais. À douze ans, j'ai de nouveau été violée, par mon frère, cette fois, qui, dans une crise de démence, a massacré toute ma famille. Il est aujourd'hui dans un asile. Elle s'interrompit un moment avant de reprendre : Vous conviendrez sans doute que je ne me suis pas trop mal débrouillée : mon affaire m'appartient et elle est florissante ; je n'ai de comptes à rendre à personne. Et même si, pour l'instant, je n'ai pas de copine, j'ai connu d'assez bons moments. Me voici donc, preuve vivante que vous devez cesser de vous lamenter sur votre passé pour vous consacrer à votre avenir.

— Seigneur ! Quelle histoire déprimante !

— J'ai survécu.

— On peut le dire.

— En avançant. C'est la seule façon. Vous avez parlé à votre père ?

— Non. Et je n'en ai pas l'intention.

— Bon. Comme vous voulez.

— Il mérite un châtiment pour m'avoir menti toutes ces années.

— Si c'est ce que vous éprouvez.

— C'est *exactement* ce que j'éprouve.

— Il faut suivre votre instinct.

— Nous n'en avons pas encore discuté, reprit Madison d'un ton hésitant, mais à propos de Stella et de son petit ami... Croyez-vous que Michael puisse y être pour quelque chose ?

— C'est possible, admit Kimm après un silence. D'après le rapport de police qu'un ami a pu consulter, il y a bien eu effraction. En outre, ils ont été abattus exactement de la même façon que votre vraie mère : cela évoque effectivement une exécution.

— Oh, mon Dieu !

Kimm lui prit le bras.

— Prenez un peu de distance. C'est ce que j'ai dû faire – Une longue pause – Je vous préviens, si vous n'y arrivez pas, vous allez dériver et vous noyer.

— Qu'est-ce qui est gravé sur la plaque de votre bureau ? ironisa Madison. Détective-philosophe-psychologue ?

— Je n'ai pas de bureau, répondit Kimm avec un petit sourire. Je travaille chez moi. C'est plus discret.

— Bien sûr. Dites-moi, faut-il révéler tout cela à la police ?

— Inutile de nous précipiter. Après tout, que savez-vous ? Rien de concret.

Madison acquiesça.

— Et aujourd'hui, conclut-elle, vous avez quelque chose pour moi ? Encore une surprise ?

— Peut-être. J'ai appris que votre mère avait une sœur jumelle ; elle habite Miami. Dans le cas où vous voudriez entrer en relation avec elle, voici son numéro de téléphone.

— Mon Dieu ! Oui, je veux ! murmura Madison, le souffle coupé.

24.

Cachée derrière des lunettes noires, une écharpe en cachemire dissimulant sa crinière rousse, Rosarita retrouva dans un café un homme recommandé par son dentiste, un « homme à tout faire », avait-il précisé, en réponse à sa question. Bien sûr, ni le dentiste ni le type ne savait exactement ce qu'il fallait « faire ».

— Votre spécialité, c'est quoi ? demanda-t-elle, choisissant ses mots avec soin au cas où ce type minable, mal coiffé et vêtu d'un imperméable crasseux, se révélerait être un flic en civil. Un vilain tic lui secouait le visage, accentuant son aspect répugnant.

— N'importe quoi, madame. Débarras, nettoyage de caniveaux, de gouttières, de toits, dressage d'animaux.

— Qu'entendez-vous par dressage ? demanda-t-elle, jugeant le mot prometteur.

— Si vous avez des animaux qui salissent votre moquette, ce genre de chose, je peux vous arranger cela.

— Et s'il s'agissait, dit-elle en articulant très soigneusement pour qu'il comprenne, s'il s'agissait d'un animal mort ?

— Nous pouvons vous débarrasser du corps, madame, précisa-t-il sans comprendre l'allusion.

— Et... si c'était une *personne*... morte, fit-elle avec un petit rire.

— Oh non, on ne fait pas ce genre de chose. Il faudrait appeler un croque-mort.

Rosarita laissa un billet pour payer le café, se leva et sortit. De toute évidence, son dentiste n'avait rien compris. Bon sang ! Comment engager un homme de main sans l'aide de son père ? Sa rage envers Chas ne cessait de grandir. Cet après-midi-là, elle avait rendez-vous avec son gynécologue. Il y avait des façons plus agréables de passer l'après-midi, mais c'était comme ça.

Le docteur Shipp était un homme distingué aux tempes argentées et aux mains d'une grande délicatesse. Rosarita était persuadée qu'il en pinçait pour elle.

— Comment vous sentez-vous, aujourd'hui, Rosarita ? demanda-t-il en l'introduisant dans son cabinet, où une infirmière à l'air constipé montait la garde.

— Comment vous sentiriez-vous, docteur, si c'était vous qui vous trouviez allongé là, les pieds dans les étriers et le ventre à l'air ?

— Je me sentirais ravi d'avoir un médecin aussi compréhensif, assura-t-il en enfilant ses gants.

Elle se demanda si l'examen permettait de déceler son activité débordante : mari tous les soirs, amant tous les deux jours – quoique, de ce côté-là, le rythme avait ralenti ; Joel n'avait pas donné de nouvelles depuis une semaine.

— Vous avez une petite inflammation, diagnostiqua le docteur Shipp.

— J'ai un mari très enthousiaste, répondit-elle avec un clin d'œil paillard.

— Je vais vous prescrire une crème, dit-il sans relever sa remarque. Voyons un peu les seins, reprit-il. Aucune grosseur anormale ?

Non, les grosseurs, c'était le rayon de Joel, et ça lui manquait.

— Non, docteur, tout va bien, répondit-elle tandis qu'il palpait ses petits seins refaits. Pourtant, je me sens fatiguée, c'est sans doute parce que mes beaux-parents étaient en ville : ils m'ont rendue folle.

— Cela se pourrait. Je vais quand même prescrire une analyse d'urine, à tout hasard.

Une fois sortie du cabinet médical, elle prit son portable pour appeler Joel.

— Pas là, répondit Bijou. Viendra pas de la journée.

— Vous lui avez transmis mes messages ?

— Bien sûr.

Rosarita n'en croyait pas un mot. Cette fille était une garce : cela sautait aux yeux.

Elle héla un taxi et rentra chez elle de fort mauvaise humeur.

— C'était encore votre petite Mexicaine, annonça Bijou. Elle ne renonce pas, hein ?

— Continuez à dire que je ne suis pas là. Elle se lassera. J'ai déjà dû changer mon numéro, chez moi.

— Je sais. Vous avez oublié de me le donner.

— Est-ce que Varoomba a appelé ?

— Varoomba ? Qu'est-ce que c'est que ce nom-là ?

— Vous avez bien entendu, répondit Joel. Elle a appelé ?

— Pas à ma connaissance.

— Si elle téléphone, passez-la-moi tout de suite.

— Bien, monsieur, dit Bijou.

Il n'arrivait pas à croire qu'une abrutie de strip-teaseuse le fasse lanterner. Varoomba lui avait promis de venir à son bureau. Il lui avait proposé cinq cents dollars pour ça. Alors, où était le problème ?

Peu habitué à être rembarré, il appela une de ses copines top models, une brune anorexique à laquelle il donna rendez-vous pour la soirée. *Aujourd'hui, je pars de bonne heure,* décida-t-il.

— Si on me demande, je suis à une réunion, annonça-t-il à Bijou, qui se faisait les ongles.

— Pas de problème, répondit-elle sans lever les yeux. *Une réunion, sans blague ! Il ne doit même plus se souvenir de ce que c'est, une réunion – une vraie.* Joel pressa le bouton de l'ascenseur et attendit tout en réfléchissant à la meilleure façon d'employer le reste de l'après-midi. Il hésitait entre un poker avec les copains, une séance de gym ou bien s'affaler chez lui devant la télé pour regarder une émission sportive. Là-dessus, les portes de la cabine s'ouvrirent, révélant la présence de son ennemie intime : Marika.

Marika était l'âme damnée de son père. Asiatique, très grande, très maigre, elle avait des cheveux d'ébène ramenés en un chignon sévère, des yeux étroits et un air de sphinx. Leon Blaine et elle vivaient ensemble depuis plusieurs années, en fait, depuis qu'il avait plaqué sa femme après trente-cinq ans de mariage.

— Bonjour, Joel, dit Marika avec un sourire glacé.

— Bonjour, Marika.

Il était bien obligé de descendre avec elle. Il entra dans la cabine.

— Nous avons justement parlé de toi, ce matin, ton père et moi, reprit Marika en le transperçant de son regard de dragon.

— Vraiment ? Il n'avait pas vu Leon depuis un bout de temps et il ne s'en portait pas plus mal. Que disiez-vous donc ?

— Ton père a décidé d'aller à Vegas pour la rencontre de boxe. Il aimerait que tu l'accompagnes.

Merde ! Qu'est-ce que Leon allait foutre à Vegas ? Joel avait déjà réservé sa place et prévu d'y retrouver des copains. Si Leon voulait de la compagnie, il allait se retrouver coincé. Le problème, quand on a l'œil sur l'héritage de son vieux, c'est qu'il faut marcher à la baguette. Depuis le temps, il commençait à se lasser.

— Très bonne idée, marmonna-t-il en essayant de mettre dans sa voix un peu d'enthousiasme.

— Nous prendrons un avion dans l'après-midi, expliqua Marika. Cela nous permettra de dîner et de voir un spectacle avant le match.

Nous, se dit Joel. Leon traînerait donc cette gardienne de prison avec lui ?

— Faut-il que j'amène quelqu'un ?

— As-tu quelqu'un de présentable ?

Bordel, qu'il aimerait lui coller une baffe !

— Pourquoi pas Carrie Hanlon ? proposa-t-il, sachant que personne ne pouvait ignorer le nom de cet top model.

— Tu sors avec Carrie Hanlon ? demanda Marika, incapable de dissimuler sa surprise.

— On se voit régulièrement, Carrie et moi, dit Joel d'un ton détaché.

— Elle est très jolie, reconnut Marika, sans cacher sa stupéfaction.

— Oui, c'est vrai, elle est... très gentille, aussi.

En vérité, il n'avait rencontré Carrie Hanlon qu'une seule fois, dans une soirée, et c'était une vraie garce. Mais toute femme avait son prix... et ce ne devrait pas être trop difficile de trouver celui de Carrie Hanlon.

— Je dirai à ton père que tout est arrangé, dit Marika tandis que l'ascenseur arrivait au rez-de-chaussée. Il sera ravi.

Naturellement, une voiture avec chauffeur attendait Marika devant l'immeuble. Joel devait se contenter de conduire lui-même – une Maserati, quand même, cadeau de sa mère pour son anniversaire.

— Au revoir, Marika, murmura-t-il tandis que l'ascenseur poursuivait sa descente jusqu'au parking. C'est toujours un plaisir.

Il n'avait plus maintenant qu'à décider Carrie Hanlon. Bah, au moins, ça lui donnait quelque chose à faire.

Deux jours plus tard, Rosarita s'éveilla, cafardeuse.

— Aujourd'hui, annonça-t-elle, je reste au lit. Je ne me sens pas bien.

— Qu'est-ce qu'il y a ?

— J'ai la migraine et l'estomac patraque, à cause de cette cuisine chinoise, hier soir. C'est *toi* qui as choisi le restaurant, reprit-elle en lui lançant un regard noir.

— Non, Rosarita, la reprit-il patiemment. C'est toi.

— En tout cas, dit-elle en refusant de s'avouer vaincue, c'est *toi* qui m'y as emmenée.

— Je suis désolé que tu ne te sentes pas dans ton assiette. Veux-tu que je t'apporte quelque chose ?

— Un jus de fruits, dit-elle en remontant le drap jusqu'au menton.

— Ce n'est pas bon pour ton estomac. Trop acide.

— Alors ne me demande pas si je veux quelque chose.

— Je vais demander à Conchita de te préparer une tisane et de te griller des toasts.

— Miam-miam, ricana-t-elle, et, basculant hors du lit, elle saisit son peignoir de soie et s'engouffra dans la salle de bains.

Sa mauvaise humeur avait une raison précise, en fait. Elle

avait compris que Joel était aux abonnés absents. Manifestement, il ne supportait pas qu'elle soit mariée. C'était compréhensible, mais totalement injuste. Une chose en tout cas était sûre : elle ne le laisserait pas filer. Joel Blaine, c'était une trop belle prise. Elle, Rosarita Vincent Falcon, serait la première Mme Joel Blaine – et toc !

25.

— Je ne comprends pas ! tonna Victor dans l'écouteur. Ça ne te ressemble pas de disparaître ainsi. Voilà deux fois que tu me fais le coup.

— J'ai eu des problèmes personnels, expliqua Madison.

Elle espérait qu'il s'en tiendrait là, sans y croire. Victor était de ces gens qui ont besoin de tout savoir.

— Cela a un rapport avec le détective que tu voulais engager ? demanda-t-il.

— Non, Victor. Rien à voir.

— C'est David ?

— Absolument pas. Quand te mettras-tu dans la tête que David appartient maintenant à mon passé ?

— Pas la peine de mordre.

— Je me suis dit que j'allais passer au bureau, soupira-t-elle. Je sais que tu paniques si je ne donne pas de nouvelles. J'ai recueilli de la doc sur le boxeur : ça va faire une bonne interview. Je n'en ai pas encore parlé à Jake Sica, mais je vais le faire.

— Pas la peine. Il m'a déjà appelé.

— Il t'a appelé ? *Formidable, hein ? Je couche avec ce type et c'est Victor qu'il appelle.*

— Il m'a téléphoné de Paris pour savoir si le magazine ferait de nouveau appel à lui, expliqua Victor. Je lui ai répondu que nous trouvions tous les deux que ce serait une bonne idée qu'il couvre la rencontre de Vegas avec toi. C'est ce que tu voulais, n'est-ce pas ?

— Oui, il y a une semaine, mais je n'en suis plus si sûre aujourd'hui.

— Pourquoi ? demanda Victor, toujours curieux. Il ne t'a pas donné de ses nouvelles ?

— Bien sûr que si, mentit-elle effrontément. Je suis censée le retrouver à Vegas ou il passe par New York ?

— Il m'a dit qu'il me préviendrait. Ou qu'il verrait cela avec toi. Ça ne devrait pas poser de problème, ajouta-t-il avec un petit rire paillard.

— Laisse tomber, Victor. Je te l'ai dit : je n'aime vraiment pas que tu te mêles de ma vie privée.

— Tu es bien susceptible, Madison.

— Et toi, bien indiscret.

Sur quoi, elle raccrocha.

C'était quand même un point réglé. Elle ne pouvait pas laisser sa carrière aller à vau-l'eau sous prétexte qu'elle était préoccupée. Elle jeta un coup d'œil au portrait de sa mère. Elle en avait fait réaliser un agrandissement d'après la photo trouvée dans le journal. Le tirage était là, maintenant, posé sur sa coiffeuse, proposant l'image d'une belle femme au regard mélancolique, au visage encadré d'une masse de cheveux noirs bouclés.

Le répondeur dévidait des messages de Michael et de David. Celui-ci ne lâchait pas ; il insisterait jusqu'à ce qu'elle accepte de le revoir – ce qui était hors de question. Il y avait aussi quelques appels professionnels et plusieurs messages de Jamie. Son amie la suppliait de donner des nouvelles ; Peter et elle s'inquiétaient à son sujet.

Elle avait eu l'intention de ne rappeler personne d'autre que Victor, mais Jamie était quelqu'un d'important pour elle. Elle prit donc son téléphone.

— Avant toute chose, s'empressa-t-elle de dire dès que Jamie eut décroché, pardon, pardon, pardon.

— Je comprends que tu aies le cafard, répondit Jamie d'un ton un peu pincé, mais ne pourrais-tu pas au moins prévenir tes amis que tu es toujours de ce monde ?

— Jamie, tâche de comprendre, je t'en prie. Il m'arrive un truc dur, très dur.

— Quoi donc ? fit Jamie, inquiète. Tu es malade ?

— Non, j'ai fait des découvertes sur mon passé.

— Graves ? Est-ce que je peux faire quelque chose ?

— Rien, sauf être là quand j'ai besoin de toi.

— Je suis toujours là, et Peter aussi, mais ne nous laisse pas tomber de cette façon. Ça me rend nerveuse.

— Promis.

— Alors, reprit Jamie, quand peut-on se voir ?

— Dans quelques jours.

— Tu ne penses pas que ça t'aiderait de parler un peu ?

Madison savait que son amie avait raison mais, pour l'instant, elle ne s'en sentait pas le courage.

— Pas encore, tu veux bien ?

Heureusement, en véritable amie qu'elle était, Jamie n'insista pas.

— D'accord. Mais n'oublie pas, quand tu seras prête, je suis là.

À peine eut-elle raccroché que Jamie appela Peter à son bureau.

— J'ai enfin eu Madison.

— Dieu soit loué ! Maintenant, tu peux cesser de t'inquiéter.

— Toi aussi, tu te faisais du souci, reconnais-le. Tu ne trouves pas étrange qu'elle n'ait pas téléphoné plus tôt ? Après tout, c'est ma meilleure amie.

— Je suppose que l'enterrement a vraiment dû la secouer.

— Certainement – Une pause – Tu sais, il m'est venu une idée formidable.

— Quoi donc ?

Il se méfiait des idées formidables de sa femme.

— Natalie sera à Vegas pour la rencontre de boxe. Et Madison doit interviewer un des boxeurs pour son magazine.

— Alors ?

— Alors, si j'y étais aussi, ce serait une vraie réunion. Nous pourrions être tous là pour l'anniversaire de Maddy et lui faire la surprise d'organiser une petite fête. Tu ne trouves pas ça génial ?

— Tu n'as pas oublié quelque chose ?

— Quoi donc ?

— Vegas est l'endroit que je déteste le plus au monde

et, malgré tout l'amour que j'ai pour toi, ma chérie, je n'envisage pas d'y passer un seul instant.

— Oh, Peter... je t'en prie. Ce serait une si belle surprise pour elle.

— Non, ma chérie. Nous lui enverrons des fleurs. Nous lui achèterons un cadeau chez Tiffany, nous pourrons même organiser une fête pour elle à son retour et faire venir Natalie. Qu'est-ce que tu en dis ?

— Peut-être, dit Jamie, qui parvenait mal à dissimuler sa déception.

Peter était un mari adorable et un merveilleux amant, mais il pouvait parfois faire preuve d'un égoïsme monstrueux, et là, de toute évidence, il l'affichait.

Ce soir-là, quand il rentra, elle tenta une nouvelle fois de le persuader : rien à faire.

Plus tard, quand il voulut faire l'amour, elle lui annonça qu'elle avait la migraine et se tourna sur le côté. Puis elle prit un magazine et se mit à lire.

— Bon, dit Peter. Puisque c'est ça...

Et il alluma la télé pour suivre un match de base-ball. Dix minutes plus tard, il dormait, les doigts serrés sur la télécommande. Elle entreprit de lui retirer l'objet de la main – tâche difficile, tout homme normal considérant la télécommande de sa télévision comme le prolongement naturel de son pénis. Il résista donc et elle renonça. Que faire ? Elle n'allait quand même pas rester à regarder ces clowns jouer à la baballe. Elle se leva et passa dans le vaste dressing-room qu'ils partageaient.

La première chose qu'elle remarqua fut le portefeuille de Peter posé dans un vide-poche. Elle se rappela alors le petit test suggéré par cette femme détective. Cela semblait si stupide. Pourquoi Peter se munirait-il de préservatifs alors qu'ils n'en utilisaient jamais ?

La tentation était quand même trop forte : elle tendit la main vers son portefeuille, un somptueux modèle en croco noir qu'elle lui avait acheté chez Gucci deux Noëls plus tôt. Elle se sentait pleine de remords car, au début de leur mariage, ils étaient convenus de respecter chacun la vie privée de l'autre.

D'une main hésitante, elle ouvrit le portefeuille. Des

cartes de crédit. De l'argent. Une photo prise lors de leur voyage de noces. Et un préservatif.

Un préservatif !

Elle n'en croyait pas ses yeux. Exactement comme cette femme l'avait prédit.

Son premier réflexe fut de se précipiter dans la chambre, de le secouer et de lui dire : « Veux-tu me dire ce que tu fais avec un préservatif dans ton portefeuille ? »

Mais elle n'en fit rien. Elle garda son calme, se rappelant ce que lui avait dit Madison. Elle alla chercher un feutre dans le bureau et fit une petite croix sur le coin de l'emballage. Elle le remit ensuite exactement où elle l'avait trouvé.

Bouillant de rage, elle se glissa dans le lit pour découvrir que Peter ronflait en souriant aux anges. Le salaud ! Et si cette femme détective avait raison ? Et si elle découvrait un sachet neuf la prochaine fois ? Elle le tuerait, voilà ce qu'elle ferait.

Madison et Kimm déjeunaient dans un petit restaurant italien de Lexington. Entre deux bouchées de spaghetti à la bolognaise, Kimm la renseigna sur la sœur de Beth, qu'elle avait réussi à joindre au téléphone. À l'en croire, c'était bien sa sœur jumelle. Elle avait toujours refusé le moindre contact avec Michael, attentive à ce qu'il n'obtienne jamais son adresse.

— Je lui ai dit que vous vouliez la rencontrer. Mais elle a été catégorique : elle veut oublier son passé.

— Comment peut-elle refuser de me voir ? Je suis sa nièce. Elle est la seule personne capable de me parler de ma mère !

— Vous devriez peut-être vous adresser directement à Michael, suggéra Kimm. Lui révéler ce que vous savez. Il sera bien obligé de réagir.

— Non. Il est peut-être mon père, mais c'est un menteur, et ce dont j'ai besoin, c'est de vérité. Je prends l'avion pour Miami. Il faudra bien qu'elle me reçoive.

— Alors je viens avec vous.

— Vous n'êtes pas obligée.

— Bien sûr que si. Telle que je vous connais, vous allez arriver à l'aéroport et vous perdre.

— Je suis une grande fille très équilibrée. Vous l'avez dit vous-même.

— Vous l'étiez. Mais toute cette histoire vous a secouée. Dieu m'a envoyée pour veiller sur vous. Ne vous inquiétez pas, ajouta Kimm avec un petit sourire, je ne vais pas vous sauter dessus. Je n'exprime ma libido qu'à coup sûr.

— Me voilà soulagée.

Les deux femmes échangèrent un sourire.

— Nous prendrons l'avion demain, décida Madison. Je vais tout organiser.

26.

— Vous êtes enceinte.

— Je suis quoi ?

— Enceinte, madame Falcon, lui répondit avec entrain son gynécologue, le docteur Shipp.

— Vous êtes sûr ?

— Je ne vous le dirais pas si ce n'était pas le cas. J'aimerais que vous preniez un rendez-vous pour la semaine prochaine.

Rosarita n'en revenait pas. Enceinte ! Impossible. Elle avait toujours son diaphragme.

— Vous avez dû faire une erreur.

— Pas du tout, reprit le médecin d'un ton jovial. À la semaine prochaine, madame Falcon. Et toutes mes félicitations.

Elle raccrocha, bouleversée. Elle avait horreur des bébés, ces petites choses maigrichonnes au visage fripé, qui pleurent toute la nuit. Et puis adieu la silhouette ! Et l'accouchement... Ses amies lui avaient décrit des douleurs horribles.

Non ! Non ! Non ! Ce n'était pas possible.

Puis elle se souvint. La première fois, avec Joel, dans la voiture, elle n'avait pas son diaphragme. Ce qui voulait dire que le bébé était de Joel car elle n'avait jamais fait l'amour avec Dex sans prendre de précautions.

Je porte l'enfant de Joel Blaine, se dit-elle. *Le petit-fils de Leon Blaine. Leon Blaine, le milliardaire. OH... MON... DIEU !*

Voilà qui apportait une solution à certains de ses problèmes, même si cela ne la débarrassait pas du pire d'entre eux, Dex. Pour l'instant, il avait rendez-vous avec son agent ; elle avait du temps devant elle. Rosarita se mit au lit pour réfléchir. Porter l'enfant de Joel lui donnait soudain un formidable pouvoir. Elle allait devenir une des femmes les plus riches du monde. Elle attendait un bébé. Pas n'importe quel bébé : celui de Joel Blaine.

Elle se sentit toute ragaillardie. Inutile maintenant de renforcer ses liens avec Joel : dès l'instant où elle lui annoncerait sa paternité, il serait aux anges. Il ne lui restait plus qu'à se débarrasser de Dex pour que tout soit parfait.

L'agent de Dexter venait de lui annoncer qu'il quittait l'agence pour partir travailler en Californie.

— Et moi ? demanda Dexter.

— Je ne vous ai pas laissé tomber, mon vieux. Je vous ai trouvé une fille que vous allez adorer. Annie Cattatori. Un amour.

— Je n'ai pas besoin d'un amour. Ce qu'il me faut, c'est un bon agent.

— Est-ce que j'ai dit qu'elle n'était pas bonne ? Annie est la meilleure. Suivez-moi, je vais vous conduire jusqu'à son bureau pour vous présenter.

Annie Cattatori, une très grosse femme frisant la quarantaine, était installée derrière son bureau. Elle avait un assez joli visage bien que noyé dans un déferlement de doubles mentons et de joues potelées, un sourire charmant et de grands yeux d'un bleu pâle. Autour de son cou une longue chaîne en or retenait une paire de lunettes à la monture incrustée de strass.

— Je te présente Dexter Falcon. Je suis certain que tu l'as vu dans « Sombres Journées. »

— Si je l'ai vu ? Je n'ai vu que lui, dit Annie en émergeant de derrière sa table, dévoilant de nouveaux aperçus de sa masse imposante. Venez ici, mon garçon, que je vous embrasse. Nous allons être de grands amis.

Dexter n'en demandait pas tant. Ce qu'il lui fallait, c'était un super-agent, et il n'avait pas l'impression qu'Annie Cattatori en était un.

Il l'embrassa quand même – comment faire autrement ?

Elle sentait la naphtaline, le lilas et l'ail ; elle le serra contre elle au point de lui faire craindre pour sa cage thoracique.

— En premier lieu, déclara-t-elle en se rasseyant dans son fauteuil, nous allons faire connaissance.

— Bon, les enfants, dit le lâcheur en reculant vers la porte, je vous laisse.

Annie attendit que l'autre fût parti pour déclarer :

— Moi, je vais faire de vous une star, mon garçon.

J'ai déjà entendu ça, avait-il envie de dire. *Je l'ai entendu quand j'ai passé une audition pour Scorsese. Quand j'ai failli décrocher un rôle dans un film de Clint Eastwood. Quand j'aurais pu être l'amoureux de Gwyneth Paltrow dans un film de Miramax.*

— Ça ne vous tenterait pas ? demanda Annie en prenant une cigarette.

— Bien sûr que si. Qui représentez-vous d'autre que moi ?

— Le talent, rien que le talent, répondit-elle. Je ne dresserai pas la liste parce que, une fois que vous êtes en face de moi dans mon bureau, vous êtes le seul qui compte. C'est pour *vous* que je travaille, ne l'oubliez pas. Elle alluma sa cigarette et tira une profonde bouffée. Vous êtes marié ?

— Oui, répondit-il, surpris par la question.

— Ne le criez pas sur les toits. Les femmes préfèrent imaginer leurs idoles célibataires. Nouvelle bouffée de cigarette. Aucune chance de laisser tomber la vieille ?

— Je suis très heureux en ménage, affirma-t-il, découvrant, tout en prononçant les mots, que ce n'était pas la stricte vérité...

— Bon, bon, je demandais ça comme ça. Parlez-moi un peu de vos défauts. Pas de came ?

— Non.

— Vous buvez ?

— Non.

— Vous couchez ?

— Non.

— Vous êtes le type parfait, alors ? fit-elle en ôtant ses lunettes.

— C'est ce que pense ma femme.

— Elle en a, de la chance.

— Moi aussi, précisa Dexter, qui aurait bien voulu que

ce soit vrai. Un mariage sans nuage avec une femme qui l'aime.

— Bon, conclut-elle, vous avez le physique, l'allure, voyons si on peut vous donner le savoir-faire.

— Les producteurs étaient contents de mon travail dans « Sombres Journées », dit-il, agacé par ces critiques. Personne ne s'est jamais plaint.

— Bien sûr, mon petit, ricana-t-elle. Ça leur a tellement plu qu'ils ont annulé la série. Écoutez, commençons par vous trouver un bon professeur. Pas question d'auditionner avant d'avoir vraiment bossé. Compris ?

— J'ai besoin de gagner ma vie, protesta-t-il.

— Qui paie, dans le foyer ? Vous ? Ou bien avez-vous été assez futé pour épouser une héritière ?

— Ma femme a un peu d'argent, reconnut-il à contrecœur.

— Alors, utilisez-le, mon petit. Qu'elle vous entretienne maintenant et, quand vous aurez réussi, elle pourra pomper dans votre porte-monnaie.

Joel n'eut aucun mal à découvrir que Carrie Hanlon posait pour une couverture du magazine *Allure*. Elle faisait une série de photos avec Testio Ramata, photographe extrêmement doué et véritable tombeur. Joel le suivait volontiers dans ses reportages, prétextes à des virées mémorables dont le cadre était forcément lointain et ensoleillé – Sardaigne ou Maroc, par exemple. Pourtant, ils s'étaient un peu perdus de vue car leur dernière rencontre avait mal fini. Joel avait, par inadvertance, piqué une des petites amies de Testio, un mannequin danois décharné sur lequel le photographe avait des vues.

Cependant, plusieurs mois s'étaient écoulés, et le mannequin danois avait disparu depuis belle lurette. Joel n'éprouvait donc plus aucun scrupule à passer au studio de Testio sans y être invité. Il devina que son copain était en plein travail – les cloisons du studios tremblaient, secouées par la musique des Rolling Stones. Joel s'approcha de la réception où Debbie, l'assistante de Testio, l'arrêta.

— Ça fait un moment qu'on ne t'a pas vu, Joel, fit Debbie en ôtant ses lunettes très mode.

— J'étais débordé. Tu sais comment c'est, répondit-il en se penchant sur son bureau. Avec qui travaille le maître, aujourd'hui ?

— Carrie Hanlon. Tu ferais mieux d'attendre que je t'annonce. Elle est très capricieuse.

— Je connais Carrie. Cela ne la dérangera pas.

— Désolée, Joel, il va falloir que tu attendes ici.

— Je te l'ai dit, insista Joel d'un ton désinvolte, je la connais.

— Peut-être, mais moi, je connais mes instructions.

— Bon, bon, concéda-t-il en jetant un coup d'œil à sa montre. Il était trois heures passées. Ils ont déjà fait la pause déjeuner ?

— Ça ne va pas tarder.

— Parfait. Alors, je reviendrai tout à l'heure prendre un verre de vin avec eux. Dis à Testio que je repasse dans dix minutes.

Il quitta le studio et partit acheter trois douzaines de roses chez le fleuriste du coin.

Emmerdeuses ou pas, les femmes ne résistaient pas aux fleurs. Et Carrie était une femme, non ? Il sentit que ces roses allaient marquer le début d'une merveilleuse relation.

27.

L'été était déjà passé, mais Miami suffoquait sous une vague de chaleur. Dans l'aéroport encombré et bruyant, des gens de multiples nationalités s'affairaient en tous sens. Madison regarda autour d'elle, cherchant le chauffeur qui devait l'attendre.

— Pourquoi avez-vous loué une limousine ? demanda Kimm. Moins nous nous faisons remarquer, mieux ça vaut.

— Je préfère avoir un chauffeur à ma disposition quand j'arrive dans une ville que je ne connais pas.

— Je suis capable de me débrouiller toute seule, affirma Kimm avec assurance.

— Vous, peut-être. Mais moi, je n'en suis pas si sûre. Depuis quelque temps, je pense à m'acheter un pistolet.

— Je vous conseille plutôt des leçons de karaté. Je vous donnerai quelques tuyaux. Je suis experte.

— Vous êtes une femme vraiment étonnante. Je suis contente de vous connaître.

— Merci, bredouilla Kimm, peu habituée aux compliments.

— Évidemment, je ne suis pas enchantée par vos découvertes. Mais, au fond, je devrais l'être, parce que toutes mes certitudes reposaient sur des contrevérités.

— Vous devez être nerveuse.

— À vrai dire, je suis plus calme aujourd'hui que je ne l'ai été depuis un moment. L'idée de rencontrer la sœur jumelle de ma mère me donne le trac mais, en même temps, m'excite.

— Vous pourriez ne pas la rencontrer du tout, fit observer Kimm. Il est tout à fait possible qu'elle nous claque la porte au nez.

— Mon Dieu, j'espère que non.

— Il faut vous y préparer quand même. Cette femme a manifestement peur de Michael. Après le meurtre de sa sœur, elle s'est enfuie – elle a même changé de nom.

— Comment s'appelle-t-elle aujourd'hui ? s'enquit Madison, se rendant compte que c'était la seule question qu'elle n'avait pas posée.

— Catherine Lione. C'est tout ce que je sais d'elle : son nom et une adresse à South Beach.

— Alors, allons la trouver !

Elle venait de repérer un chauffeur en livrée brandissant un grand panneau blanc où était inscrit son nom.

— Elle me parlera, conclut-elle. J'en suis certaine.

Jamie prenait sa douche matinale quand Peter lui fit la surprise de se glisser dans la cabine vitrée.

— Peter, protesta-t-elle, je suis toute mouillée.

— Exactement comme je t'aime, dit-il d'un ton paillard. Au bord du dérapage...

— Je ne suis pas d'humeur, précisa-t-elle, tandis qu'il commençait à lui caresser les seins.

— Hier soir, tu avais la migraine, ce matin, tu n'es pas d'humeur, reprit-il en lui massant les bouts de seins d'une façon qui, il le savait, la rendait folle. Que se passe-t-il ?

— Suis-je censée être toujours prête et disponible ? riposta-t-elle en s'efforçant de résister.

— Tu es ma femme, non ?

— Oui, murmura-t-elle, frissonnant tandis que les mains de Peter couraient le long de son corps. Oh, chuchota-t-elle, soudain vibrante de désir.

— Qu'y a-t-il, ma douce ? demanda-t-il en lui mordillant l'oreille.

— Nous sommes heureux, non ?

— Très, approuva-t-il en lui caressant doucement l'intérieur des cuisses.

— Tu m'aimes, n'est-ce pas ? insista-t-elle en se tournant vers lui.

Il lui noua les mains derrière la nuque puis, lui soulevant les jambes pour les mettre autour de sa taille, il la pénétra avec une brutalité à laquelle elle ne s'attendait pas.

— Tu sais que je t'aime. Je ne me lasserai jamais de toi.

— Il n'y a pas que le sexe, fit-elle, haletante, en renversant la tête en arrière.

— Ne parle pas, ordonna-t-il.

— Tu ne me seras jamais infidèle ?

— Tu es complètement folle ! Comment peux-tu dire des choses pareilles ?

Peu à peu, tandis qu'il faisait aller ses hanches contre les siennes, l'image du préservatif sombra dans l'oubli.

— Ça ne peut pas être là, s'étonna Madison en découvrant un restaurant encadré de bâtiments aux couleurs de tranche napolitaine.

— Nous sommes à l'adresse que vous m'avez donnée, madame, répondit le chauffeur.

— C'est un restaurant, dit Madison en regardant Kimm.

— Je le vois bien. Regardez l'enseigne. Ça s'appelle Chez Lione.

— Vous ne saviez pas qu'elle tenait un restaurant ?

— Il faut croire que je baisse un peu sur mes vieux jours, s'excusa Kimm.

— Chauffeur, dit Madison, tandis qu'elles descendaient, vous voudrez bien nous attendre ? Je ne sais pas très bien pour combien de temps nous en aurons.

L'homme donna son accord.

— En tout cas, si elle ne veut pas vous voir, nous pourrons toujours nous offrir une tasse de café cubain.

À la terrasse, des clients savouraient leur consommation aux accents énergiques d'une salsa. Il était quatre heures de l'après-midi.

— Voici comment nous devrions nous y prendre, reprit Kimm d'un ton décidé. Nous sommes des clientes, nous allons nous asseoir, commander quelque chose et regarder ce qui se passe. Peut-être la verrons-nous avant qu'elle ne nous voie.

— Tout ça me rend nerveuse, avoua Madison. Je ne

m'attendais pas à un restaurant. Je croyais que nous allions chez elle.

— Elle vit sans doute ici, dit Kimm en se dirigeant vers une place libre.

Un jeune serveur en pantalon de cuir noir moulant et T-shirt blanc s'approcha en roulant des hanches.

— C'est pour le thé, mesdames ? fit-il. Ou bien vous voulez quelque chose de plus fort ? Je vous recommande la margarita maison.

— C'est ce que je vais prendre, dit Madison, qui avait besoin d'un verre.

— Pour moi, ajouta Kimm, de l'eau.

— Ah, dit le serveur en regardant Madison droit dans les yeux, la belle dame aime vivre dangereusement.

Il devait avoir dix-neuf ans à peine mais débordait d'autosatisfaction.

— Je m'appelle Juan, précisa-t-il. Si vous avez besoin de quoi que ce soit, vous m'appelez.

— C'est un endroit intéressant, dit Madison. J'adore cette ambiance Arts déco. À qui appartient le restaurant ?

— À une autre belle dame, répondit Juan. Elle est plus âgée, mais les femmes sont comme le vin... Elles embellissent avec l'âge.

— Oh non, protesta Madison en riant, vous n'allez pas me dire que ce genre de réplique marche encore ?

— Mais si, fit-il avec un grand sourire. Surtout à la saison estivale. Ces dames sont des touristes ?

Le badinage n'amusait pas Kimm.

— Pas vraiment, lança-t-elle. Nous sommes ici pour affaires.

— Je n'avais pas l'intention de vous offenser, sérieuses petites dames, s'excusa Juan. Je vais chercher vos consommations.

— Qu'est-ce qu'il a ? demanda Kimm en le regardant s'éloigner. Je lui botterai volontiers son petit cul serré.

— Ne vous énervez pas. Il pourrait bien nous donner des renseignements sur Catherine.

— Ou sur son mari.

— Non. Il nous a dit que le propriétaire était une

femme, alors, comme ça s'appelle Chez Lione, ce doit être Catherine. Non ?

— Un drôle d'endroit pour se planquer si elle voulait fuir Michael, fit remarquer Kimm. Qu'est-ce qui lui a fait croire qu'il ne viendrait jamais à Miami ?

— Qui sait ? objecta Madison en haussant les épaules. L'endroit me plaît, je m'y sens déjà beaucoup mieux.

— Vous avez tort de vous figurer que votre tante va vous accueillir à bras ouverts : « Madison, voilà des années que je t'attends, viens vivre ici avec moi et je te donnerai une vraie famille. » Votre imagination s'emballe.

— Non, protesta Madison d'un ton acerbe. Vous me croyez stupide à ce point-là ?

— Pas stupide, répondit Kimm, mais à la recherche d'une famille. La découverte de la vérité au sujet de vos parents vous laisse orpheline ; alors vous cherchez quelqu'un et vous jetez votre dévolu sur Catherine.

— Ce que je veux, c'est la rencontrer, répliqua Madison, et qu'elle me parle un peu de ma famille. Je ne sais absolument rien de ma mère. Je n'ai même pas idée de l'endroit où elle est née.

— Regardez, voici l'occasion de le savoir. Est-ce que ce n'est pas Catherine qui vient vers nous ?

Madison leva les yeux et retint son souffle devant la vivante réplique du portrait de Beth : mêmes cheveux noirs bouclés, visage délicat aux pommettes saillantes, lèvres charnues, regard lumineux. Mince, vêtue d'une robe rouge et portant de très hauts talons, elle affichait une quarantaine d'années. Madison, par un rapide calcul – elle avait vingt-neuf ans, Beth l'avait eue à dix-sept ans – arriva à quarante-six. Passant devant elles, la femme s'arrêta à la table voisine pour saluer un gros homme en costume blanc coiffé d'un panama. Ils s'embrassèrent sur les deux joues et se mirent à bavarder.

— Je suis si contente de te voir, lança la femme. Ton sourire me manquait.

Elle avait un léger accent que Madison releva avec étonnement.

— Cubaine, murmura Kimm.

— Comment le savez-vous ?

— L'accent.

— Je suis donc à moitié cubaine ? Je ne suis pas américaine ?

— Votre mère a dû arriver ici avant votre naissance. Vous êtes parfaitement américaine.

— Mais alors j'ai du sang cubain, dit-elle, tout excitée. Je l'ignorais.

— Comme bien d'autres choses sans doute. Vous êtes bonne danseuse ?

— Je me débrouille plutôt bien.

— Maintenant, vous savez pourquoi.

— Kimm, votre brillante intelligence est digne de Sherlock Holmes !

— Vous redevenez vous-même, remarqua Kimm avec un sourire. Cela me fait plaisir.

— Comment le savez-vous ?

— Je vous imagine coriace avec un cœur d'artichaut, spirituelle et brillante, amie fidèle, horripilée par la stupidité et les imbéciles. Je me trompe ?

— J'espère que non, parce que le portrait ne me déplaît pas.

Elles éclatèrent de rire.

— Je suis ravie de voir que vous vous amusez bien, mesdames, dit Juan en revenant avec leurs consommations.

— À vrai dire, reprit Madison, nous sommes des touristes... mais à moitié seulement. Je travaille pour un magazine de voyages ; nous sommes en reportage à South Beach pour dénicher les restaurants et les boîtes à la mode. Seriez-vous d'accord pour nous aider ?

— Je suis votre homme, déclara Juan avec un grand sourire. Je connais tout de Miami.

— Quand terminez-vous votre service ?

— J'ai une pause de quatre heures, après six heures. Je dois être de retour à dix heures pour la méga-teuf.

— Méga... teuf ? demanda Madison.

— La fête, quoi ! Savez-vous que vous êtes dans un des établissements les plus branchés de Miami ?

— Qui appartient à une femme ?

— Oui, elle est là-bas, assise avec l'homme au complet blanc.

— Je pourrais la rencontrer ?

— Miss Lione n'aime pas la publicité personnelle. Faites un article sur le restaurant, pas sur elle.

— Alors, Juan, demanda Madison tout à coup enjôleuse, c'est ici, la vraie vie ? Mmm ?

Kimm s'abstint de tout commentaire, mais son expression était claire. *Qu'est-ce qui lui prend ?* Madison fit un clin d'œil ; elle était sûre de sa méthode.

— Juan, ajouta-t-elle, pour cent dollars, pouvez-vous nous faire visiter le coin et nous renseigner un peu ?

— Après mon service ?

— Nous comptions reprendre l'avion pour New York dès ce soir, mais, finalement, nous resterons ici pour la nuit.

— Je peux vous recommander un hôtel, proposa Juan. Vous ne pouvez pas rédiger un article sur les soirées de South Beach sans y vivre. Je vous dirai exactement où aller et je veillerai à ce que vous soyez partout la bienvenue.

— C'est très aimable à vous, remercia Madison, mais je préférerais me concentrer sur un seul endroit, celui-ci. Pouvez-vous nous retenir une table pour dîner ?

— Bien sûr. Pour vous et votre amie. Serez-vous accompagnées ?

— Non, c'est strictement pour affaires.

— Je connais pourtant bien des messieurs qui se feraient un plaisir de passer la soirée avec vous, lança Juan sans équivoque.

— Nous n'avons pas besoin de compagnie, rétorqua Madison en caressant la main de Kimm. Nous sommes parfaitement heureuses... ensemble.

— Ah, je vois, dit Juan en levant les yeux au ciel. Un couple.

— Exact, fit Madison en souriant. Un couple.

Kimm lui lançait des regards meurtriers.

— Je reviens, dit Juan se dirigeant vers une cliente qui réclamait son addition.

— Qu'est-ce que vous faites ? demanda Kimm dès qu'il se fut éloigné.

— Je nous situe. Ainsi, nous rencontrerons Catherine par hasard. Plus tard, je lui parlerai.

— Donc nous restons pour la nuit. Parfait, et que Juan nous réserve une jolie chambre à lit double !

— Voyons, je lui ai dit cela pour ne pas être embêtée, c'est tout.

— Juste deux gouines en vadrouille. C'est ça ?

— Ne vous froissez pas. D'ailleurs, si vous avez l'intention de draguer, c'est toujours plus facile quand on est avec quelqu'un.

— Madison, dit Kimm en secouant la tête d'un air songeur, vous avez changé depuis que nous avons quitté New York. Votre personnalité s'enrichit de nouvelles facettes.

— Pas du tout. Je suis une survivante. J'ai assimilé vos conseils : il faut que je me laisse aller pour tenir le coup. Ce ne sont pas ces bouleversements qui vont m'abattre. À moi de me débrouiller, je l'ai toujours fait. Je n'ai jamais accordé de crédit à ceux qui mettent tout sur le dos de leurs parents : vous savez : « Je suis un raté parce que mon père était un raté », ou bien : « Je suis une alcoolique parce que ma mère buvait. » Elle prit une profonde inspiration. « Bon, mon père était un tueur ? Peut-être. Il a tué ma mère ? Peut-être. Rien de tout cela n'est sûr mais je l'accepte et je commence à comprendre que cela n'a rien à voir avec moi.

— Très bien. D'accord.

— Merci.

Juan revint, débordant d'enthousiasme.

— Mesdames, annonça-t-il, je vais vous organiser une soirée mémorable. Vous ne regretterez pas d'être restées. Juan se charge de tout.

28.

— Comment s'est passé ton rendez-vous ? demanda Rosarita.

L'information ne l'intéressait pas particulièrement, mais il fallait bien sauver les apparences.

— Mon agent s'en va, annonça Dexter. J'ai quelqu'un de nouveau. Une femme.

— Oh ! sexy ?

— Elle a l'air sympa.

— Dynamique ?

— Aucune idée. Elle a du bagou.

— C'est ce qu'il te faut, Dex, quelqu'un qui a du bagou.

— Tu as l'air reposée, dit-il, sachant par Conchita qu'elle avait passé la journée au lit. C'était bon signe : peut-être son organisme cherchait-il à lui dire quelque chose. Tu viens de te lever ?

— À vrai dire, oui, répondit-elle en bâillant. Je ne suis pas encore remise de ce dîner au restaurant chinois où tu as voulu m'emmener l'autre soir.

Il n'était pas d'humeur à lui rappeler une nouvelle fois que c'était *elle* qui avait choisi le restaurant.

— Annie veut que je prenne des cours d'art dramatique. Qu'est-ce que tu en penses ?

— Qui est Annie ?

— Mon nouvel agent.

— Ce n'est pas une mauvaise idée, répondit Rosarita, qui s'en fichait éperdument, parce qu'elle tenait son plan.

Elle sourit. Dans son lit, elle avait eu l'idée du poison.

C'était si simple, pourquoi n'y avait-elle pas pensé plus tôt ? Pas besoin d'un tueur. Pas besoin de son père. La solution idéale. Empoisonner Dexter ; voilà ce qu'elle allait faire... et cela à Las Vegas.

Autour de Carrie Hanlon évoluaient un chef maquilleur, une maquilleuse du corps, deux coiffeurs, trois stylistes, une assistante et un journaliste qui travaillait à un portrait d'elle.

Joel et ses roses ne l'avaient absolument pas impressionnée. Elle l'avait toisé d'un vague regard avant de balancer les fleurs à l'un de ses groupies.

Joel ne céda à la timidité que quelques instants. *Qu'elle aille se faire foutre, cette pute. Je suis le fils de l'un des hommes les plus riches du monde. Ça mérite le coup d'œil, non ?* Testio, lui, était enchanté. C'était un Italo-Américain du même âge que Joel avec de longs cheveux un peu gras et une cascade de boucles d'oreilles en or.

— Qu'est devenue Miss Danemark, s'enquit Joel, espérant que l'autre ne lui en voulait plus.

— Oh, elle ! dit Testio, très détaché. Finalement, elle était comme les autres : elle est retournée au Danemark pour épouser un fermier.

— De qui parlez-vous ? interrogea Carrie.

— De Dagmar, tu te souviens ? fit Testio.

— Pas vraiment, répondit Carrie en grignotant une feuille de laitue.

Carrie Hanlon était réellement une superbe créature : un mètre soixante-quinze, une crinière de cheveux fauves, de grands yeux candides, des lèvres pulpeuses, un nez droit et le genre de silhouette que tout Américain digne de ce nom souhaiterait pouvoir contempler tous les soirs sous ses draps.

— Ça fait un moment, Carrie, dit Joel en se glissant près d'elle.

— On se connaît ? demanda Carrie, ce qui fit pouffer son styliste bisexuel.

— Vous vous rappelez sûrement ! fit Joel. Ou bien peut-être que ce soir-là vous étiez trop défoncée.

— La came, c'est pas mon truc, lâcha Carrie, déclenchant un fou rire chez le second styliste. La coke, c'est pas de la came, précisa-t-elle, agacée. La coke, ça dégage les sinus.

J'ai toujours des problèmes de sinus. Et je prends des vitamines, ça me donne de l'énergie et ça me rend belle.

— C'est moi qui la rends belle, grommela le chef maquilleur, assis dans son coin.

— Comment se fait-il que tu sois passé aujourd'hui ? demanda Testio à Joel en lui tendant une bouteille de vin.

— J'étais dans le quartier, répondit Joel en se versant un verre. Je me suis dit que cela faisait trop longtemps qu'on ne s'était pas vus. Je ne me doutais pas que tu travaillais avec Carrie.

— Elle est vraiment chiante, lui chuchota Testio à l'oreille. Mais elle vaut la peine qu'on se donne.

— J'espère que vous parlez des photos, lança Carrie.

— Non, riposta Testio. Je parlais cul.

— Le sexe, c'est pas mon truc, reprit Carrie en regardant droit dans les yeux le journaliste qui l'interviewait. Je me réserve pour le mariage.

Ce fut au tour de Testio d'éclater d'un grand rire.

— C'est vrai ? s'étonna aussitôt le journaliste armé de son magnétophone.

— C'est ce que vous allez publier, affirma Carrie avec un sourire adorable. N'est-ce pas ?

— J'ai une proposition à vous faire, Carrie, dit Joel en lui versant un doigt de vin.

— Voyez cela avec mon agent, répondit Carrie avec un geste de la main.

— C'est personnel, insista Joel.

— Je n'ai pas de secret pour mon agent.

— Vous voudrez peut-être m'écouter d'abord. Pourquoi payer dix pour cent quand vous n'êtes pas obligée ?

— Quinze, répliqua Carrie, comme si c'était un titre de gloire. Et si je paie quinze pour cent, c'est parce que mon agent obtient de meilleurs contrats que les autres.

— Et moi qui vous croyais futée !

Carrie secoua sa longue crinière blonde et se tourna ostensiblement vers un de ses coiffeurs pour parler d'un récent concert de Britney Spears auquel elle avait assisté. Joel comprit qu'on lui signifiait son congé. Il se tourna vers Testio, qui fit la grimace.

— Viens dans mon bureau, dit le photographe en se levant. Je voudrais te montrer quelque chose.

Dès qu'il eut fermé la porte à clef derrière lui, il s'exclama :

— Quelle conne !

— Ça, on peut le dire. L'ennui, c'est que j'ai besoin d'elle pour un truc.

— Oui ? Bonne chance !

— Je parle sérieusement. Mon père est persuadé que cette pétasse va m'accompagner à Vegas pour le match de boxe. J'aurai l'air d'un con si je ne rapplique pas avec elle. Qu'est-ce que je vais faire ?

— Mon vieux, fit Testio en haussant les épaules, c'est ton problème. Attends, reprit-il, j'ai une idée. Je sais ce que Carrie aime plus que tout au monde.

— Quoi donc ?

— Les gamins.

— Comment ça, les gamins ?

— Oui, ce qui la branche, ce sont les gamins de quinze ans.

— Tu rigoles.

— C'est dingue. Cette superbe conne, belle à tomber, ne prend son pied qu'avec des ados. L'été dernier, j'avais un petit stagiaire : j'ai cru que Carrie allait le découper en tranches et le dévorer pour son dessert.

— C'est ça, ta solution ?

— Trouve-lui un jeunot avec du répondant dans le pantalon. Oh, j'allais oublier un détail : portoricain et bâti comme une armoire à glace.

— Je n'en crois pas mes oreilles.

— Mais si. Ça fait si longtemps que Carrie a du succès qu'elle mène sa vie comme un homme. Elle sait ce qu'elle veut et s'arrange pour l'obtenir. Si tu le lui apportes sur un plateau, elle viendra, crois-moi.

— À t'entendre, il n'y a rien de plus facile, dit Joel, interloqué. Mais où veux-tu que je dégote un Portoricain de quinze ans fringant et bandant ?

— Essaie Madame Sylvia.

— Qui est Madame Sylvia ?

— D'où sors-tu ? Madame Sylvia recrute des escortes pour femmes riches. Si tu as le fric, elle te trouve le gosse.

— Alors comment se fait-il que Carrie ne s'adresse pas directement à cette bonne âme ?

— Parce qu'elle ne peut pas. Elle est trop connue. Il faut que quelqu'un le fasse à sa place. Je t'assure, Joel, c'est ça qu'elle veut. Trouve, et elle est à toi.

Maintenant que Dexter était rentré, Rosarita décida de sortir. Elle n'avait aucune envie de rester à faire la conversation avec le mari dont elle allait bientôt se débarrasser.

— Où vas-tu ? demanda Dexter.

— Chez Barney.

En réalité, elle avait l'intention de passer dans quelques librairies pour entamer ses recherches sur les poisons. Selon elle, l'agitation qui régnait dans les hôtels à Vegas en faisait l'endroit idéal pour réaliser un coup pareil. Elle pensait à une solution simple comme l'arsenic ou la strychnine, à un poison foudroyant qui n'attirerait pas les soupçons sur elle.

— Je vais venir avec toi, proposa Dexter.

— Non. Je vais choisir des robes pour Vegas, tu ne ferais que m'encombrer.

— J'aimerais voir.

— Tu le verras. Quand je me serai décidée. Pour l'instant, je n'en suis qu'à regarder.

Elle s'esquiva en proclamant qu'elle serait de retour dans une heure.

Dexter savait pertinemment que cela voulait dire trois heures au moins. Il était désorienté ; le studio lui manquait. La camaraderie des tournages, l'impression d'être une vedette et, surtout, la présence rassurante de Silver Anderson – travailler avec une vraie pro ! Il avait tout perdu. Il errait dans le spacieux appartement en songeant à son avenir. Annie devait l'appeler pour lui transmettre l'adresse d'un professeur de théâtre. Aussi, quand le téléphone sonna, empoigna-t-il le combiné avant même que Conchita ait pu décrocher.

— Puis-je parler à Mme Falcon ? demanda une voix féminine.

— Elle n'est pas là. Puis-je prendre un message ?

— Ici la secrétaire du docteur Shipp. Le docteur m'a demandé de fixer un rendez-vous la semaine prochaine pour Mme Falcon.

— Pour quelle raison ?

— Excusez-moi ?

— Euh... ici M. Falcon. Je me demandais pour quelle raison elle devait voir le médecin.

— Oh, monsieur Falcon, quelle bonne surprise ! Toutes mes félicitations.

— Merci, dit-il, puis il lança à tout hasard : vous parlez du bébé ?

— Nous sommes si heureux pour vous deux. Et me permettez-vous de vous dire que je vous apprécie beaucoup dans « Sombres Journées ». Je branche mon magnétoscope pour pouvoir le regarder quand je rentre.

— Merci, dit-il, toujours content d'apprendre que quelqu'un le trouvait formidable – ce n'était pas Rosarita qui lui aurait fait un compliment pareil. Mme Falcon vous rappellera pour prendre rendez-vous.

Il raccrocha, pris soudain d'une folle envie de se mettre à danser dans l'appartement en poussant des cris de triomphe.

Rosarita était enceinte !

Pas étonnant qu'elle soit restée au lit toute la journée.

Il n'avait plus à s'inquiéter pour son mariage.

Sa seule préoccupation était de sauver sa carrière.

29.

— Et maintenant ? fit Kimm, les mains plantées sur ses robustes hanches.

Elles étaient dans la chambre à lit double que Juan leur avait réservée.

— Je pense qu'il va falloir que je dorme par terre.

— C'est une situation ridicule.

— Mais drôle, il faut bien le reconnaître.

— Elle ne m'amuse pas le moins du monde, s'énerva Kimm. En outre, d'autres clients réclament mon attention. Alors, si vous voulez rencontrer votre tante, faites-le dès ce soir parce que demain, moi, je rentre à New York.

— J'ai tout à fait l'intention de la voir.

— Et comment comptez-vous vous y prendre ? Vous tombez sur elle en annonçant : « Au fait, je suis la nièce que vous avez toujours refusé de voir » ?

— Je trouverai bien quelque chose, affirma Madison, luttant contre le découragement.

— Bon, fit Kimm en s'asseyant sur le bord du lit. Comme vous n'avez pas réellement besoin de moi, je vais rester à l'hôtel.

— Mais si, insista Madison, j'ai besoin de vous. Votre présence me tranquillise.

— Pourquoi ?

— Comme ça.

— Bon, soupira Kimm, si vous insistez.

— Parfaitement. Et comme nous n'avons prévu ni l'une

ni l'autre de garde-robe pour faire la fête, je suggère que nous allions faire quelques courses. C'est moi qui paie.

— J'ai horreur de courir les boutiques, grommela Kimm. Rien ne me va jamais. Et je me sens parfaitement à l'aise en survêtement : c'est mon uniforme.

— Non, non, non. Nous sommes à Miami, et il faut que nous soyons sur notre trente et un. D'ailleurs, je ne vous ai jamais vue en robe.

Kimm ouvrit de grands yeux.

— Et puis quoi encore ?

Le spectacle nocturne Chez Lione valait le détour : femmes divines, hommes superbes, tous minces comme des lianes – une foule exotique prête à se déchaîner au son de la musique cubaine jouée par un excellent petit orchestre.

Il était dix heures. Or rien ne commençait avant minuit, les avertit Juan, qui les accueillit à la porte.

— Où nous installons-nous ? demanda Madison. Je voudrais une bonne table.

Elle portait une petite robe noire qui collait à son corps comme une seconde peau. Ses longs cheveux flottaient sur ses épaules. Elle avait de grands anneaux d'or aux oreilles et un léger maquillage. Les regards convergeaient sur elle. Peu lui importait. Elle se sentait différente, plus libre, mais elle ignorait pourquoi. Elle était sûre, en revanche, d'avoir désespérément besoin d'un verre pour se donner du courage.

Kimm, quant à elle, avait revêtu sa nouvelle tenue : pantalon et veste longue en cuir noir, chemise rouge et bottes. Malgré ses vigoureuses protestations, Madison avait insisté pour tout payer de sa poche.

— Nous n'allons pas à un défilé de mode, avait grommelé Kimm.

— Nous avons un rôle à tenir. D'ailleurs, je suis d'humeur à claquer de l'argent, et le cuir noir vous va admirablement.

Un peu plus tôt, elle avait appelé Jamie.

— Qu'est-ce que tu fiches à Miami ? avait demandé celle-ci. Je croyais que tu traversais une sorte de crise.

— Parfaitement, avait-elle répondu. Ça en fait partie.

— Miami fait partie de ta crise ! avait répété Jamie, interloquée.

— Je serai de retour demain et je t'expliquerai tout.

— Ça vaudrait mieux.

Juan les escorta jusqu'à une table, au milieu de la salle.

— Puis-je me permettre de vous dire que vous êtes toutes les deux très belles, ce soir, roucoula-t-il. Quel dommage que vous soyez... prises.

Kimm foudroya Madison du regard mais se tut.

— Et vous, Juan ? s'enquit Madison. Vous avez une petite amie ?

— Une, deux, trois, répondit-il dans un grand sourire. J'en ai plein.

— Ça ne m'étonne pas.

Elle s'assit, regarda alentour, commanda une margarita et se demanda ce qui avait bien pu lui arriver en si peu de temps. Elle devait admettre que les fondations sur lesquelles elle avait bâti son bel équilibre s'étaient écroulées.

Une heure et trois margaritas plus tard, elle se sentait nettement mieux. Sans être à proprement parler ivre, Madison se rendait compte qu'elle ne se maîtrisait plus totalement. Elle avait essayé de repérer Catherine, mais sa tante n'apparaissait toujours pas. Finalement, pendant que Kimm se trouvait aux toilettes, elle demanda à Juan où était la propriétaire.

— Je vous l'ai dit, répéta-t-il, elle ne veut pas qu'on l'interviewe.

— Je peux tout de même lui parler sans l'interviewer ? insista Madison.

— C'est pourtant ce que vous cherchez à faire, pourquoi ?

— Parce que Chez Lione est sa création et que manifestement ça marche très bien. A-t-elle ouvert cette boîte toute seule, a-t-elle un mari, un associé ?

— Vous posez beaucoup de questions, dit Juan, sans plus aucune amabilité.

— Je suis journaliste.

— Miss Lione n'aime pas les journalistes. Pourquoi tenez-vous tant à la rencontrer ?

— Parce que je trouve fascinant qu'une femme ait créé

tout cela. Ce n'est pas courant. Je suis certaine que vous n'en avez jamais entendu parler, mais il y a un restaurant à New York qui s'appelle Chez Elaine, dont la propriétaire est une femme. Et puis il y a Régine, à Paris. Ce sont les deux exceptions.

— Vous me croyez stupide ? protesta Juan. Bien sûr que j'ai entendu parler d'Elaine et de Régine. Quand je suis arrivé en Amérique, j'ai travaillé comme chasseur au Cirque, à New York.

— Quand êtes-vous arrivé ici ?

— J'avais treize ans quand j'ai quitté La Havane. C'est ma mère qui m'a fait venir.

— Que fait votre mère ? demanda Madison.

Avant qu'il ait pu répondre, Kimm revint des toilettes, et Juan s'éloigna dans la foule.

— Qu'est-ce qui se passe, dit Kimm en l'observant. Vous devriez commander un café noir. Vous commencez à avoir l'œil vitreux.

— Pas du tout. Je m'éclate... Ce qui ne m'arrive pas si souvent. Vous ne buvez pas du tout ?

— Je tiens à garder l'esprit clair.

— Eh bien ! vous gardez l'esprit clair mais vous ne remarquez pas cette magnifique Noire assise là-bas qui vous lorgne depuis une demi-heure.

— Je vous demande pardon ?

— Regardez.

Kimm se retourna : en effet, une Noire, très grande avec une longue perruque blonde et une robe en lamé or qui ne cachait pas grand-chose, leva son verre dans sa direction avec un grand sourire. La détective devint aussitôt couleur tomate.

— Il me semble que quelqu'un pourrait avoir de la chance, ce soir, chantonna Madison. Malheureusement, ce n'est pas moi.

— Vous dites n'importe quoi, fit Kimm. Vous êtes à moitié partie.

Là-dessus, la Noire se leva et ondula dans leur direction.

— Vous voulez danser ? dit-elle en se plantant devant Kimm.

Celle-ci allait dire non, mais Madison la poussa du coude et répondit à sa place :

— Elle en rêve.

À contrecœur, Kimm se leva. Ce fut à cet instant que Catherine entra dans la salle, accompagnée de l'homme en complet blanc avec lequel elle avait parlé dans l'après-midi. Madison se leva d'un bond.

— Je reviens, annonça-t-elle.

Elle se fraya tant bien que mal un chemin au milieu de la foule des danseurs.

— Excusez-moi, dit-elle en se précipitant vers Catherine, je vous ai attendue toute la soirée. Je fais un reportage sur votre établissement pour un magazine et, bien qu'on m'ait précisé que vous refusez toute publicité, je voulais vous serrer la main et vous dire que c'est vraiment un endroit formidable.

Catherine la dévisagea un long moment sans rien dire, le visage impassible.

— Vous êtes ma nièce, n'est-ce pas ? dit-elle sans la moindre trace d'émotion. J'avais expliqué à la personne qui m'a téléphoné que je ne voulais pas vous voir, alors pourquoi êtes-vous ici ?

— Parce que je ne sais plus qui je suis, confessa Madison, désemparée. Vous êtes la seule à pouvoir m'aider à me retrouver.

30.

— Salut, mon chou, comment te sens-tu ?

Rosarita lança à Dex un regard méfiant. Pourquoi tant de sollicitude ?

— Très bien, merci.

Ce n'était pas vrai. Elle remâchait sa déception. Ses recherches dans les librairies n'avaient abouti qu'à de maigres résultats : la strychnine avait pour effet, après une exacerbation des réflexes au toucher et une contraction des muscles, d'engendrer des spasmes douloureux et une asphyxie rapide ; et l'arsenic conduisait aux convulsions après une irritation de la gorge, des crampes et des vomissements spectaculaires.

En somme, rien de très discret. Comment dégoter le bon gentil poison, celui qui s'infiltre l'air de rien et tue dans l'heure ? Une heure, c'est le temps qu'il lui faudrait pour expédier Dex dans un quelconque casino où il s'effondrerait proprement, loin d'elle, sans faire de scandale. Pendant ce temps – alibi en béton –, elle se trouverait dans un lieu public en compagnie de Chas et de ses beaux-parents.

Ce n'était pas si facile d'empoisonner quelqu'un.

— On peut se parler ? demanda Dexter en l'entraînant dans la chambre.

Merde ! Joel l'aurait-il appelé pour tout lui raconter ?

— Qu'y a-t-il, Dex ? demanda-t-elle, à la fois inquiète et agacée. Je viens de rentrer et j'aimerais me détendre un peu sans avoir à subir la litanie de tes problèmes.

— Il n'y a pas de problèmes, mon chou. Je sais que tu

comptais sans doute me l'apprendre plus tard, mais, maintenant que je suis au courant, je ne peux pas garder ça pour moi. Il ne faut pas m'en vouloir : j'ai déjà appelé mes parents pour leur annoncer la nouvelle.

— Quelle nouvelle ? Dex, voudrais-tu avoir l'obligeance de me dire de quoi tu parles ?

— Le bébé, fit-il, rayonnant. *Notre* bébé.

Oh, mon Dieu ! Il a découvert que je suis enceinte ? Il ne manquait plus que ça !

— Comment le sais-tu ?

— La secrétaire du docteur Shipp a téléphoné pour te fixer un rendez-vous. Je me doutais de quelque chose, et je lui ai posé la question. Chérie, pourquoi ne m'as-tu rien dit ?

— Je... je l'ai appris seulement cet après-midi, balbutia-t-elle. Je comptais t'en parler ce soir.

— C'est formidable, Rosarita. Je suis si heureux.

Après tout, ce n'était peut-être pas si mal. Aux yeux de tous, ils offriraient l'image d'un charmant petit couple uni ; comme ça, quand il casserait sa pipe, il ne viendrait à l'idée de personne de la soupçonner. Au contraire, on plaindrait la jeune veuve éplorée *et enceinte.* Mais comment Joel accueillerait-il la nouvelle ? Devait-elle la lui annoncer ? Absolument pas. Si jamais il trouvait excessif de résoudre les problèmes conjugaux par le meurtre...

— Je suis contente que tu sois heureux, Dex, déclara-t-elle, mais je regrette que ça arrive au moment où tu n'as pas de travail. Je suis en train de t'accabler avec ces nouvelles difficultés.

— Tu peux être si attentionnée quand tu veux... Tu as beau essayer de le dissimuler sous des airs bourrus, ton bon fond finit par ressortir. Et c'est parce que je connais ta vraie nature que je t'ai épousée.

— Merci, minauda-t-elle. Comment ont réagi tes parents ?

— Ils étaient tout excités. Demande-moi ce que tu veux, ajouta-t-il. J'ai décidé de te traiter comme une princesse.

— Dex, il me semble qu'il faudrait attendre d'être rentrés de Vegas pour l'annoncer.

— Tu ne devrais peut-être pas faire ce voyage.

— Qu'est-ce que tu racontes ? Je suis enceinte, pas invalide. J'adore Vegas.

— Oui, je sais. Je te promets, Rosarita, que je vais décrocher un engagement, et bien meilleur que ce feuilleton. Je serai la star dont tu rêves. Tu me fais confiance ?

— Oui, Dex, je suis certaine que tu ne me laisseras pas tomber.

— Madame Sylvia ?

— Qui la demande ? s'enquit une voix méfiante.

— Je voudrais parler à Madame Sylvia. C'est Testio Ramata qui m'a donné ce numéro.

— Jamais entendu parlé de lui.

— Testio Ramata, le photographe, précisa Joel. Passez-moi Madame Sylvia.

— Un instant, dit la voix en s'éloignant.

Quelques minutes passèrent.

— Ici Madame Sylvia. Je peux vous aider ?

— Euh, oui... Testio m'a conseillé de vous appeler parce que, d'après lui, vous auriez ce que je cherche.

— Le mot de passe est...

— Je ne connais aucun putain de mot de passe, s'énerva-t-il.

— Alors je crains de ne pas pouvoir vous aider.

— Savez-vous qui je suis ?

— Non.

— Joel Blaine... Le fils de Leon Blaine.

— Donnez-moi votre numéro, monsieur Blaine, je vous rappelle.

— C'est nécessaire ?

— Tout à fait. Si c'est votre secrétaire qui décroche, je me présenterai sous le nom de Mme Brown.

— Ne vous inquiétez pas. Voici ma ligne directe.

Quelques secondes plus tard, elle rappela.

— Je suis désolée, monsieur Blaine, on n'est jamais trop prudent.

— Je vois, affirma-t-il sans rien voir du tout.

— Testio ne vous a pas expliqué que c'était une agence exclusivement destinée aux femmes ? Pas de gays chez moi. Je fournis des éléments masculins hétéros à des femmes hétéros, aussi je ne comprends vraiment pas en quoi je peux vous être utile.

— J'ai un petit problème dont je préfère ne pas parler au téléphone. Pouvez-me fixer un rendez-vous ?

— C'est très inhabituel. En général, je ne rencontre pas mes prospects.

— Écoutez, si je me suis nommé, ce n'est pas pour rappliquer un magnéto collé sur la poitrine et deux flics sur les talons.

— Je ne le pense pas, en effet. D'autant moins que j'enregistre notre conversation, et je suis persuadée que vous ne voudriez pas la voir publiée...

— Alors, pouvons-nous nous voir ?

— Que diriez-vous du bar des Quatre Saisons à sept heures ?

— Comment vous reconnaîtrai-je ?

— Si vous êtes bien celui que vous déclarez être, moi, je vous reconnaîtrai.

Joel raccrocha. Dire qu'il s'était fourré dans ce pétrin à cause de Marika, cette conne. Mais, aussi, pourquoi lui avait-il raconté que Carrie Hanlon, l'inaccessible New-Yorkaise, l'accompagnerait à Vegas ?

Les Quatre Saisons... Heureuse coïncidence. Distraitement, il s'approcha de sa fenêtre pour contempler la vue sur Central Park. Son appartement était particulièrement agréable mais il avait un défaut : il n'avait pas de vis-à-vis. Aussi, quand il était désespérément à court de public, lui arrivait-il de retenir une suite aux Quatre Saisons pour y faire l'amour devant la baie vitrée dominée par les fenêtres de l'hôtel voisin. Rien que d'y penser, il en avait l'eau à la bouche.

Pourquoi pas avec Rosarita ? Il ne l'avait pas vue depuis un moment ; peut-être même qu'il l'avait vexée. Mais non. Il était sûr que, s'il l'appelait, elle viendrait ventre à terre.

Sur un brusque coup de tête, il chercha le numéro de Rosarita dans son petit carnet et décrocha le téléphone. Une voix de femme répondit.

— Rosarita ?

— Joel ? murmura-t-elle, affolée. Je t'ai dit de ne jamais m'appeler ici. Où étais-tu passé ? Je te rappelle !

— Je suis chez moi, dit-il. J'ai changé de numéro.

— Je sais, tu es sur la liste rouge. Ta salope de secrétaire a refusé de me le transmettre. Donne-le vite... Je note.

Aussitôt fait, il se rendit compte de son erreur : c'était à cause d'elle qu'il en avait changé. Dix secondes plus tard, le téléphone sonnait.

— Rendez-vous aux Quatre Saisons dans une demi-heure.

— Je ne peux pas, s'affola-t-elle.

— Pourquoi ?

— J'ai un mari à la maison.

— Dis-lui que tu dois sortir.

— Où suis-je censée me rendre à six heures du soir ?

— Je croyais que c'était toi qui dirigeais ta vie. Il n'est pas à la télé ?

— On a annulé le feuilleton. Il est à la maison, dans la pièce voisine. Il ne fallait pas m'appeler ; il aurait pu décrocher.

— Il ne l'a pas fait, alors cesse de gémir. Bon, tu viens me rejoindre ou pas ?

— Eh bien...

Il comprit que c'était gagné.

— Aux Quatre Saisons, dans le hall. Tâche d'être à l'heure. Je n'ai pas beaucoup de temps.

— Tu as quelque chose à me dire ? murmura-t-elle, dans l'espoir d'un mot gentil.

— À ton avis ?

— Comment veux-tu que j'aie un avis ? Cela fait des semaines que j'essaie de te joindre et voilà que tu m'appelles de je ne sais où pour que je rapplique séance tenante.

Ah, les femmes ! De vrais moulins à paroles. Elles ne savent pas la boucler.

— Tu as toujours ces culottes sans entrejambe ? s'enquit-il.

— Oui, fit-elle, haletante.

— Mets-en une. À tout à l'heure.

— Qui est-ce qui appelait ? demanda Dexter quand elle revint dans la pièce où il regardait la télé.

— Chas. Il faut que j'y aille. Un problème à propos de

cette femme avec laquelle il vit, celle qui fait semblant d'être infirmière. Des histoires de famille, ajouta-t-elle d'un ton vague. Il m'attend.

— Je t'accompagne.

— Non ! Il veut me voir, moi.

— Si c'est une histoire de famille, ma présence peut être nécessaire. D'ailleurs, maintenant que tu es enceinte, je ne peux pas te laisser courir la ville toute seule.

— Ne sois pas paranoïaque, Dexter. J'en ai pour une heure.

Elle disparut dans sa chambre et se dirigea droit vers sa commode pour y choisir, parmi sa collection très fournie de sous-vêtements, un slip rouge très découpé et bordé de dentelle noire. Puis elle rafraîchit son maquillage et appela Chas sur son portable.

— Papa, chuchota-t-elle, officiellement, je suis chez toi. Si Dex appelle, dis que je suis sur la route ou que je viens de partir. D'accord ?

— Qu'est-ce que c'est que ce foutoir ?

— T'occupe pas. J'ai une affaire personnelle à régler et je ne veux pas avoir Dex sur le dos.

— Tu ne vas pas faire de bêtises ?

— Que veux-tu dire ?

— Je te conseille de ne pas le cocufier. Ça pourrait se retourner contre toi.

— Papa, ne dramatise pas, lâche-t-elle dans un grand soupir. Rappelle-toi simplement que, s'il me demande, ou bien je suis en route ou bien je viens de partir. Pigé ?

— Pour qui est-ce que tu me prends ? Pour un demeuré ?

— Merci, papa.

Elle raccrocha, jeta un dernier coup d'œil dans la glace et partit.

La chambre qu'il voulait était libre : au trente-huitième étage, sur le côté gauche, avec vue sur l'hôtel voisin.

Il attendait Rosarita dans le hall. À sa vue, il ressentit une impression bizarre, comme si elle lui avait manqué.

— Tu as de la chance que je sois ici, fit-elle, un peu essoufflée.

— Ah oui ? Pourquoi donc ?

— Parce que l'on ne peut pas dire que tu m'aies traitée gentiment. Je sais que ça t'agace que je sois mariée, mais tu pourrais quand même être plus aimable.

— Que voudrais-tu que je fasse ? Que je vienne chez toi pour tenir la main de ton mari ?

— Joel, ne sois pas bête.

— J'ai une surprise pour toi.

— Quoi ? demanda-t-elle, tout excitée.

— Tu verras, se contenta-t-il de répondre en la poussant dans l'ascenseur.

Devait-elle lui annoncer sa grossesse ?

Trop tôt, lui souffla une voix. *Beaucoup trop tôt.*

Il ouvrit la porte de la suite.

— Dans la chambre ! commanda-t-il en lui donnant une petite tape sur les fesses. Ouvre les rideaux.

— Je ne peux pas rester toute la nuit. Je suis sortie pour une heure. Je ne peux pas faire plus.

— C'est suffisant. Il est six heures dix. J'ai un rendez-vous en bas à sept heures.

— Qu'est-ce qu'on fait ? demanda-t-elle avec curiosité.

— Qu'est-ce que tu crois ? fit-il avec un rire gras. On distrait les voisins.

Il ouvrit les stores, et elle comprit.

— On allume tout. On se met à poil et on offre aux péquenauds en goguette un spectacle comme ils n'en verront jamais à Broadway. En piste, ma jolie !

31.

C'est à contrecœur que Catherine Lione avait accepté de parler. Madison la suivit dans un bureau confortable où équipements vidéo et stéréo tapissaient un mur entier. Catherine contempla un moment Madison et poussa un profond soupir.

— Quand je vous ai aperçue cet après-midi, dit-elle de sa voix teintée d'un léger accent, j'ai tout de suite compris qui vous étiez. Vous vous êtes certainement donné du mal pour me retrouver ; cela dit, quand on cherche...

— Il a quand même fallu que j'engage un détective privé.

— Je vois, dit Catherine en s'asseyant dans un long canapé Arts déco.

Madison la rejoignit, et Catherine poussa un nouveau soupir avant de commencer son récit.

— Après le meurtre de ma sœur, j'ai fui à Miami pour échapper à Michael. J'y ai épousé un homme qui a été très bon pour moi. Avant de mourir accidentellement, il avait financé le lancement de cet établissement. Chez Lione a démarré modestement ; puis, après le grand tremblement de terre de LA, ils ont tous rappliqué ici : photographes, mannequins, stylistes se sont jetés sur South Beach. Au début, j'étais inquiète : je redoutais la publicité. Mais les gens m'aimaient bien. Ils ont compris que je voulais rester dans l'ombre. Chez Lione s'est donc fait un nom sans que j'apparaisse.

— Ce n'est pas l'histoire de votre restaurant qui m'intéresse, mais la vôtre. Elle se leva et marcha de long en large.

Récemment, j'ai découvert que la femme que je croyais être ma mère ne l'était pas. Vous avez peut-être lu dans la presse que son ami et elle avaient été tués.

— Je sais, répondit Catherine, impassible. Stella a été abattue exactement comme ma sœur.

— Êtes-vous en train de suggérer... que Michael aurait pu faire ça ? bafouilla Madison sous l'effet des nombreuses margaritas qu'elle avait consommées.

— Qu'avez-vous appris par votre père, Madison ? demanda Catherine en la regardant dans les yeux. Vous a-t-il tout dit ?

— Non, et c'est pourquoi, dès que j'ai découvert que Stella n'était pas ma mère, j'ai engagé Kimm, qui m'accompagne ce soir. Elle a commencé l'enquête et, très vite, elle est tombée sur des coupures de presse. Elle m'a avertie que Michael... Oh, mon Dieu ! Je n'arrive toujours pas à le croire.

— Que vous a-t-elle dit ? demanda doucement Catherine.

— Que mon père... que Michael avait été jadis tueur à gages pour le compte d'un membre de la Mafia. C'est dingue, n'est-ce pas ?

— Ce qui vous paraît insensé, murmura Catherine, moi, je l'ai toujours su. J'avais prévenu Beth du danger, mais elle aimait Michael et rien n'a pu la faire changer d'avis.

— Vous avez essayé ?

— Bien des fois.

— Elle ne vous a jamais écoutée ?

— Beth et moi avons quitté Cuba à quinze ans. Une tante nous a hébergées, mais elle est morte peu après notre arrivée. Beth a rencontré Michael alors que nous étions encore au lycée ; ils sont devenus inséparables – Une pause et encore un soupir – Michael s'occupait de nous et payait notre loyer. Une fois installés ensemble, il a même continué à subvenir à mes besoins. Je l'aimais comme un frère pour l'amour qu'il vouait à Beth. Mais quand il l'a tuée...

Les yeux pleins de larmes, elle ne termina pas sa phrase.

— Vous pensez vraiment que c'est lui qui... ?

— Je ne pense rien du tout, l'interrompit Catherine avec un rire amer. Je sais qu'il est coupable. Il s'en est tiré grâce à son avocat... Excellent et payé par son patron de la Mafia.

— Oh, mon Dieu ! C'est donc vrai !

— J'ai essayé de vous arracher à lui... Il s'y est opposé. Michael avait le pouvoir, l'argent, les avocats. Moi, je n'avais rien.

— Mais pourquoi, pourquoi ?

— Il était persuadé qu'elle avait pris un amant, ce qui était faux.

— Je n'arrive pas à le croire. La même histoire que celle de Stella.

— Michael sait que je connais la vérité, fit Catherine en haussant les épaules. Il lui serait facile de me retrouver s'il le voulait, mais quand il a été acquitté j'ai compris que je ne risquais plus rien. À tout hasard, je garde toujours un pistolet chargé à côté de mon lit.

— Ce que je ne comprends pas, c'est pourquoi vous ne vouliez pas me voir.

— C'était trop pénible : ma sœur était tout pour moi. Je suis désolée... mais vous, je ne vous connais pas. À mes yeux, vous êtes la fille de Michael.

— Non, je suis la fille de Beth. Ça n'a donc aucun sens pour vous ?

— Je sais que cela devrait me toucher. Mais je refuse de revenir en arrière. Mes souvenirs sont trop pénibles.

— Cela signifie donc que je ne suis rien pour vous !

— Si, mais Michael n'acceptera jamais que nous soyons proches. Il est d'une jalousie obsessionnelle. Il ne le supportera pas.

— Je ne suis pas sa chose, protesta Madison. Je suis sa fille et il a toujours respecté ma liberté.

— C'est ce qu'il a voulu vous faire *croire*.

— Je suis journaliste. Je travaille pour *Manhattan Style*.

— Je sais – des amis me tenaient au courant. Je sais aussi que vous avez été élevée dans l'idée que Stella était votre mère. Depuis qu'elle a été tuée... je m'attendais à ce que vous veniez rechercher la vérité jusqu'ici.

— Je ne peux pas prolonger mon séjour, mais j'aimerais revenir.

— Non, répliqua sèchement Catherine. C'est impossible. Il faut me comprendre.

— J'ai besoin d'en savoir plus.

— Alors, il faudra chercher ailleurs, conclut Catherine en se levant. Je dois y aller, les clients m'attendent. Je vous en prie, Madison, ne révélez surtout pas à Michael que nous nous sommes parlé et que vous connaissez mon adresse : il détruirait ce que j'ai réalisé.

— Je ne ferai jamais cela.

— Je vous souhaite bonne chance, Madison.

— C'est tout ?

— Je crains, conclut Catherine, le regard lourd de tristesse, de ne pas être en mesure de vous offrir davantage.

Furieuse, Madison se leva et regagna leur table. Kimm dansait toujours avec la belle Black qui l'avait invitée.

— Joli couple, hein, susurra Juan en se glissant auprès d'elle. Jalouse ?

— Pas du tout. Apportez-moi une autre margarita, Juan. Ensuite, je veux que vous me fassiez danser.

— Moi ?

— Oui, lâcha-t-elle en le regardant droit dans les yeux. C'est votre jour de chance.

Elle vida son verre d'un trait. Comment la sœur de sa mère avait-elle pu la rejeter ? De dépit, elle entraîna Juan sur la piste.

Le garçon était excellent danseur, et, grisée par l'alcool, elle se mit à tournoyer au rythme de la musique, tandis que lui revenait le souvenir de sa dernière visite à Miami, de sa nuit délirante avec le mannequin au corps d'Apollon.

Et elle eut soudain envie de recommencer – une bonne nuit de sexe torride, inoubliable.

— À quelle heure finis-tu ? murmura-t-elle en se collant à Juan.

— Quand je veux. Miss Lione m'a demandé de m'occuper de vous. Elle est contente que vous soyez ici.

— C'est faux, démentit Madison en retenant ses larmes. Mais ça n'a pas d'importance. Plus rien n'a d'importance.

— Elle était heureuse de vous voir, insista Juan. Elle vous considère comme une excellente journaliste et ne cherche qu'à vous aider.

— À m'aider ? Je ne compte absolument pas sur elle. C'est sur toi que je compte, insista-t-elle.

Frémissants de désir, ils échangèrent alors un baiser passionné.

— Allons-nous-en, fit-elle, hors d'haleine.

— Et votre amie ?

— Mon amie se débrouillera très bien toute seule, affirma-t-elle après un coup d'œil à Kimm. Allons-nous-en avant que je change d'avis.

La prenant par la taille, il la guida vers la sortie.

— Vous êtes sûre ?

— Oh oui, murmura-t-elle, grisée par le rythme de la salsa. Je suis tout à fait sûre.

Tout tournait, tournait sans fin autour d'elle.

Et elle savait que plus rien ne serait jamais comme avant.

32.

Rosarita était si heureuse de retrouver Joel qu'elle en était à se soumettre à n'importe quelle fantaisie. Lumières allumées, stores relevés... Les voisins avaient du spectacle ! D'un côté Rosarita se roulant sur le lit dans sa tenue très étudiée, de l'autre Joel paradant nu devant la fenêtre, prêt à l'action. Dans un domaine au moins, le sexe, Blaine père n'arrivait pas à la cheville de son fiston !

Joel surveillait l'heure, cependant, car faire attendre Madame Sylvia était hors de question.

— Tu m'as manqué, Joel, haleta Rosarita, tandis qu'il l'éperonnait. Je t'ai manqué aussi ?

— Bien sûr, bébé, déclara-t-il sans vergogne.

— Mais pourquoi as-tu changé de numéro de téléphone sans me prévenir ?

— Mon chou, si tu arrêtais de pérorer pour te concentrer un peu ?

Elle essaya d'imaginer sa réaction quand elle lui annoncerait sa grossesse ; mais auparavant il fallait se débarrasser de Dex et observer quelques semaines de deuil. Elle ne lui parlerait qu'ensuite.

Dans un gémissement, il s'écroula sur elle et elle jouit à son tour.

Un peu plus tard, elle sortait de la chambre aussi moulue que si elle avait passé une heure avec un entraîneur sportif sans pitié. Peut-être devrait-elle s'informer auprès du docteur Shipp des conséquences de cette gymnastique sur le bébé...

Affalée sur la banquette arrière d'un taxi, elle rajusta son maquillage. Joel, décidément, était d'un niveau incomparablement supérieur à Dex. Pourtant, un mannequin... On se serait attendu à des performances. Peut-être était-il homo ? Après tout, Mortimer Marcel, qui l'avait découvert, était une tapette notoire.

Bah... qu'importe... Elle allait se débarrasser de lui.

À peine Joel entré dans le bar, Madame Sylvia lui fit signe de la rejoindre à sa table. Elle ne ressemblait pas du tout à l'image qu'il s'en faisait : au lieu d'une femme du monde, il trouva une créature boulotte à l'air satisfait, le visage sans fard et creusé de rides, les cheveux roux et clairsemés. Elle portait un modeste tailleur vert mousse et de discrètes boucles d'oreilles assorties. Elle évoquait plus une ménagère banlieusarde qu'une célèbre entremetteuse.

— C'est vous, Madame Sylvia ? demanda-t-il, dissimulant mal sa surprise.

— Mais oui. Qu'attendiez-vous ? Une bombe ?

— Pas du tout. Simplement, vous n'avez pas l'air du métier.

— Justement, tout est là, gloussa-t-elle. Personne ne s'en doute, n'est-ce pas ? Sachez que les plus futées ont la sagesse de ne pas s'afficher – comme moi et feu Madame Alex, une des meilleures.

— C'est bon à savoir.

— Nous n'avons qu'un mot d'ordre, le service de nos clients, pontifia-t-elle, l'air suffisant.

— Bien sûr.

— Asseyez-vous, monsieur Blaine. Et dites-moi ce que je peux faire pour vous.

— Eh bien, dit-il en approchant un fauteuil et en allant droit au fait. Il y a une femme qui m'intéresse et qui, je crois, s'intéresse à moi. Mais elle a... un point faible.

— Les points faibles sont ma spécialité.

— On me l'a affirmé, dit-il en appelant le garçon.

— Alors, expliquez-moi de quoi il s'agit.

— Voilà, dit-il en jetant un coup d'œil autour de lui pour s'assurer que personne ne pouvait les entendre... Elle les aime jeunes.

— Jeunes jusqu'à quel point ? demanda Madame Sylvia

d'un ton détaché. Je ne descends pas au-dessous de douze ans.

— Ça ne va pas jusque-là. Quinze, seize ans, c'est très bien. Portoricain, genre arrogant et épicé.

— Ça ne sera pas donné, annonça Madame Sylvia d'un air entendu.

— Pas de problème.

— Il vous faut cela pour quand ?

— Je vous communiquerai les dates. Il fallait d'abord que je sois sûr que vous pouviez m'aider.

— Prévenez-moi vingt-quatre heures à l'avance. Vous voulez le prix maintenant ?

— Ça ne m'intéresse pas vraiment.

— J'oubliais... Les fils à papa ne regardent jamais les additions.

Joel éclata de rire, prit une autre gorgée de whisky et posa la question qui lui brûlait les lèvres :

— Dites-moi... Vos clientes... Donnez quelques noms pour voir...

Elle eut un sourire mystérieux et murmura sans répondre :

— Ça, ça vous intéresse, hein ? – Une pause – Vous auriez des surprises...

— Tu ne pourrais pas faire ça ailleurs ?

Varoomba lança à Chas un regard innocent.

— Quoi donc ?

— Te couper les ongles. Dégage !

Elle sauta à bas du lit, ses énormes seins tremblant d'indignation.

— Monsieur n'a pas d'autres instructions pour aujourd'hui ? nasilla-t-elle. Une petite pipe, peut-être ?

— Qu'est-ce que tu as dit ?

— Tu as parfaitement entendu.

Chas soupira sans répondre. Varoomba commençait à lui taper sur les nerfs mais il ne savait pas comment s'en débarrasser. D'autant plus qu'il l'avait persuadée de lâcher son travail puis de venir s'installer chez lui. Quelle connerie ! Mais il avait un plan. Il lui avait proposé de faire le voyage de Vegas – elle en piaffait d'impatience. Et, quand ils seraient là-bas, la gouvernante emporterait ses affaires dans un appartement loué pour elle. À leur retour, elle se retrouverait déménagée. Il lui achèterait un manteau de vison, lui verserait quelques briques sur son compte en banque, paierait d'avance trois mois de loyer et bye-bye Varoomba. Bien sûr, il lui faudrait la remplacer – il ne supportait pas la solitude. Mais cette fois il choisirait une nana facile à vivre et pas trop conne. Quitte à renoncer aux strip-teaseuses.

Rosarita rentra chez elle au moment où Dexter sortait.

— Où vas-tu ? demanda-t-elle.

— J'ai reçu un coup de fil de Silver Anderson. Elle souhaite me voir.

— Que veut-elle, cette vieille peau ?

— Elle m'a parlé d'un script.

— Encore un de ces feuilletons de merde !

— Je ne sais pas... Ça vaut peut-être le déplacement.

— En tout cas, tâche de ne pas être long parce que je meurs de faim.

— Chas va bien ?

— Qui ça ?

— Ton père.

— Oh ! très bien...

Elle avait failli oublier l'excuse invoquée.

— Tu es toute congestionnée.

— J'ai horreur des taxis, de tous ces abrutis d'immigrés qui conduisent comme des cinglés. Il faut les virer.

— Ce n'est pas très sympa, ça !

Elle le toisa du regard ; Dex était un vrai cul pincé. Elle avait hâte de ne plus le voir.

— Je ne serai pas long, promit-il. Fais une petite sieste et prends soin de toi.

— J'en ai bien l'intention.

Un valet de chambre philippin introduisit Dexter dans le vaste salon. Drapée dans un déshabillé pêche bordé de renard, Silver l'attendait, allongée sur un divan. Sa tenue était visiblement conçue pour le séduire mais il avait la ferme intention de résister. Surtout maintenant qu'il allait être père.

— Salut, Silver, fit-il, hésitant sur le seuil.

— Dexter, mon chéri, viens donc t'asseoir, susurra-t-elle en agitant dans sa direction un bras alangui.

C'était la première fois qu'il venait. Il fut très impressionné par les énormes canapés blancs recouverts de peaux de léopard, par les innombrables photos aux cadres d'argent destinées à rappeler que la maîtresse des lieux était au mieux avec les célébrités les plus diverses – dont un ou deux présidents des États-Unis. Prudemment, il s'assit face à elle.

— Un verre ?

— Non, merci.

— Une coupe de champagne pour fêter ça ?

— Pour fêter quoi ?

Elle prit sur la table basse un script qu'elle lui lança.

— Notre nouveau projet, mon chou. Oublie les agents et les imprésarios. C'est moi qui vais faire de toi une vedette ! C'est moi que tu remercieras encore et encore.

Devait-il la croire ?

Pourquoi pas ?

33.

Assise dans l'avion à côté de Kimm, Madison était silencieuse. Elle regardait par le hublot en tentant d'oublier ses excès couronnés par une abominable gueule de bois.

Elle était furieuse contre elle-même ; Kimm l'avait attendue à l'hôtel jusqu'à six heures du matin.

— Il ne vous est pas venu à l'esprit que je pourrais être folle d'inquiétude ? lui avait-elle reproché.

— Désolée.

Elle s'était aussitôt engouffrée dans la salle de bains en évitant son regard. Là, elle était restée près d'une heure sous l'eau froide, le temps de revenir à la réalité. Le bilan de la nuit n'était vraiment pas réjouissant.

De retour dans la chambre, elle avait attaqué :

— Au fait, vous n'aviez pas l'air de vous ennuyer, vous non plus.

— Non. Je me suis bien amusée. Mais je n'ai pas eu besoin de m'envoyer en l'air pour ça.

— Pas de sermon, s'il vous plaît. Je sais, j'ai déconné. Mes retrouvailles avec ma tante avaient foiré. Alors j'ai filé avec Juan pour me faire sauter comme une perdue. Lamentable, hein ?

Kimm avait secoué la tête d'un air désapprobateur.

Maintenant, elles attendaient le décollage, muettes.

En buvant son jus de tomate à petites gorgées, Madison réfléchissait à ce qu'elle ferait une fois rentrée. Elle mettrait en veilleuse, pour l'instant, le problème de Michael et se concentrerait sur sa carrière. Elle ne supportait pas l'idée de revoir ce menteur, cet imposteur, ce tueur, peut-être même.

À peine l'avion avait-il décollé qu'elle s'endormit pour se réveiller juste avant l'atterrissage.

— Je suppose que nos relations s'arrêtent ici, déclara Kimm en rattachant sa ceinture. Ç'a été une expérience intéressante !

— Certes. Et je tiens à vous assurer de toute ma reconnaissance.

— Pourtant, vous seriez peut-être plus heureuse si je n'avais pas abouti.

— Non, répondit Madison. Je préfère savoir. Et merci de m'avoir accompagnée à Miami. Sans vous, je n'y serais pas allée.

— Je regrette de ne pas vous avoir aidée davantage.

— En quoi ? En m'empêchant de me conduire comme une idiote ?

Elle sortait profondément humiliée de l'aventure. Ce gamin s'était trouvé là et elle s'était accrochée à lui comme à une bouée de sauvetage. Si seulement Jake avait donné un simple coup de fil... Mais non, il était comme les autres ; elle n'avait représenté pour lui qu'une passade.

Elle ne voulait plus de lui pour ce reportage à Vegas ; elle devrait donc demander à Victor de désigner un autre photographe. Jake, c'était du passé.

Elles partagèrent un taxi pour rentrer en ville. Avant de descendre, Madison se tourna vers Kimm.

— Appelez-moi. On pourrait déjeuner ensemble avant mon départ pour Vegas.

Mais ni l'une ni l'autre n'y croyait vraiment.

Harry, qui supportait mal ses absences, manifesta une joie délirante de la retrouver.

— Je ne me comporte pas bien avec toi, reconnut-elle en s'affalant auprès de lui pour lui frictionner le ventre. Je te laisse tout le temps tomber. Mais ça va changer, je te le promets.

Harry se mit à aboyer en signe d'approbation, en chien malin qu'il était.

Avant de partir pour le bureau, Madison enclencha son répondeur. Pas de surprise : David, qui ne renonçait pas ;

Jamie ; Victor, s'informant de l'état de son enquête ; et Michael, ce salaud.

— Tiens, ma journaliste vedette a décidé de venir nous voir. Quelle chance ! claironna Victor avec un enthousiasme outré.

— J'avais à faire à Miami, expliqua-t-elle.

— Miami ? Quelle drôle d'idée !

— Tu devrais emmener ta femme à South Beach, ça la décoincerait. C'est cool, là-bas.

— Ah ! je vois qu'on y a fait un heureux...

— Heureux, malheureux, peu importe, murmura-t-elle. À propos, trouve-moi un autre photographe pour le reportage à Vegas. J'ai réfléchi... Jake Sica ne fait pas du tout l'affaire.

— Trop tard. Je l'ai déjà engagé. D'ailleurs, il fait du très bon travail. Pourquoi, il y a un problème ?

— J'espérais que tu pourrais casser ta tirelire et engager Annie Leibovitz. Elle est excellente. Je me disais que ça changerait un peu de travailler avec une femme, ajouta-t-elle.

— Pourquoi ?

— Pourquoi pas ? Que tu es sexiste, Victor !

— Moi ? Sexiste ? s'emporta-t-il, vexé. Au fait, reprit-il, il serait temps qu'on décide d'une nouvelle victime. Je pensais à Bruce Willis ; il vient de divorcer ; je suis sûr que ça passionne les lecteurs.

— Pourquoi toujours des stars du cinéma ?

— Ça fait vendre.

— Tu n'as personne d'autre à me proposer ?

— Charlie Dollar.

— Ça veut dire des ennuis à la clef.

— Et alors ? C'est ta spécialité, non ?

— Encore un papier sur Hollywood !

— Exactement.

— Que dirais-tu de Lucky Santangelo, plutôt ? L'impératrice des studios Panthère.

— Ça, s'enthousiasma Victor, ce serait un vrai coup. Mais il paraît qu'elle n'aime pas la publicité.

— Je réussirai peut-être à la convaincre.

— Comment ?

— Oh ! Entre femmes... Elle a une sacrée personnalité. Elle a beaucoup fait pour la cause des femmes ; je pense que je pourrais la contacter grâce à Alex Woods, que je connais un peu... Tu te souviens ? Il a failli tourner mon projet sur les call-girls. Je crois que c'est un de ses amis. Envoie-moi donc sur la côte ouest et je verrai ce que ça donne.

— Est-ce que je me trompe en supposant que tu as hâte de quitter New York ?

— Non. J'ai besoin de me changer les idées.

— C'est vrai, la mort de ta mère est une terrible tragédie.

— Il n'y a pas que cela, il y a d'autres choses dont je ne peux pas parler maintenant.

— Tu es sûre ? dit Victor en la regardant droit dans les yeux. Tu sais que je suis très capable d'écouter.

— Un jour, quand j'aurai digéré.

— Quoi qu'il en soit, Madison, reprit-il d'un air soucieux, n'oublie pas que je suis toujours là pour toi.

— Au moins, j'aurai découvert que j'ai des amis formidables.

— On a les amis qu'on mérite, conclut Victor d'un ton docte. Toi, ma chérie, tu mérites les meilleurs.

Alors qu'elle sortait du bureau, dans Lexington, Madison entendit crier son nom derrière elle. Elle se retourna. C'était Jake Sica.

— Je t'ai reconnue, dit-il, essoufflé.

— Tiens, tiens, tiens, remarqua-t-elle, très froide. Notre photographe voyageur. Bonjour, bel étranger.

— Étranger ? Je pars deux semaines et je deviens un étranger ?

— Tu t'es bien amusé, à Paris ? Sans doute, puisque tu n'as pas trouvé le temps de téléphoner...

— Je ne supporte pas ces foutus répondeurs.

— Tu es en train de me dire que tu m'as appelée mais que tu n'as pas laissé de messages ?

— Non, je n'ai pas téléphoné parce que je sais que ton répondeur est toujours branché. De toute façon, je comptais te voir dès mon retour.

— Vraiment ?

— J'allais au bureau.

— J'en sors.

— On fait la surprise à Victor ?

— Non, merci.

— Tu as l'air vannée, remarqua-t-il. Tout va bien ?

— Je suis rentrée de Miami ce matin. Un reportage sur les boîtes de South Beach. Tu sais ce que c'est : je n'ai pas beaucoup dormi.

— Miami ? Pas mal ! Tu es vraiment sûre que tout va bien ? insista-t-il en se penchant vers elle.

— J'ai déjà répondu, répliqua-t-elle en reculant. Je vais très bien.

— Il paraît que nous allons travailler ensemble sur la rencontre de boxe à Vegas.

— Ah oui ? répondit-elle, faussement étonnée.

— D'après Victor, c'est toi qui m'as proposé. Merci.

— Excuse-moi, dit-elle en jetant ostensiblement un coup d'œil à sa montre. J'ai un rendez-vous, je file.

— On se voit ce soir ?

Il était bouché ou quoi ?

— Laisse-moi te poser une question, lança-t-elle, incapable de se retenir plus longtemps. As-tu envie de me voir parce que tu tombes sur moi par hasard ou bien est-ce un projet longuement mûri ?

— Compris. Tu me fais la gueule, c'est ça ?

— Pardon ?

— Mais si !

— Bon, reconnut-elle, baissant la garde. Peut-être. Mets-toi à ma place : nous passons une semaine formidable ; tu pars en reportage et, là-dessus, silence complet. N'est-ce pas une bonne raison pour faire la gueule ?

— Mais toi, tu aurais pu m'appeler, rétorqua-t-il un peu légèrement.

— En effet. Tu avais juste omis de me donner un numéro ou même une adresse. Alors, tu voudras bien m'excuser, mais, oui, je te fais la gueule et je n'ai pas l'intention d'arrêter.

Sans attendre sa réponse, elle s'éloigna à grands pas.

Pour qui se prenait-il ?

Elle s'arrêta au premier café, marcha droit jusqu'à la cabine téléphonique et appela Jamie.

— Je suis rentrée, annonça-t-elle. Et prête à parler.

— Dieu soit loué, s'exclama Jamie. Je n'y tenais plus.

— Figure-toi que je viens de tomber sur Jake, dans la rue, et que ce salopard fait comme si de rien n'était.

— Comment ça ?

— Tu sais très bien ce que je veux dire. Cet enfoiré passe une semaine chez moi et se tire en voyage sans me donner signe de vie. À quoi s'attend-il ? Que je lui saute au cou ? Tu parles. Je le hais.

— Tu as besoin d'une séance de thérapie, diagnostiqua Jamie sans se démonter.

— Oh, bon Dieu ! Qu'on me parle encore une fois de psy et je pète les plombs.

— Tu ne comprends pas, je dis que tu as besoin d'une séance de thérapie... avec moi. Tu es libre pour déjeuner ?

— Oui.

— Alors retrouvons-nous.

— Si tu insistes.

— J'insiste.

— Bon, où ça ?

— Dans un endroit tranquille.

Elles convinrent du Russian Tea Room où, devant une assiette de borchtch et des blinis, Madison vida son cœur.

— Si on me le proposait comme sujet de film, analysa Jamie, en guise de conclusion au long récit de son amie, je le jugerais invraisemblable.

— Je sais, reconnut Madison. Je suis encore en état de choc. C'est pour ça qu'hier soir je me suis saoulée et je me suis fait sauter.

— Un bon coup ? s'enquit sournoisement Jamie.

— Qu'est-ce que tu crois ? Dix-neuf ans et une gueule d'ange. J'avais l'impression d'être une vieille dame qui s'envoie un gigolo.

— Il faudra que j'essaie, un jour, murmura pensivement Jamie.

— C'est Peter qui serait content. Au fait, comment ça va de ce côté-là ?

— Pas mal, en fait. Pourtant...

— Quoi donc ?

— Tu te souviens de la suggestion de ta détective ?

— Oui.

— Je l'ai suivie. J'ai regardé dans le portefeuille de Peter et j'ai trouvé un préservatif.

— Non ! Et alors, tu as fait une marque ?

— Je me suis sentie stupide mais oui, je l'ai fait.

— Alors ?

— Alors, rien. Tout se passait si bien entre nous que je n'ai même pas vérifié. D'ailleurs, je me sens moche rien qu'à l'idée de fouiner dans ses affaires.

— Tu ne pensais pas la même chose quand tu avais des doutes, protesta Madison.

— Je n'ai pas envie de regarder, répéta Jamie.

— Peut-être que tu as peur de ce que tu trouveras ?

— Bien sûr que non.

— Alors, fais-le.

— D'accord, céda Jamie avec un grand soupir. Maddy, je me demande si tu n'as pas une mauvaise influence sur moi.

— C'est évident, je suis tellement furieuse, tellement tendue. J'ai envie de hurler. Ma famille – tu sais, ce truc : un père et une mère, comme tout le monde... – je n'en ai plus. Elle s'est écroulée. Et, par-dessus le marché, il y a de fortes chances pour que Michael, l'homme que j'ai vénéré toute ma vie, soit... Seigneur ! Je n'arrive pas à le dire.

— Quoi donc ?

— Un tueur ! C'est dément. Le plus curieux, s'étonna-t-elle, c'est que je tiens toujours à lui.

— Qu'est-ce que tu vas faire ? demanda Jamie. Lui dire que tu sais tout ?

— Un jour, peut-être. Mais pour l'instant je me concentre sur ma prochaine interview : je veux pondre un article d'enfer. Ensuite, je passerai peut-être un moment à LA pour mettre un minimum d'ordre dans mes idées avant de me confronter à lui.

— Ça me paraît un bon plan.

— Je pense aussi retourner à Miami pour parler à Catherine ; elle acceptera peut-être une nouvelle rencontre si je suis à jeun et calme.

Elles quittèrent le restaurant et, d'un commun accord, entrèrent chez Bergdorf pour un shopping thérapeutique. Madison s'acheta un petit pull en cachemire sans manches et des lunettes de soleil Armani.

— Après tout, je vais à Vegas. Il faut que je me mette dans l'ambiance.

Elles se séparèrent devant le magasin et Madison appela un taxi.

— Tu veux venir dîner ce soir ? proposa Jamie.

— Tu es gentille, mais non. Il faut que je me remette de la nuit dernière. Pour quelqu'un qui est plutôt sobre de nature, crois-moi, j'ai fait le plein. De plus, j'ai rendez-vous avec mon ordinateur et j'ai promis à mon chien de rester à la maison.

— Ton chien ? fit Jamie, interloquée.

— Parfaitement.

— Ce n'est même pas le tien.

— Je l'ai adopté.

— Bonjour la folle ! On s'appelle demain.

— Promis.

34.

Ce ne fut pas Rosarita qui prévint Chas, mais Martha Lemembre. Elle eut le culot d'appeler de son bled pourri pour lui annoncer que sa fille était enceinte.

Chas téléphona aussitôt.

— Bon sang, explosa-t-il, pourquoi ne m'as-tu rien dit ? Il a fallu que j'apprenne ça d'une vieille peau que je connais à peine !

— Comment ça : que tu connais à peine ? ironisa Rosarita. Martha Lemembre te regarde comme si tu étais le Messie !

Chas se mit à glousser.

— Est-ce que j'y peux quelque chose si je produis cet effet-là sur les femmes ? Enfin, te voilà avec un polichinelle dans le tiroir. Cela va arranger les choses, entre toi et Dex.

Sûrement pas. Mais il vaut mieux que je la joue discrète. Comme Chas est au courant de mes projets mais qu'il n'est pas prêt à coopérer, il vaut mieux lui laisser la surprise.

— Tu as annoncé la bonne nouvelle à Venice ? demanda-t-il.

— Je n'avais pas l'intention de publier un communiqué, répondit-elle, agacée. Je veux que personne ne soit au courant avant notre retour de Vegas.

— Pourquoi donc ?

— Mon médecin insiste pour que je n'en parle pas. Elle reprit, en élevant la voix : Appelle la mère Lemembre pour lui dire de la boucler.

— Trop tard. Tu ferais mieux d'en discuter avec ton mari.

— Certainement. C'est sa faute à lui.

Mais où était-il donc, celui-là, qui ferait bientôt d'elle une veuve ? Elle raccrocha et sonna Conchita.

— Monsieur Falcon est dans les parages ?

— Il est allé faire du jogging, Madame.

— Quand il reviendra, dites-lui que j'aimerais le voir. Et apportez-moi des toasts et... un chocolat chaud.

— Ah, très bon pour le bébé, approuva Conchita avec un sourire entendu.

— Quoi ? Quel bébé ?

— Vous savez, Madame, l'heureux événement.

— Comment le savez-vous ?

— C'est Monsieur qui me l'a dit.

Sans blague ! Quel savon elle allait lui passer, à ce demeuré, qui criait sa paternité sur les toits.

Tant pis pour lui. C'était le bébé de Joel Blaine qu'elle portait et, un jour, toute la presse le saurait.

Dexter prenait son jogging au sérieux. Autant profiter de son inactivité pour soigner la forme : après tout, c'était son principal atout. Pas question de se laisser aller comme son père, avec cette brioche répugnante.

La veille, il avait emporté le scénario de Silver sans être convaincu. Elle prétendait faire de lui une vedette, mais en avait-elle le pouvoir ?

Il avait ouvert le dossier en se couchant et n'avait terminé sa lecture qu'à l'aube. L'histoire était vraiment bonne : amour, sexe, violence, et un triangle amoureux intéressant. Silver avait raison : le rôle de Lance Rich était écrit pour lui. À cause de l'heure, il avait refréné à grand-peine son envie de lui faire part de son exaltation. À présent, il surveillait sa montre tout en courant dans Central Park, impatient de rentrer l'appeler.

Pendant ce temps, Rosarita contemplait le plafond tout en évoquant avec délices sa rencontre avec le fougueux Blaine junior. Elle imaginait la foule des spectateurs massés devant les fenêtres de l'hôtel d'en face. Leur numéro, il est vrai, n'était pas ordinaire ; ils formaient, elle et lui, un couple parfait. Alors, même s'il sortait avec des putes, tant pis. Il était l'âme sœur.

Là-dessus, Conchita apporta son chocolat chaud.

— Tu n'aurais pas pu mettre de la confiture ?

— Trop de sucre. Pas bon pour Madame maintenant que Madame est enceinte.

— Quand je voudrai ton avis, je te le demanderai.

Conchita marmonna quelques injures dans un espagnol bien senti et sortit.

Peu après, Dexter rentra. Il fallait l'admettre : dans son survêtement rouge, il était très appétissant. Dommage, c'était quand même un loser.

Il se pencha pour l'embrasser.

— Non, fit-elle en se détournant. Tu es en nage. Va prendre une douche.

Il obtempéra malgré son envie de parler du script. Quand il émergea de la salle de bains, une serviette autour des reins, il chantonnait gaiement.

— Qu'est-ce qui te met de si bonne humeur ? interrogea Rosarita.

— Je vais être papa, non ?

— C'est vrai, reconnut-elle sans enthousiasme. À propos, mettons les choses au point. Je ne veux pas que tu en informes la terre entière.

— Je ne l'ai annoncé qu'à ma mère.

— *Toi* tu l'as dit à Martha, *elle* l'a dit à Chas et *lui* est furieux.

— Pourquoi donc ?

— C'était à moi d'aborder ce sujet avec lui, non ? Téléphone à Martha pour lui donner l'ordre de fermer sa grande gueule.

— Ne parle pas comme ça de ma mère.

— Alors, empêche-la de claironner partout que je vais avoir un enfant. Et Conchita, comment se fait-il qu'elle soit au courant, celle-là ?

— Rosarita, mon chou, ce n'est quand même pas un secret, fit-il avec une bonne humeur désespérante. Moi, j'en suis très fier. Par-dessus le marché, le scénario de Silver est formidable ; et elle me destine le rôle principal.

— Quel scénario ?

— Celui qu'elle m'a donné à lire hier. Et qui fera de moi une star, ajouta-t-il avec un air modeste. C'est elle qui l'assure.

— Combien de fois avons-nous entendu ça ? ricana Rosarita.

— C'est ce que je pensais aussi mais ce script, c'est de la dynamite. Il faut que j'appelle Silver pour avoir des précisions.

Pendant que Dexter retournait dans la salle de bains pour s'habiller, Venice appela.

— Je suis si heureuse pour toi et pour Dexter, roucoula-t-elle.

Rosarita était en rage. Malgré ses recommandations, Chas l'avait appelée.

— Je suppose que c'est papa qui a joué les porteurs de nouvelles ?

— Non, c'est la maman de Dexter. Est-ce que ce n'est pas mignon de sa part ?

Mignon ! Mignon ! Mon cul !

— Adorable. Elle raccrocha le téléphone et hurla : Dex ! Viens un peu ici, j'ai deux mots à te dire !

Silver Anderson était occupée à se remaquiller quand Dexter téléphona.

— Bonjour, mon cher garçon, dit-elle, tout en continuant à appliquer son mascara. Que puis-je faire pour toi ?

— Pouvez-vous m'en dire plus sur ce script ? Il est sensationnel !

— Il te plaît ? C'est un jeune inconnu qui me l'a adressé parce qu'il pense que je suis l'interprète idéale.

— Alors, comment ça se présente ?

— J'ai pris une option. Maintenant, il me faut un investisseur. Comparée aux budgets actuels, la mise de fonds est relativement modeste. Dix millions de dollars devraient faire l'affaire – mon cachet compris.

— Vous pensez à quelqu'un en particulier ?

— J'espérais que toi, tu pourrais amener quelqu'un.

— Moi ? fit-il, surpris et vaguement flatté.

— Pourquoi pas le père de ta femme ? Il paraît qu'il est plein aux as.

— Je... je ne sais pas, balbutia Dexter. Je n'ai jamais entendu dire qu'il ait mis de l'argent dans une production.

— Il y a toujours une première fois. Et si c'est un homme d'un certain âge, il a sûrement le béguin pour moi. Amène-le et je lui ferai mon numéro de claquettes.

— Dois-je comprendre que, si je vous présente un producteur, j'aurai le rôle du jeune premier ?

— Oh, mon chéri, tu serais parfait ! lança-t-elle d'un ton détaché. J'ai tout de suite pensé à toi – Une brève pause – Bien sûr, si nous passons par un studio, nous n'aurons pas le choix des rôles. Je te défendrai bec et ongles, mais tu sais comment c'est.

— Je sais.

Il savait, en effet. Un studio exigerait un nom, Brad Pitt ou Tom Cruise, au moins.

— J'ai pensé aussi à cet homme divin avec qui tu as travaillé. Tu te rappelles, cette grande affiche dans... Où était-ce déjà ?

— Times Square.

— Celle où tu posais en slip avec un air coquin. Comment s'appelait le styliste, déjà ?

— Mortimer Marcel.

— C'est ça. Il doit être très riche et il doit t'adorer. Tâche donc d'arranger un rendez-vous avec lui aussi.

Dexter avait compris. À lui de jouer. À lui de forcer la chance.

— Laissez-moi voir ce que je peux faire. Je reprendrai contact avec vous.

— C'est bien, mon garçon, ronronna Silver. C'est une occasion que nous ne pouvons laisser filer ni l'un ni l'autre.

— Je sais, faites-moi confiance.

35.

Pour rattraper le temps perdu, Madison se mit au travail avec acharnement. Elle rassembla une abondante documentation sur Antonio Lopez, dit la Panthère, puis, sur sa lancée, reprit des cours de yoga et parvint à écrire deux nouveaux chapitres de son roman.

Elle avait adressé une longue lettre à Michael, expliquant qu'elle ne désirait pas le voir pour l'instant et qu'elle le contacterait quand elle se sentirait prête. Elle avait également laissé un message à Warner Carlysle, l'amie de Stella rencontrée aux funérailles – mais celle-ci ne rappelait pas.

Elle déjeuna deux fois avec Jamie et discuta longuement avec Natalie au téléphone ; elle assista à l'un des assommants dîners de Victor au cours duquel elle faillit insulter son voisin de table ; et elle accepta de déjeuner avec David pour en finir avec ses coups de fil incessants.

Elle fit à pied la promenade jusqu'au restaurant italien qu'il avait choisi – mon Dieu, comme elle avait besoin de changer de décor, et vite ! Victor, ce lâche, n'avait pas eu le courage de décommander Jake ; aussi serait-elle obligée de le côtoyer à Vegas. Mais sa décision était irrévocable : même s'il se traînait à ses pieds, elle n'aurait pas un regard pour lui.

David attaqua dès qu'ils furent assis.

— As-tu rencontré quelqu'un d'autre ?

— Quelqu'un d'autre ? L'expression laisse entendre qu'auparavant il y avait « quelqu'un » dans ma vie. Or, David, aussi loin que remontent mes souvenirs, je ne vois aucun « quelqu'un » digne d'être mentionné.

— Tu as compris ce que je veux dire. As-tu rencontré quelqu'un ? répéta-t-il en lui versant un verre de vin qu'elle refusa.

— Non, David, répondit-elle avec patience. Je n'ai rencontré personne. Et je n'en ai aucune envie. Pour l'instant, je renonce aux hommes... À vrai dire, je me demande si je ne vais pas changer de vie.

— Comment cela ?

— Peut-être que je vais me trouver une petite amie. Tu sais, une femme sensible qui s'occuperait de moi.

— Tu dis n'importe quoi, tu adores faire l'amour.

— En effet, mais pas avec n'importe qui. Avec quelqu'un présentant des critères bien précis auxquels j'ai cru, jadis, que tu répondais. Eh bien, je m'étais trompée.

— Écoute, reprit-il quand le serveur fut reparti avec leur commande, j'ai commis une erreur. Une énorme erreur. Est-ce que je t'ai dit que je divorçais ?

— Non. Je suis navrée de l'apprendre car je suis persuadée que tu avais fait un excellent mariage. Quoi qu'il en soit, je n'ai pas l'intention de te servir de psy. Garde tes problèmes pour toi.

— Ce n'est pas ce que je te demande.

— Non ? Je voudrais que tu comprennes ; j'ai accepté ce dîner pour une raison, et une seule : te supplier de me foutre la paix !

— Impossible, répondit-il en tentant de poser une main sur la sienne.

— Oh, je t'en prie, lança-t-elle en se dégageant. Pas de comédie.

Comprenant que sa position n'était pas sûre, il s'empressa de changer de tactique.

— J'ai appris la fin horrible de ta mère. Où en est l'enquête ?

— Je suis sensible à ta sollicitude, mais je ne désire pas en parler.

— Que dirais-tu, reprit-il tandis que le garçon leur apportait la salade, de passer un week-end ensemble ? Un de mes amis possède une maison à Montauk ; il me la prête. Il la considéra avec son air il-n'y-a-pas-plus-sincère-que-moi.

Accepte, chérie, ne gâchons pas ces deux années de bonheur...

Elle eut du mal à contenir son rire. Il y croyait !

— Gâcher quoi ? C'est une affaire terminée, David. Tu ne peux pas comprendre ça ? Tu m'as plaquée. Tu te rappelles ?

— Justement. Je le regrette tellement.

— Ça ne t'a pas empêché d'épouser quelqu'un d'autre.

— C'était une erreur. Alors, passons le week-end ensemble, discutons-en et voyons si tout ça peut s'arranger.

C'était bien David : son mariage foiré, il envisageait tout simplement de reprendre l'histoire là où il l'avait laissée.

— Impossible, lâcha-t-elle froidement. Je ne pourrai plus jamais te faire confiance.

Elle commençait à en avoir assez.

— De toute façon, reprit-elle, tout ça ne me concerne plus. D'ailleurs, ajouta-t-elle, dans l'espoir d'en finir, puisque tu tiens à le savoir, oui, il y a quelqu'un d'autre.

— Le type que j'ai croisé dans le hall de ton immeuble ?

— Non, pas lui.

— Alors qui ?

— Ça ne te regarde pas.

— Seigneur, Madison, comment peux-tu être aussi froide, se plaignit-il, l'air d'être profondément blessé.

— David, va te faire foutre. Elle se leva et le foudroya du regard. Ne t'avise pas de me rappeler ou de passer chez moi. Mets-toi bien ça dans la tête : c'est terminé.

Jamie, de son côté, n'avançait guère. Elle ne s'était toujours pas résolue à inspecter le contenu du portefeuille de Peter. Le geste était déshonorant. D'ailleurs, il ne la trompait sûrement pas : il lui faisait l'amour chaque jour et la traitait comme une reine.

Le lundi soir, il l'appela de son bureau pour la prévenir qu'il rentrerait tard. Elle lui rappela qu'ils étaient attendus à dîner chez Anton.

— Merde, j'avais oublié. Bon, je te retrouverai là-bas.

Un peu plus tard, Jamie s'avisa qu'elle n'aimait pas partir seule le soir en quête d'un taxi. Elle attendrait donc Peter, il suffisait de prévenir Anton.

Elle rappela Peter à son bureau mais n'obtint de réponse ni du standard ni du portable.

Les signaux d'alarme retentirent aussitôt dans sa tête. Si Peter était à son bureau, pourquoi ne répondait-il pas ? Ses soupçons la reprirent. Ce soir, en rentrant, elle regarderait dans le portefeuille...

Anton perçut tout de suite sa nervosité.

— Qu'y a-t-il, princesse ?

— Rien. Je pensais seulement à la décoration de la maison dans les Hamptons. Tu pourrais peut-être t'en charger.

— Pourquoi donc ?

— Parce que j'ai passé deux jours là-bas, la semaine dernière, et que je n'ai pas envie de laisser de nouveau Peter tout seul.

— Tiens donc, fit Anton en riant. Tu crois qu'il ferait des bêtises ?

— Bien sûr que non ! s'énerva-t-elle.

— Oh, pardon.

La semaine précédente, en effet, elle était partie installer des clients dans leur nouvelle résidence. Chaque soir, elle avait appelé Peter à la maison, et chaque soir il avait répondu. Mais comment savoir si, le téléphone à peine raccroché, il ne s'était pas précipité chez sa maîtresse ?

Comme il l'avait promis, Peter arriva à l'heure pour le dîner.

— Salut, ma beauté, murmura-t-il en la prenant par la taille. Je t'ai manqué ?

— Tu me manques toujours. D'ailleurs, je t'ai rappelé mais ça ne répondait pas.

— Tu sais bien que le standard ferme à six heures.

— Ton portable ne répondait pas non plus.

— Les batteries doivent être à plat. Il faut que je le recharge. D'ailleurs, lui murmura-t-il à l'oreille, tu vas voir, je vais te recharger, toi aussi.

Dès leur retour, ils firent l'amour, toujours avec le même plaisir. Mais, à peine Peter endormi, elle se leva. Sans bruit, elle se glissa dans le dressing-room et chercha le portefeuille.

Il était à sa place habituelle mais il ne contenait plus le préservatif.

Qu'en avait-il fait, ce salaud ? Pas un ballon ni une papillote... C'était donc ça : il la trompait.

Elle fouilla dans le panier à linge pour en extraire la chemise qu'il venait de mettre au sale. Le parfum qui s'en dégageait n'était assurément pas le sien.

Le salaud !

Il faut que je la joue cool. Je ne peux pas l'accuser sans être sûre de mon coup.

Il était tard et elle dut attendre le lendemain matin pour appeler Madison.

— J'ai besoin de rencontrer cette femme détective que tu avais engagée, dès aujourd'hui !

36.

Cela lui prit quelques jours, mais Dexter finit par obtenir de Mortimer Marcel un rendez-vous dans ses somptueux bureaux de Park Avenue.

Le styliste l'accueillit derrière un élégant bureau ancien, flanqué de son amant, le fidèle Jefferson. Manifestement, celui-ci ne voulait pas laisser les deux hommes en tête à tête ; il n'ignorait pas que Dexter était un rival possible.

— Il paraît que votre feuilleton s'est arrêté, s'empressa-t-il de faire remarquer. Vous cherchez une nouvelle campagne pour des sous-vêtements ?

— J'ai d'autres projets, répondit Dexter en s'efforçant de sourire. Mon nouvel agent pense que nous allons bientôt signer un gros contrat.

— Excellente nouvelle, dit Mortimer. Maintenant, demanda-t-il, que puis-je faire pour vous ?

— Bien... Je suis certain que vous avez entendu parler de Silver Anderson, avec qui j'ai eu l'honneur de travailler dans mon feuilleton...

— Celui qu'on vient d'annuler ? insista Jefferson.

— Exact, fit Dexter, agacé. Comme vous le savez certainement, reprit-il sans se démonter, Silver Anderson est un personnage de légende.

— C'est aussi, ricana Jefferson, une vieille cabotine qui a largement dépassé la date limite de consommation.

— L'âge ne change rien, protesta Dexter. Silver est toujours d'une grande beauté, célèbre dans le monde entier.

— D'accord, mais venons-en au fait, lança Mortimer, qui commençait à s'impatienter.

— Silver a pris une option sur un script.

— Nous ne sommes pas intéressés, déclara Jefferson.

Mortimer lança un regard mauvais à son amant.

— Continuez, dit-il à Dexter.

— Ce scénario est vraiment excellent, reprit Dexter. Elle me l'a donné à lire et m'a suggéré de trouver un investisseur plutôt que de contacter un studio.

— En quoi ça me concerne-t-il ? demanda Mortimer, l'intérêt en éveil. Elle veut que je dessine les costumes ?

— C'est une idée formidable, mais il y a plus à faire, encore. Ce serait pour vous une ouverture vers le cinéma, ce qui, j'en suis certain, vous a toujours tenté.

— Le cinéma, intervint Jefferson, péremptoire, c'est de la merde.

— Tu vas la boucler ! tonna brusquement Mortimer. Dexter est en rendez-vous avec moi, pas avec toi.

Jefferson se détourna pour bouder dans son coin.

— Seriez-vous disposé à rencontrer Silver Anderson, insista Dexter, pour qu'elle vous expose son projet.

— Pourquoi pas ? Je suis surpris qu'elle ne soit pas cliente chez nous. Arrangez-moi ça, Dexter, et nous verrons ce que ça donne.

Pendant ce temps, dans le parking souterrain du Federal Building, Rosarita Vincent Falcon et Joel Blaine se remuaient frénétiquement.

— Tu te rends compte, minauda Rosarita, si on nous surprenait !

Elle était étalée à demi nue sur la banquette arrière de la Bentley.

— On ferait la manchette des journaux, jubila Joel au cœur de l'action.

— Je te rappelle que je suis mariée à un comédien célèbre.

— Allons donc, fit Joel, secoué soudain d'un grand rire. Tu ne qualifies quand même pas de comédien célèbre le tas de bidoche que tu as épousé !

Rosarita ne se vexa pas. Elle avait déjà pris sa revanche :

Joel n'évitait plus ses coups de fil. Depuis qu'il l'avait convoquée aux Quatre Saisons, ils se rencontraient trois ou quatre fois par semaine. Et elle avait déjà concocté de ne pas lui signaler son départ pour Las Vegas ; elle voulait le laisser mariner un peu, histoire d'épicer son retour.

Quand elle ne se faisait pas sauter par Joel, Rosarita continuait ses recherches sur les poisons – les poisons discrets... Elle s'était finalement décidée pour un obscur désherbant hollandais interdit en Amérique, qu'elle avait découvert sur un site Internet. Exactement ce qu'il lui fallait : incolore, inodore et sans saveur ; mélangé au contenu d'un verre, il agissait en une heure environ.

Rosarita était aux anges. Après avoir déniché l'adresse du fabricant, à Amsterdam, elle avait ouvert une boîte postale à Soho, sous un nom d'emprunt, puis réglé en espèces. Elle attendait maintenant la livraison. Il ne restait que trois jours avant son départ pour Vegas, et elle commençait à s'impatienter.

Joel, de son côté, ne perdait pas son temps. Madame Sylvia lui avait déniché la perle rare : Eduardo, un Portoricain de seize ans, d'une beauté telle que Joel n'était pas loin de le trouver lui-même à son goût.

Testio, consulté, devait se faire accompagner ce soir-là par Carrie Hanlon pour un petit dîner chez Joel, entre amis – dont l'adolescent. Dès que Carrie aurait remarqué sa trouvaille, Joel évoquerait le voyage à Vegas et signalerait incidemment qu'Eduardo en était. Un plan sans faille si Testio avait vu juste.

Joel n'avait parlé de rien à son père. C'était Marika, la connasse aux yeux bridés, qui prenait toutes les dispositions. Carrie et lui devaient retrouver le couple jeudi matin et s'embarquer pour Vegas à bord du jet de Leon.

Il décida de taire son absence à Rosarita. Qu'elle lanterne un peu. C'était toujours bon.

37.

Jamie était dans tous ses états. Il fallut vingt minutes à Madison et à Kimm pour la calmer.

— Je n'arrive pas à croire que ce salaud m'ait fait ça, clamait-elle en arpentant l'appartement de Madison. Nous étions heureux !

— Doucement, murmura Madison d'un ton apaisant. Tu n'es sûre de rien.

— Si. Jamie est sûre d'une chose, fit observer Kimm : le préservatif a disparu. Nous allons faire suivre Peter et prendre des photos. Dans quarante-huit heures, j'aurai un rapport complet.

— Seigneur ! s'exclama Jamie. Quelle horreur !

— Tu voulais savoir, non ? rétorqua Madison.

— Bon, reprit Jamie en se tournant vers Kimm. Quand pouvez-vous commencer ?

— Il me faut son numéro de Sécurité sociale, l'adresse de son bureau, ses numéros de téléphone – y compris celui de son portable.

— Quelle horreur ! Il faut vraiment tout ça pour faire suivre quelqu'un ? Tu comprends, s'il était innocent et que je sois simplement une garce jalouse ?

— Au moins, répondit Madison, tu seras fixée.

— Oui. Il n'empêche que je me trouve moche.

— Il ne l'apprendra jamais, lui assura Madison.

— Tu me connais, je suis incapable de garder un secret. Dans un moment de faiblesse, je suis capable de tout lui raconter.

Kimm partit, munie de tous les renseignements nécessaires. Quand la porte fut refermée, Jamie demanda à Madison :

— Tu ne la trouves pas un peu bizarre ?

— Pourquoi ?

— Je ferais peut-être mieux de m'adresser à un homme.

— Je ne te savais pas sexiste.

— Non... Mais, tu comprends, je ne m'attendais pas à ce qu'elle soit comme ça.

— Tu parles de sa sexualité ?

— Je me fiche de sa vie privée.

— Tu as bien dû t'apercevoir qu'elle est homo.

— Pas du tout, et je regrette que tu me l'aies dit. C'est encore pire.

— Bon sang, Jamie, si elle fait du bon travail, en quoi cela te gêne-t-il qu'elle soit gouine ?

— Mais ça ne me gêne pas.

— Bien sûr que si.

— Non, riposta Jamie. C'est Peter qui me gêne.

Elle se laissa tomber sur le canapé et poussa un long soupir.

— Et comment la dénommée Kimm va-t-elle me contacter ? Elle ne peut pas me téléphoner à la maison.

— Elle m'appellera et j'organiserai alors un autre rendez-vous.

— Mais tu pars pour Vegas.

— Pas avant deux ou trois jours.

— Bon, ça suffit, dit Jamie en se levant. Je vais essayer de penser à autre chose jusqu'à ce que ta détective me démontre que tout cela n'est que le fruit de mon imagination.

— Excellente idée.

— Tu ne veux pas passer au bureau avec moi ? Nous enlèverons Anton pour le déjeuner.

— Tu n'as pas l'intention de le mettre au courant ?

— Tu plaisantes. Anton ? Une pipelette pareille ? Pas question !

— Bon. Je prends mon manteau et on y va.

Distraite et amusée par son déjeuner avec Jamie et Anton – qui, à son habitude, raconta les commérages les plus insensés –, Madison décida de rendre une visite surprise à l'amie de Stella, Warner Carlysle. Celle-ci l'évitait, mais Madison était décidée à passer outre.

Il y avait un monde fou dans la galerie de Warner, mais Madison se débrouillait toujours. Elle s'approcha de la réceptionniste et se présenta.

— Bonjour, je suis Madison Castelli, de *Manhattan Style*. Warner m'attend... Elle est dans son bureau ?

— Oui, répondit la fille, je vais la prévenir.

— Ne vous dérangez pas. Je connais le chemin.

Warner était au téléphone, assise derrière un grand bureau. Elle leva la tête et sursauta. Madison lui fit un petit geste de la main et s'assit devant elle.

— Oh... est-ce que je peux vous rappeler ? dit Warner dans le combiné avant de raccrocher. Madison ! Quelle surprise !

— J'ai profité de ce que j'avais à faire dans le quartier pour prendre de tes nouvelles... Tu ne m'as jamais rappelée.

— Je suis désolée... C'est l'époque des collections. J'ai été débordée. En tout cas, je suis contente de te voir.

Vraiment ? J'ai l'impression du contraire.

— Malheureusement, j'ai une réunion dans cinq minutes, reprit-elle en jetant un coup d'œil à sa montre, et ensuite un dîner avec une acheteuse de Houston.

— Fixons un rendez-vous, suggéra alors Madison. Je pars en voyage vendredi matin et j'aimerais qu'on se voie avant.

— C'est une période chargée, sembla regretter Warner. C'est idiot mais je n'arrive pas à me ménager un instant à moi. Pouvons-nous remettre cela à ton retour ?

— Tu ne me laisses pas le choix, répondit Madison d'un ton un peu froid.

— Je savais que tu comprendrais, conclut Warner en se levant. Je t'appellerai, ou bien, toi, téléphone-moi. À ce moment-là, je devrais y voir un peu plus clair.

Madison hocha la tête, se dirigea vers la porte, puis s'arrêta brusquement.

— Au fait, Warner, as-tu couché avec Michael ?

— Quoi ?

Madison lui lança un long regard appuyé.

— Je ne comprends pas ta question, balbutia Warner.

— C'est bien simple, pourtant. Il suffit de répondre par oui ou par non.

— Non, lança Warner, la bouche un peu pincée.

— Au revoir, Warner.

— Au revoir, Madison.

Madison se retrouva dans la rue sans comprendre ce qui l'avait poussée à poser cette question. Elle était persuadée que Warner cachait quelque chose. Mais quoi ? Après toutes ces années ? Michael l'avait-il contactée ? Lui avait-il recommandé de se taire ?

À son retour de Vegas, elle tirerait cela au clair ; elle convaincrait aussi Victor de lui confier une enquête sur les vieilles familles du crime à New York.

Ainsi en apprendrait-elle plus, peut-être sur la famille Giovanni. Surtout sur ce don Carlo Giovanni pour qui Michael était censé avoir travaillé.

Et, quand elle aurait la réponse à toutes ces questions, ce serait le moment de s'installer en face de Michael et d'écouter ce qu'il avait à dire.

38.

Le dîner de Joel fut une parfaite réussite. En vérité, Testio savait s'y prendre : à son actif, la succulente Carrie et deux autres top models ; à celui de Joel une jeune chanteuse latino très sexy, deux filles superbes et un joueur de poker de ses amis.

La proportion des invités, six filles pour trois hommes, n'était pas exactement du goût de Carrie. Elle s'en plaignait à Testio lorsque, tout à coup, elle repéra Eduardo.

— Qui est ce charmant garçon ? murmura-t-elle, soudain souriante.

— Je ne sais pas, répondit négligemment Testio. Demande à Joel.

— Je ne peux pas faire autrement ? gémit-elle.

— Qu'est-ce que tu as contre Joel ?

— Il est si... vulgaire, lâcha-t-elle en fronçant le nez.

— Mais non, il est très bien... Quand on le connaît.

— Je n'ai pas envie de le connaître.

— Pourtant, je sais que Joel t'aime bien.

— Tous les hommes m'aiment bien, déclara-t-elle avec un soupir théâtral.

Joel lui présenta Eduardo comme un neveu de Porto Rico.

— Côté maternel, précisa-t-il avec un clin d'œil.

Puis il plaça Carrie entre l'adolescent et lui-même.

La conversation s'engagea rapidement, démontrant que Madame Sylvia dispensait à ses recrues une formation accomplie – Joel avait payé pour ça –, et Eduardo semblait doué. L'amorçage était fait ; il était temps de ferrer. L'occasion s'en présenta après le dîner.

— Jeudi, je pars pour Vegas assister à la grande rencontre de boxe de samedi soir, annonça Joel. Je serais ravi, Carrie, si vous acceptiez de m'accompagner. L'hôtel tient des suites séparées à notre disposition, et nous voyagerons dans l'avion de mon père.

— Pourquoi irais-je à Vegas avec vous ? demanda Carrie en vidant d'un trait son troisième verre de liqueur de pêche.

— Eduardo sera là, mentionna négligemment Joel. Je sais qu'il serait enchanté que vous veniez, mais mieux vaudrait ne pas parler de lui à mon paternel. Comme je vous le disais, c'est un parent du côté de ma mère : un petit faux pas dans la famille...

Carrie soupira profondément.

— Alors, insista-t-il, c'est d'accord ? Une limo passera vous prendre à votre appartement. Puis jet privé. Il y aura des soirées... Et Leon adore distribuer l'argent aux jolies femmes qui veulent jouer au tapis vert. Vous n'en avez pas besoin, bien sûr, mais ce n'est pas désagréable d'avoir l'esprit tranquille quand on perd au jeu, non ?

— Mmm, fit Carrie d'un ton alangui. Vous dites qu'Eduardo sera là ?

— Il vous attendra dans votre suite, si vous le voulez.

Comment cette nana pouvait-elle tirer la langue pour un ado à peine pubère alors qu'il était là, lui ?

— Ma foi, vous présentez les choses de façon bien tentante.

— Je fais de mon mieux.

— Je me suis peut-être trompée sur votre compte, remarqua Carrie d'un ton songeur. On m'a dit que vous collectionniez les mannequins.

— Oh, c'est pour la publicité. À vrai dire, j'ai une fiancée.

— Ah oui ?

Carrie était surprise.

— Oui. Mais je ne veux pas que Leon sache. Non que je ne sois pas libre, mais je reste prudent tant que je n'ai pas les milliards du vieux. Après, je ferai ce qui me plaît.

— Qui est-ce ?

— Confidentiel. Elle... elle est mariée.

Bordel ! Si Rosarita l'entendait, elle en mouillerait sa culotte ! Elle y croirait, même.

Carrie semblait intriguée. Tant et si bien qu'à la fin de la soirée elle avait accepté de venir à Vegas.

— Je peux lui faire confiance ? demanda Joel à Testio.

— Certainement, mon vieux, dès l'instant où tu gardes Eduardo au chaud.

— Tout est arrangé de ce côté-là, assura-t-il.

Un peu plus tôt, il avait aperçu Carrie dans la salle de bains. Une main posée sur l'omoplate du jeune Portoricain, elle s'octroyait une reniflette, « pour mes sinus ». Heureusement, Eduardo était régulier. Pas question de livrer la commande avant Vegas.

Chaque jour, Rosarita s'infligeait la corvée d'aller jusqu'à Soho relever sa boîte postale dans un déguisement à toute épreuve : grosses lunettes noires, long manteau, chapeau à large bord. Ah ! elle aurait fait une extraordinaire espionne !

— J'attends un paquet des Pays-Bas, répétait-elle à l'employé de la poste.

— Très bien, ma petite dame, répondait-il, exaspéré. Mais je n'arrête pas de vous le dire, vous perdez votre temps. Ça demandera bien une quinzaine de jours.

Juste au moment où elle allait perdre espoir arriva un colis portant l'inscription : BULBES DE TULIPES – FRAGILE. Elle s'était munie d'un grand sac Gucci dans lequel elle fourra le paquet sans l'ouvrir. Puis elle alla trouver le préposé et ferma sa boîte postale.

À peine rentrée chez elle, elle se précipita dans la salle de bains, ferma la porte à clef et ouvrit le paquet. Il contenait une petite bouteille. Malgré son aspect inoffensif, elle le manipula prudemment. Le mode d'emploi était rédigé en néerlandais et, par conséquent, incompréhensible. Mais peu importait, elle savait ce qu'elle avait à faire : verser le poison dans le verre de Dex, et adieu.

Elle passa une heure à déchiqueter l'emballage et fit disparaître le tout dans les toilettes – ce qui ne fut pas facile. Ensuite, elle rinça soigneusement un flacon en plastique qui avait contenu de l'huile pour le bain. Puis, après avoir enfilé les gants de caoutchouc de Conchita, elle y versa le poison et le rangea au fond de son vanity-case, enveloppé dans plusieurs Kleenex. Et elle ferma soigneusement à clef.

Du bon boulot.

Bientôt... Bientôt...

Assis dans le bureau d'Annie Cattatori, Dexter faisait grise mine. La grosse femme ne se montrait guère coopérative. Il lui avait parlé du scénario de Silver et du financement qu'il cherchait. Annie lui avait grossièrement éclaté de rire au nez.

— C'est une idée ridicule. Elle essaie de vous utiliser.

— Comment cela ?

— Elle veut que vous, vous lui trouviez l'argent, ensuite, elle l'empochera. Mon chou, vous n'avez aucune chance d'obtenir un rôle dans son film. D'ailleurs, qui, à votre avis, miserait un sou sur cette momie ?

— Je ne suis pas idiot. Je vais faire établir un contrat par un avocat, stipulant que, si c'est moi qui trouve l'argent, je jouerai dans le film.

— Seigneur ! Que vous êtes naïf ! Je me demande comment vous avez survécu dans ce métier. Passons à autre chose : est-ce que le professeur de diction vous a appelé ? reprit-elle en allumant sa cigarette.

— Non.

— Alors c'est vous qui allez l'appeler. Oubliez Silver Anderson et prenez des cours. Vous verrez : vous n'aurez même pas le temps de vous retourner que vous aurez retrouvé du travail.

— Voilà ce que j'aime chez vous, Annie.

— Quoi donc ?

— Votre enthousiasme.

— Mon enthousiasme et mon savoir-faire. Vous verrez.

Il n'avait aucune intention d'écouter Annie. Le scénario de Silver était une occasion trop belle pour qu'il la laisse passer.

Aussi, à peine sorti de chez Annie, appela-t-il son beau-père.

— J'aimerais passer te voir.

Et merde ! se dit Chas. Le schnok va être papa, alors il veut du fric !

— OK. Je suis à mon bureau, grommela-t-il.

— Où ça ? demanda Dexter.

— Dans le Queens. Tu veux venir ici tout de suite ou tu préfères attendre ?

— Je viens. Il s'agit d'affaires.

— Hein ? D'affaires ?

— Oui. J'ai une proposition à te soumettre.

Encore merde ! songea Chas. Cet acteur de mes deux a un projet pour moi. Il n'aimait pas ça.

39.

— Jamie avait raison.

Madison faisait sa valise en prévision de son départ pour Vegas quand Kimm annonça la nouvelle au téléphone avec sa sobriété coutumière.

— Vous avez des preuves ? demanda-t-elle.

— Malheureusement. Vous voulez que je vienne ?

— Ça vaudrait mieux. Je fais ce que je peux pour joindre Jamie.

— Je serai là dans une heure.

Jamie serait anéantie par la nouvelle, et Madison prenait l'avion le lendemain matin. Elle ne serait même pas là pour lui remonter le moral. Elle planta ses bagages et appela son amie à son bureau.

— Salut, fit Jamie. Qu'est-ce qui se passe ?

— Tu es occupée ?

— Je travaille sur un projet de décoration pour... Figure-toi..., pour Kris Phoenix.

— Kris Phoenix ! Quand a-t-il réapparu ?

— Je ne t'en avais pas parlé, mais il n'a jamais vraiment disparu. Il... il m'a appelée après le dîner chez Anton pour me dire qu'il achetait un appartement à New York et me demander si cela m'intéresserait de le décorer.

— Comment se fait-il que tu ne m'en aies jamais parlé ?

— Je n'ai discuté qu'avec son agent et des secrétaires. Si j'avais eu affaire à Kris, je te l'aurais dit. D'ailleurs, c'est toi qui le verras : il donne un gala à Vegas.

— Comment sais-tu cela ?

— J'ai... je l'ai eu au téléphone, un jour, avoua Jamie. Et... il m'a invitée.

— C'est intéressant que tu ne m'en aies jamais parlé.

— Oh, il s'est passé tant de choses, et je ne vais pas me comporter comme une collégienne en décrochant mon téléphone chaque fois qu'un homme me fait la cour.

— Enfin... Kimm veut te voir. Peux-tu passer chez moi maintenant ?

— Tout de suite ? C'est si urgent ?

— Je pars demain matin de bonne heure et j'ai pensé qu'il vaudrait mieux que je sois là.

— Pourquoi ? Mauvaise nouvelle ?

— Nous verrons ce que Kimm a à nous dire.

— Oh, mon Dieu, gémit Jamie. Ça n'est pas possible. J'aime Peter et il m'aime aussi, j'en suis sûre. Elle baissa soudain la voix. Je ne peux pas discuter de cela maintenant, Anton arrive.

— Alors saute dans un taxi et rapplique.

— J'arrive.

Kimm portait le manteau de cuir noir que Madison lui avait acheté à Miami. Elle avait même un soupçon de maquillage.

— Vous avez l'air en forme, remarqua Madison en la faisant entrer.

— Je suis désolée d'apporter de mauvaises nouvelles. Mais je m'en doutais. Dès l'instant où une femme a des soupçons, c'est fichu.

— Jamie va le prendre très mal. Elle a été tellement gâtée jusqu'à présent. Sa blondeur, ses yeux bleus, ses allures de déesse... Elle a toujours eu les hommes à ses pieds. Elle a rencontré Peter à la sortie du collège. Voilà trois ans qu'ils sont mariés et ils sont – enfin, ils étaient – extrêmement heureux. Ça va être un coup très dur pour elle.

— Ce sera encore pis quand elle verra les photos, assura Kimm.

— Pourquoi ? La fille est si belle que ça ? Mais attendons plutôt Jamie. D'ailleurs, elle arrive, ajouta Madison, prévenue par l'aboiement de Harry.

— Bonjour, dit Jamie.

Elle était plus jolie que jamais dans son long trench-coat de cachemire.

— Contente de vous revoir, Jamie.

— J'espère pouvoir en dire autant, répondit Jamie. Qu'est-ce que vous avez exactement pour moi ?

— Une surprise.

— Je les adore.

— Peut-être pas celle-ci, prévint Madison.

— Alors ?

— J'ai des photos. Et des enregistrements de conversation sur son portable.

— Vous avez le droit ?

— La question n'est pas de savoir si j'en ai le droit. Je l'ai fait.

— Bon, bon, capitula Jamie, de plus en plus sombre.

— Si vous avez besoin de moi, fit Madison, je serai dans la pièce à côté.

— Pas du tout, protesta Jamie. J'ai besoin de toi. Tu restes ici avec moi.

— Vous voulez peut-être regarder les photos d'abord, suggéra Kimm en ouvrant son porte-documents.

D'une main tremblante, Jamie saisit les clichés et les considéra un moment, l'air impassible.

— Qu'est-ce que c'est que ça ? lâcha-t-elle enfin en jetant les photos à Madison. Qu'est ce que c'est que tout ça ?

Madison les examina. La première montrait Peter dans la rue, parlant à un homme. Sur la deuxième, ils se penchaient tendrement l'un vers l'autre. La troisième les dévoilait en train de s'embrasser sur la bouche. Sur la quatrième, ils entraient dans un hôtel bras dessus, bras dessous.

— Oh, Seigneur ! s'écria Madison, horrifiée.

Pendant quelques instants, personne ne dit mot.

— Je suis désolée, articula enfin Kimm, mais je pense qu'il fallait bien que vous le sachiez un jour.

— Que je sache quoi ? demanda Jamie, le visage défait.

— C'est assez évident, murmura Madison.

— Quoi ? cria Jamie, refusant l'évidence. Dis-moi quoi ?

Kimm et Madison échangèrent un regard, puis celle-ci eut un imperceptible hochement de tête, comme pour autoriser Kimm à énoncer la vérité.

— Votre mari a une liaison avec un homme.

40.

Rosarita faisait ses dernières courses avant son départ pour Vegas : deux ou trois robes ruineuses, trois nouveaux rouges à lèvres signés Chanel, un vernis à ongles particulièrement flamboyant, un fond de teint satiné de chez Clarins et des crèmes pour le corps subtilement parfumées. Le tout rejoignit la précieuse petite bouteille en plastique dans son vanity-case.

Elle était un peu inquiète, mais très excitée quand même. Si tout se passait bien, elle serait bientôt une femme libre.

À l'autre bout de la ville, Dexter arrivait plein d'enthousiasme à son premier cours de théâtre. La journée avait bien commencé : il avait réussi à programmer deux rendez-vous, entre Silver et Mortimer d'abord, avec Chas ensuite.

Le professeur recommandé par Annie était un homme de haute taille, pâle et maigre, avec des yeux rapprochés, une bouche en lame de couteau et des dents jaunes à la Dracula. Acteur de seconds rôles dans quelques grands films, il s'appelait Finian Price. Dexter le reconnut aussitôt.

— C'est un honneur de vous rencontrer, monsieur, dit-il en se présentant.

— Pas de « monsieur » ici. Va t'asseoir là-bas, grogna Price en désignant une rangée de chaises en bois.

Dexter s'attendait à un accueil plus chaleureux : « Je lui ai parlé de toi. Il sait qui tu es... », avait prétendu Annie. De toute évidence, Finian se moquait éperdument de Dexter Falcon.

Les élèves arrivèrent peu à peu, une vingtaine au total.

— Salut, dit une petite voix fluette. Je m'appelle Gem.

Dexter se tourna vers sa voisine. C'était une jeune fille menue, avec de très longs cheveux blonds, de grands yeux innocents timidement levés vers lui, et un adorable petit nez retroussé. Dexter découvrit ce qu'était un coup de foudre.

— Euh... Dexter Falcon.

— Enchantée, Dexter. Tu es nouveau, ici ?

— Ma foi, oui.

Elle parut soulagée. Il était fasciné.

— Ah bon ! Je suis arrivée à New York la semaine dernière, précisa-t-elle. Je viens d'Indiana. Une amie m'a parlé de ce cours et je me suis tout de suite inscrite. Mes économies y sont passées !

— Il paraît que le professeur est excellent.

— J'espère. J'ai juste assez d'argent pour tenir trois mois. Si je ne réussis pas d'ici là, je me retrouverai dans un car direction « la maison ». Je me demandais, ajouta-t-elle d'un ton hésitant, si je ne devrais pas chercher un agent.

Comme lui à son arrivée à New York, elle faisait preuve d'une confiance naïve, bien dangereuse dans une ville aussi dure.

— Silence ! tonna Finian en se plantant devant les élèves. Concentrez-vous, bon sang. Aujourd'hui, nous allons étudier *The Fight Club.* Nous analyserons le comportement des personnages et chercherons à établir quel rapport on peut trouver entre vous et eux. Nous tenterons en même temps de découvrir pourquoi, pauvres cloches, vous voulez entrer dans ce foutu métier. Est-ce que vous savez combien d'entre vous y arriveront ? Non, heureusement, Si vous le saviez, vous partiriez tout de suite... Moi, proclama-t-il, j'ai réussi, mais j'ai eu de la chance. Aujourd'hui, c'est vous qui avez de la chance parce que je vais vous faire partager mon expérience.

— C'est un acteur connu, hein ? murmura Gem, manifestement impressionnée. Je l'ai vu dans des films.

— Ce n'est pas une vedette, chuchota Dexter. Mais, d'après mon agent, c'est un excellent professeur.

— Oh, tu as un agent. Tu as déjà tourné ?

Il y avait de l'admiration dans la petite voix mélodieuse de Gem, si différente des vociférations de Rosarita.

— À la télé. Dans un feuilleton, « Sombres Journées. »

— Vraiment ? Dire que j'ai raté ça ! Je n'avais pas le temps de regarder la télé. Je travaillais comme caissière dans un supermarché.

— Heureux clients.

Elle baissa les yeux en rougissant.

— Merci. Ça fait trois ans que je mets de l'argent de côté pour venir à New York. Depuis l'âge de seize ans.

— Bouclez-la, lança Finian. Pauvres abrutis, vous payez pourquoi ? Pour me regarder ou pour apprendre ? Si vous voulez me regarder, allez au cinéma. Si vous voulez apprendre, faites ce qu'il faut ! C'est déjà assez pénible de donner des leçons à des gugusses, mais si vous bavardez pendant ma classe je ferme boutique.

Dexter était choqué par la grossièreté de Finian et humilié qu'Annie l'envoie dans un cours manifestement destiné à des débutants.

— Désolée, murmura Gem. C'est ma faute s'il est furieux.

Dexter ne pouvait s'empêcher de la regarder. Elle était si jolie, si fraîche...

— Ne t'en fais pas. Les petits chefs, ça ne m'impressionne pas.

Pendant l'heure qui suivit, Finian ne cessa de crier. Il démolissait systématiquement les élèves qu'il désignait pour lire une scène. Sur sa lancée, il régla leur compte aussi à tous les acteurs du *Fight Club* en proclamant qu'Helena Bonham Carter forçait son jeu et que Brad Pitt était un don Juan surestimé.

Dexter était scandalisé. Il pensait à Gem. La naïve admiration qu'elle vouait à Finian allait engloutir un argent durement gagné. Pour rien.

Le cours terminé, ils repartirent ensemble.

— Si on prenait un café ? proposa-t-il.

— D'accord. Elle ajouta avec un soupir : Je me sens si insignifiante. Pas du tout à ma place. Je suis certaine qu'il nous déteste tous.

— Mais non, c'est un acteur déçu qui n'a jamais connu la célébrité, alors, maintenant, il se venge sur nous.

— Depuis combien de temps es-tu acteur, Dexter ?

— Pas longtemps, avoua-t-il. Avant, j'ai été mannequin pour plusieurs des campagnes de publicité de Mortimer Marcel. J'avais mon affiche sur Time Squares.

— C'est vrai ? fit-elle en levant vers lui ses jolis yeux éperdus d'admiration.

De toutes leurs années de mariage, jamais Rosarita ne l'avait regardé comme Gem venait de le faire.

L'évocation de Rosarita le rappela à la réalité. Sa femme était enceinte et voilà qu'il se mettait à imaginer une belle histoire d'amour. Il devait se reprendre.

— Gem, navré. Je viens de me rappeler que j'ai un rendez-vous.

— Oh... Elle était manifestement déçue. Ça ne fait rien, je comprends.

— Alors à la semaine prochaine ?

— Oui.

Il savait qu'elle attendait qu'il lui demande son numéro de téléphone, mais il ne pouvait pas.

— Fais attention, dit-il seulement. C'est dur, New York.

— Je sais. Mais au moins, j'ai trouvé du travail.

— Où ça ?

— Serveuse dans un restaurant, Chez François. Tant que je gagne ma vie, je peux continuer à courir après mes rêves.

Une fille avec un rêve...

Comme c'était beau.

Quand Varoomba eut terminé ses bagages pour Vegas, elle chercha à joindre sa grand-mère. Opération difficile, car Renee était une femme très occupée : elle dirigeait un service de téléphone rose particulièrement florissant. C'était elle qui avait élevé Varoomba après que sa mère fut morte d'une overdose, mais elle n'était pas le genre grand-mère confiture.

— Salut, dit Varoomba.

— Qui est à l'appareil ? demanda Renee d'un ton méfiant.

— C'est moi, mémé. Tu me reconnais ?

— Oh, toi...

— Mémé, je viens à Vegas avec un type. Je voudrais te le présenter, alors si tu pouvais t'habiller un peu...

— Quel type ?

— Un vrai papa gâteau ; j'espère qu'il va m'épouser. Elle eut un petit rire. Qui sait ? Peut-être quand on sera là-bas.

— Et qu'est-ce que je viens faire là-dedans ?

— Chas a de la famille. J'aimerais bien qu'il sache que moi aussi, j'en ai une, que je ne suis pas juste une strip-teaseuse tombée des étoiles.

— Tu t'imagines qu'il t'aime pour ta famille ? ricana Renee. Pas pour tes gros nénés ?

— Mémé ! Je t'en prie !

— Bon, bon. Téléphone-moi quand tu seras arrivée. Et apporte de l'argent ; ça fait des mois que tu ne m'as rien envoyé.

— Promis, mémé. Encore une chose : évite l'alcool, quand on se verra.

— Qu'est-ce qui te fait croire que je bois toujours ?

— C'est important pour moi, tu sais, dit Varoomba d'un ton presque suppliant. Il a plein de fric : ça pourrait représenter beaucoup d'argent pour nous deux. On vient pour le combat de boxe. Je te rappellerai dès qu'on sera arrivés.

Varoomba avait un plan. De toute évidence, Chas avait le sens de la famille. La preuve, ses deux filles qu'il avait toujours dans les jambes, surtout celle avec des gosses. Si sa mémé était présentable, et à jeun, elle pourrait agir dans le bon sens. Varoomba savait qu'il était grand temps pour elle de s'installer. Et, dans un premier temps, devenir Mme Chas Vincent ne lui paraissait pas une mauvaise solution.

— Bonjour, mon chou, dit Dexter en posant un petit baiser distrait sur la joue de Rosarita. Tu as fait tes courses ?

— Ça, oui. J'ai acheté deux robes géniales. Comment était ton cours ?

— Pas mal.

Mieux que ça. J'ai rencontré la fille de mes rêves.

— Seulement pas mal ? ironisa-t-elle. Ton prof ne t'a pas dit que tu étais une réincarnation de Harrison Ford ?

Il y avait des moments où Dexter avait du mal à ne pas haïr sa femme.

Il tourna les talons et se laissa aller à penser à Gem. Elle s'appelait Gem. Cela voulait dire « gemme » : une pierre précieuse, un diamant pur...

Voilà quelques mois, Rosarita lui avait réclamé le divorce et il avait dit non. Maintenant, c'était trop tard. Pis, comme un crétin, il avait suivi le conseil de son père et lui avait fait un bébé. Plus question de lui demander de s'en débarrasser. L'esprit encore occupé par Gem, il demanda :

— À quelle heure partons-nous demain ?

— Chas passe nous prendre vers neuf heures.

— Tu es sûre que tu as toujours envie d'y aller ?

Et si elle changeait d'avis ?

Elle le regarda droit dans les yeux.

— Je ne voudrais manquer ça pour rien au monde, Dex. Ça va être un voyage inoubliable. Je te le promets.

LIVRE DEUX

Las Vegas

41.

Antonio Lopez, la Panthère : des cheveux bruns gominés, des dents en or et un sourire conquérant... Madison était assise à côté de lui sur un banc de la salle d'entraînement, étudiant la ligne des épaules du boxeur – des épaules noueuses, puissantes, énormes.

— Ce mec n'a pas une chance avec moi.

— Pourquoi donc ?

— Parce que je vais le démolir.

— Vraiment ?

— Je veux !

— Pour vous, être champion, c'était un rêve d'enfance ?

— Je n'ai jamais eu d'enfance.

— Comment ça ?

— Mon vieux pensait que je n'en avais pas besoin.

— Pourquoi ?

— Parce qu'il me faisait bosser avec lui.

— Et il était... ?

— Homme à tout faire pour des connards très riches de Mexico.

— Cela ne vous plaisait pas de travailler avec votre père ?

— Putain, merde ! J'avais dix ans !

— C'était vraiment très dur ?

— C'est comme ça que j'ai appris à botter le cul de tous les connards.

— Tonio, s'interposa son manager, un gros type entre deux âges vêtu d'un costume fripé, vas-y doucement. La petite dame travaille pour un magazine de classe.

— Mon cul ! La classe, j'en ai rien à cirer.

— Tonio, insista l'homme. Détends-toi. Réserve-toi pour demain soir.

Antonio se leva et s'étira avec un petit sourire.

— Ça la gêne pas, assura-t-il. Elle est cool. Pas vrai, ma petite dame ?

— Vrai.

Madison jeta un coup d'œil par la fenêtre. Elle regrettait que Jake ne soit pas encore arrivé. Il manquait quelque chose ! Et puis, même si elle avait décidé de couper court à leur histoire, elle voulait l'entendre, le voir. Elle était curieuse : quelles excuses allait-il trouver ?

Elle était arrivée à Las Vegas la veille au soir et s'était couchée aussitôt pour mieux affronter l'interview matinale. En s'endormant, elle avait eu une pensée pour Jamie. Elles étaient restées toute la nuit à discuter, après le départ de Kimm.

— Qu'est-ce que je vais faire ? répétait sans cesse Jamie.

— Le confronter à la vérité et lui donner une chance de s'expliquer.

— D'expliquer quoi ? Qu'il se tape un mec ? Elle avait éclaté en sanglots. Qu'il aille se faire voir ! Je le hais ! Je ne veux plus jamais le revoir.

Lorsque Peter avait téléphoné, elles n'avaient pas répondu, laissant le répondeur enclenché. Madison était partie pour l'aéroport le lendemain matin sans réveiller Jamie.

Elle sursauta ; Antonio venait de lui poser une question.

— Vous allez parier sur moi, ce soir ?

— Je ne parie pas.

— Comment ça ?

— Il n'y a que les minables qui parient.

Antonio éclata d'un grand rire et ses dents en or étincelèrent au soleil.

— Jackpot ! Vous, vous êtes pas une minable, ma petite dame, ça c'est sûr.

— Vous non plus.

— Vous savez, je vous connais. Mon manager s'est renseigné sur vous.

— Et moi sur vous.

— Qu'est-ce que vous avez trouvé ?

— Vous avez vingt-trois ans et trois enfants de trois femmes différentes. Et vous comptez n'en épouser aucune.

— Le mariage, ça craint. Qui a envie de se taper la même meuf tous les soirs ?

Son entraîneur poussa un gémissement.

— Et l'amour ?

— L'amour ? Un truc de gonzesse.

— Alors, vous n'avez jamais aimé personne ?

— Si. J'aime mes gosses.

Madison n'écoutait plus que d'une oreille. Elle venait d'apercevoir Jake au volant de sa camionnette. À ses côtés se trouvait une Lolita bien formée avec de charmantes petites nattes blondes. Il sauta à terre et déchargea son matériel.

— Qui c'est, ce petit cul ? s'exclama Antonio.

Il se léchait ostensiblement les lèvres.

— Vous les préférez blanches ou noires ? s'enquit Madison, toujours prompte à trouver la question pertinente.

— Dès l'instant qu'elles ont une chatte...

Claque sur la cuisse et rire graveleux... Jolie réplique, pensa Madison. À transcrire.

— Alors, dit Jake en s'approchant, tu ne m'as pas attendu ? Je croyais qu'on devait travailler ensemble ?

— Désolée. Je pensais que tu arriverais plus tôt.

— Pourquoi ?

— Comme ça. Et, sans pouvoir se retenir, elle lança : Qui est cette charmante demoiselle ?

— Trinee ? Elle me sert d'assistante. C'est la fille d'un de mes amis. Elle n'a jamais travaillé.

— Je vois.

On peut faire confiance à Jake pour engager une assistante dont la silhouette évoque, de préférence, la page centrale de Playboy.

— Ne me dis pas que tu es jalouse, dit-il en souriant. C'est une gosse.

— Moi, jalouse ? Tu es fou !

Le manager s'interposa.

— Vous êtes le photographe ?

— Oui. Jake Sica.

— Bon, alors pas de photo du profil gauche, seulement le droit. Et pas de photos de l'entrejambe.

— Pardon ?

Le manager se pencha vers Jake et murmura :

— Il est... surdimensionné de ce côté-là. Pas la peine de le faire savoir à la terre entière.

— Comptez sur moi.

Jake et Madison échangèrent un regard. Sans se parler, ils avaient décidé ensemble du gros plan à obtenir. Tans pis pour le manager. Il y avait fort à parier qu'Antonio, lui, n'en serait pas trop gêné, au contraire.

Pendant ce temps, la Panthère s'était approché de la Lolita aux nattes.

— Dis, poupée, ça te dirait de partager une sucette avec un poids lourd en or ?

La fille rougit jusqu'aux oreilles. À première vue, elle n'avait pas plus de dix-sept ans. Jake empêcha le « poids lourd » d'aller plus loin dans le badinage.

— Ça ne vous gêne pas que je mitraille pendant que vous bavardez ?

— Allez-y, mon vieux. Vous avez de la chance, même mon cul est photogénique.

— Heureux homme ! lança Madison sans sourire.

Décidément, cette interview s'annonçait moins banale que prévu. À midi, elle avait noté plus d'énormités que nécessaire et Jake avait pris Antonio sous tous les angles souhaités.

Le manager interrompit le round.

— Il se prépare au plus grand combat de sa vie, expliqua-t-il. Je veux être sûr qu'il se concentre.

— J'ai l'impression qu'il n'est même pas effleuré par l'idée qu'il pourrait perdre, observa Madison.

— Mon garçon a trente-trois combats derrière lui et pas une défaite. Que des victoires par K.-O. Il ira loin. Revenez vers quatre heures. Vous pourrez discuter encore un peu avec lui pendant que votre photographe fera la photo pour la couverture.

Victor leur a promis la couverture. Bon...

Pendant que la petite assistante remballait le matériel, Jake s'approcha de Madison.

— Où vas-tu, maintenant ?

— Je retrouve Natalie pour déjeuner.

— Natalie est ici ? Est-ce que je peux me joindre à vous ?

— Je ne pense pas, Jake. Nous avons plein de choses à nous dire.

— Je suis toujours puni, hein !

— Puni ? De quoi ?

— Tu étais furieuse, l'autre jour. Je te comprends... Je te dois une explication : voilà... On a passé des moments formidables ensemble, et c'est justement pour ça que je n'ai pas appelé.

— Je te demande pardon ?

— C'est compliqué, Madison. Chaque fois que je me sens proche de quelqu'un, ça tourne mal. Et je ne veux pas que ce soit comme ça avec toi.

— En voilà une que je ne connaissais pas, remarqua-t-elle froidement. En général, c'est : « Je ne peux pas te revoir parce que tu es trop bien pour moi. » Comment se fait-il que tu ne me l'aies pas servie, celle-là ?

— Écoute, je suis désolé d'avoir dû partir, plus encore de ne pas avoir téléphoné. Je sais que j'ai eu drôlement tort. Si on se retrouvait ce soir pour dîner ? On en parlera.

Un instant, elle resta déconcertée. Elle en mourait d'envie mais son instinct lui soufflait de répondre non.

— Retrouvons-nous ici à quatre heures et on verra.

— Je pense que ça veut dire non.

— Cela veut dire peut-être.

— Comment puis-je changer un peut-être en oui ?

— Tu as eu ta chance, Jake.

Jamie gratifia le gros type du comptoir des réservations de son sourire le plus étudié. Aussitôt, bien que le vol pour Los Angeles fût surbooké, il parvint à lui trouver une place.

Elle embarqua. À son grand soulagement, le fauteuil à côté du sien était occupé par une femme, une Noire, plongée dans un livre sur les pouvoirs surnaturels ; un homme aurait inévitablement délaissé sa lecture pour engager une conversation tout aussi inévitablement navrante de platitude.

Eh oui ! Elle était en route pour Vegas, et à l'insu de Peter. Pour la première fois depuis leur mariage, elle quittait New York sans lui. Il aurait la surprise de sa vie.

Chacun son tour. Des surprises, elle n'en avait eu que trop. Kimm lui avait fourni non seulement des photos, mais aussi des enregistrements des conversations de Peter avec son amant, un jeune et brillant courtier de Wall Street prénommé Brian. Quand Jamie en avait eu assez de se lamenter sur son sort en examinant pour la dixième fois les documents, elle avait appelé Anton au bureau.

— Où es-tu passée, ma chérie ? s'était-il inquiété. Peter est dans tous ses états. Il te cherche partout ! Il paraît que tu as passé la nuit dernière dehors, vilaine petite fille.

— Transmets ce message à Peter, s'il te plaît : désormais, qu'il s'adresse à Brian. Et dis-lui aussi que mes avocats prendront contact avec lui.

— Que se passe-t-il ?

— Je pars en congé. Ne m'attends pas au bureau d'ici à quelque temps.

— Mais, mon ange...

— Fais-moi confiance. J'ai besoin de vacances.

À présent, installée dans l'avion, elle savait exactement en quoi consisteraient ces vacances : deux jours d'enfer à Vegas avec ses copines, et une nuit avec Kris Phoenix.

42.

Rosarita observait la passagère en manteau de cachemire bleu assise de l'autre côté de l'allée : elle la détestait. C'était le genre blonde hautaine, celui que Joel aimait exhiber à son bras. Une vraie, en plus !

Elle vida d'un trait sa coupe de champagne allongé de jus d'orange et sonna l'hôtesse pour s'en faire apporter une autre. Dexter sommeillait auprès d'elle. Comment pouvait-il dormir en avion ? Alors qu'il risquait de s'écraser d'une minute à l'autre ? Quel crétin ! Vivement le retour en voile de veuve !

Chas et Varoomba étaient installés deux rangées devant eux. Quelle idée avait eue Chas d'emmener sa connasse de pute dans une ville qui en regorgeait ! C'était comme apporter un plat de haricots dans une fabrique de cassoulet.

Elle se demandait ce que faisait Joel. Est-ce qu'elle lui manquait ? Il n'avait sans doute même pas remarqué qu'elle était partie. Mais cela ne durerait pas. Et quand elle rentrerait à New York, si tout se passait comme prévu, elle serait libre.

Assis dans la limousine, Joel attendait Carrie Hanlon depuis vingt-cinq minutes. Exaspéré, il avait déjà demandé plusieurs fois au chauffeur de sonner à l'Interphone et s'était attiré chaque fois la même réponse : « J'arrive. »

Quand, effectivement, elle arriva enfin, il ne regretta rien : avec sa crinière fauve, sa peau lumineuse et ses longues jambes, elle était étincelante. Les passants s'arrêtèrent pour la contempler. Joel sentit alors un frisson d'orgueil : cette superbe créature l'accompagnait, lui.

En apparence, certes... Car ses rêveries l'emportaient auprès d'un étalon de seize ans à peine sorti d'une maison de redressement. Les femmes avaient de ces goûts...

— Salut, Jack, dit-elle en s'engouffrant à l'arrière.

Jack ! Cette conne n'était même pas capable de se rappeler son nom.

— Joel.

— Comme tu voudras, dit-elle en inspectant le petit bar installé dans la portière. Pas de champagne ?

— Il est neuf heures du matin.

— Et alors ?

— Tu veux du champagne ?

— Dom pérignon.

Joel frappa à la vitre de séparation pour ordonner au chauffeur de s'arrêter à un débit d'alcool.

Natalie ouvrit les bras avec un sourire rayonnant.

— Madison !

Elles s'embrassèrent chaleureusement. Puis elles se dévisagèrent. Natalie était une jolie Black de moins d'un mètre soixante avec une peau soyeuse et de grands yeux rieurs. Elle recula d'un pas et s'exclama joyeusement :

— Mais tu es superbe ! Je ne m'attendais pas à te trouver en si bonne forme. D'après ce qu'on m'a dit, ça ne va pas fort.

— C'est vrai, reconnut Madison en haussant les épaules. Mais tu me connais... Je survivrai.

— Viens, fit Natalie en la prenant par le bras. Je nous ai fait réserver une table à l'intérieur.

— Je préfère m'asseoir dehors pour observer les passants. Vegas, pour moi, c'est un cirque. J'adore.

— Bon. Est-ce qu'on pourra faire un tour au black jack, après ?

— Je me contenterai de regarder. Avec la veine que j'ai...

Elles s'assirent et Natalie héla un serveur.

Un jeune type du genre à rêver jour et nuit de Hollywood s'approcha avec une petite grimace d'ado attardé.

— Mesdames ?

— Un Perrier.

— Deux, dit Natalie, et vos délicieuses pizzas.

— C'est comme si c'était fait.

— Mmm... pas mal, apprécia Natalie en le regardant s'éloigner. Joli petit cul.

— Est-ce qu'il t'arrive de penser à autre chose ?

— Ah bon, il y a autre chose ? Elle haussa les sourcils d'un air candide puis éclata de rire. Raconte-moi plutôt comment est Antonio la Panthère ?

— Un connard de macho grand format. Je me demande où ces jeunes types apprennent à se comporter comme ça !

— Hé ! allons... Tu sais bien qu'à cet âge-là les mecs pensent avec leur pénis. Quand, en plus, ils gagnent leur vie avec leurs poings, comment veux-tu qu'ils ressemblent à Einstein ?

— Raisonnement imparable.

— Tu sais que, pendant que tu étais avec lui, moi, j'interviewais l'autre. Un jeune Noir qui joue les Mohammed Ali.

— Il t'a fait du plat ?

— Impossible ! Sa femme est toujours là. Belle, calme, discrète, mais à l'écoute. Avec des yeux comme des poignards. S'il se risque à poser le regard sur une autre, elle lui bouffe les couilles au petit déjeuner saupoudrées avec du sucre, sûr !

— Tu n'as rien perdu de ton style, ma chérie.

— Je m'y attache.

— Et comment se passe la vie sentimentale de Mlle Natalie De Barge ? Toujours aussi intéressante et aussi compliquée ? Tu es fidèle au footballeur ?

— Luther le Grand ? Bien sûr, quand il est là. Et toi rien de nouveau côté cœur ?

— Jake Sica m'a appelée.

— Et alors ?

— Il était à New York, récemment, ; et nous... nous avons eu un petit interlude.

— Sacrée toi ! s'écria Natalie. Ne me dis pas que tu as fini par te l'envoyer ?

— Crie donc un peu plus fort !

— Dieu soit loué ! Je me demandais si tu avais renoncé à baiser.

— Tu ne pourrais pas t'exprimer autrement ?

— Non, je ne sais pas faire.

— Évidemment, dit comme ça...

— Alors, le courant est passé ?

— Oh, pour passer, il est passé, fit Madison d'un ton amer. Après sept jours et sept nuits inoubliables, il est parti pour Paris et terminé. Plus de nouvelles. Finalement, je suis tombée sur lui dans la rue. Je l'avais déjà proposé comme photographe pour ce reportage : il est donc ici à Vegas et il veut que je dîne avec lui. Bien sûr, j'ai refusé.

Le serveur revint avec les pizzas.

— Puis-je me permettre de vous dire que j'adore votre émission ? susurra-t-il à Natalie.

— Vous le pouvez, répondit-elle, aux anges.

— Vous êtes venue pour la rencontre de boxe ?

— Comme tout le monde !

— Bruce Willis était là hier soir, leur confia-t-il. Et aussi Leonardo. Vous allez les interviewer ?

— Peut-être.

— Je regarderai.

— Je crois que tu lui plais, remarqua Madison quand le jeune homme se fut éloigné.

— Il est mignon et il a du goût. Mais pour en revenir à toi... Je vais te dire où est le problème : tu es trop difficile.

— Que veux-tu dire exactement par là ?

— Sois plus cool. Déboutonne. Ce pauvre Jake est terrorisé, sûr ! Je suis désolée de te dire ça, Maddy, car tu sais combien je t'aime, mais tu es trop brillante. Tu fais peur.

— Mmm... Je vais essayer d'avoir l'air cloche.

— Jake s'est sans doute imaginé qu'il ne faisait pas le poids. Alors il a pris ses jambes à son cou.

— Bon sang, Natalie ! Je suis si terrible que ça ?

— C'est comme David, poursuivit Natalie, il se savait moins futé que toi, alors il s'est jeté dans les bras de la première crétine qu'il a rencontrée.

— C'était son amour d'enfance, rappela Madison par souci d'exactitude.

— Ça ne la rend pas moins crétine.

Madison soupira. Parfois, les conceptions simplistes de Natalie l'agaçaient.

— J'imagine que c'est pour ça qu'il me supplie de revenir ?

— David ? fit Natalie en ouvrant de grands yeux.

— Oui, David. Et je ne t'ai pas encore raconté le dixième de tout ce qui m'est arrivé.

— Eh bien, ma petite, conclut Natalie en se renversant contre le dossier de son fauteuil, j'abandonne le Perrier. Je sens que je vais avoir besoin d'un Martini bien tassé pour t'écouter.

Les nerfs de Joel étaient mis à rude épreuve. Pour commencer, il avait taché sa veste de sport Armani en ouvrant la bouteille de dom pérignon. Bien sûr, Carrie n'en avait bu qu'une gorgée. Puis elle avait obstinément fixé son regard au-dehors en ignorant les efforts qu'il déployait pour engager la conversation. Comment se comporterait-elle dans le jet ? Le pire était à prévoir.

Comment éveiller son intérêt ? Comment la faire sourire le temps d'impressionner Leon ?

Il cxamina la situation : elle avait l'argent, la gloire, des amis par centaines... Que pouvait-il lui offrir qu'elle n'avait déjà ?

Bien sûr, il y avait toujours Eduardo. Mais il l'avait expédié en avance à Las Vegas. D'ici là...

Comment appâter cette petite conne, voilà la question.

Il eut une illumination : une carrière au cinéma. Mais oui ! Tous les top models qu'il avait connus mouraient d'envie de finir à Hollywood.

— Carrie, dit-il tandis que la limousine entrait dans l'aéroport, tu n'as jamais rencontré Marty Scorsese ?

— Non, fit-elle distraitement.

— Si je te le demande, insista-t-il, c'est parce qu'il assistera au match de boxe et que c'est un très bon ami à moi.

Elle réfléchit un moment à ce qu'il venait de dire.

— Un très, très bon ami, ajouta-t-il au cas où elle n'aurait pas compris.

— Et alors ? J'ai déjà tourné dans un film.

— Un bide.

Il se rappelait très bien ce navet extrêmement déshabillé où elle se faisait courser par un jeune premier débile, vêtue d'un semblant de T-shirt.

— C'était un film d'aventures, riposta Carrie, l'air pincé.

— Non, chérie, rectifia Joel. C'était de la merde.

— Ce que tu en penses...

— Ce que j'en pense c'était ce qu'en pensaient tous les critiques. Tu comprends, Carrie, pour réussir au cinéma, il faut un grand metteur en scène.

— Mon agent dit...

— Oublie les agents. Ils n'y connaissent que dalle. Il faut que tu rencontres personnellement un des plus grands.

— Je peux rencontrer qui je veux.

— Bien sûr. Mais dis-toi bien que ce sont les circonstances de l'entrevue qui changent tout. Et comme Marty est vraiment un intime de la famille...

C'était le coup de grâce. Subitement, elle céda.

— Présente-moi, alors.

— Sois gentille avec moi devant le patriarche et je te présente.

Marché conclu. Joel se demanda comment diable il allait s'en tirer : il ne connaissait pas du tout Martin Scorsese. Il ne savait même pas si le metteur en scène serait à Vegas.

Bah, il trouverait bien un moyen. Cette fois comme les autres.

— Est-ce que Jamie t'a appelée ? demanda Madison.

— Non, pourquoi ? fit Natalie.

— Oh, tu finiras par le savoir. Seulement je préférerais que cela vienne d'elle.

— Savoir quoi ?

— Pour elle et Peter. Ça ne va pas bien entre eux. Elle a engagé un détective pour le suivre et le résultat est plutôt moche.

— Il y a quelqu'un d'autre ?

— Disons-le comme ça.

— Quelqu'un que Jamie connaît ?

— Je ne peux pas te le dire.

— Pourquoi donc ?

— Parce que je préférerais qu'elle t'en parle elle-même.

— Mais pourquoi ?

— Si tu peux trouver le temps, saute dans un avion pour New York. En ce moment, elle a vraiment besoin d'être entourée.

— Et toi, quand rentres-tu ?

Madison prit une profonde inspiration. L'idée même de rentrer la rendait malade.

— Je pensais passer quelques semaines à LA...

— Super ! s'écria Natalie. Cole sera ravi. Mon petit frère est fou de toi.

— C'est réciproque.

— Dommage qu'il soit homo. Vous auriez fait un couple adorable, tous les deux.

— Tout à fait surréaliste, certes ! Comment va-t-il, au fait ?

— Ça va. Lui et le Big Boss, c'est le couple de l'année.

Madison jeta un coup d'œil à sa montre. Le moment était venu de se remettre au travail. Elle allait quitter Natalie à regret car celle-ci était, autant que Jamie, une vraie sœur. Sa présence avait un pouvoir rajeunissant, dynamisant.

— Il faut que j'y aille, soupira-t-elle. Notre futur champion attend.

— Moi aussi. J'ai rendez-vous avec l'adjoint au maire.

— Tu as de la chance. Quand je pense que je suis coincée avec un boxeur alors que mon rayon, c'est les hommes politiques !

— Pourtant, ils sont pires que les boxeurs, côté machisme... Toujours prêts à vous mettre la main aux fesses. Pathétique. La semaine dernière je recevais un sénateur... J'ai failli sauter un mètre en l'air : il me caressait les cuisses sous la jupe, en toute simplicité, sans cesser de discuter loi fédérale et protectionnisme.

— Je vois. Le syndrome Clinton. Qu'est-ce que tu as fait ?

— J'ai continué, l'air de rien. Une vraie pro. Que voulais-tu que je fasse d'autre ?

Madison se leva en riant aux éclats.

— L'addition, s'il vous plaît.

— C'est pour moi.

— Pas du tout. Le magazine paiera.

— Tout est réglé, annonça leur serveur. Avec les compliments du proprio. Il fit un petit clin d'œil à Natalie. Lui aussi regarde votre émission.

— Merci, dit Natalie avec un sourire engageant. Vous vous appelez...

— Kiki.

— Vous méritez une récompense, Kiki.

— Ce n'est pas nécessaire !

— Si, si, insista-t-elle. Je vais vous donner un bon tuyau : changez de prénom.

43.

— Enfiler une gonzesse, c'est comme se taper une bouffe.

Antonio, en short orange et chaussettes blanches, avait formulé sa pensée comme on cite un axiome philosophique. Madison respira profondément. Rester calme...

— Et pourquoi ?

— Y a toutes sortes de gonzesses et toutes sortes de bouffe. On peut prendre un hot dog dans un fast-food ou commander un steak juteux dans un bon restau. Vous voyez ?

— Pas franchement. Vous pouvez approfondir ?

Antonio considéra Madison avec l'air de pitié qu'on a pour les attardés mentaux.

— Le steak, commenta-t-il patiemment, c'est la star, ou la danseuse, ou la chanteuse... Un truc qu'on se paie en extra. Après, vous retrouvez les haricots au lard, le truc de tous les jours même s'il y a des fois où ça vous donne envie de gerber.

— Et pour l'instant... Votre menu, c'est... ?

— Un tournedos premier choix. Un cul !

Madison leva les yeux au ciel. Enfin... L'interview se terminait. Elle en savait assez sur Antonio.

— Merci, Antonio, et bonne chance, dit-elle en se levant.

Elle chercha Jake du regard. Il s'affairait pour la photo de couverture. Comme d'habitude, son travail l'absorbait totalement. Impossible de lui parler.

— Je m'en vais, cria-t-elle au manager.

— Vous allez voir un gagnant, demain, déclara le boxeur

en faisant jouer ses biceps. N'oubliez pas, ma petite dame : misez le paquet sur moi.

— Je vous l'ai dit, je ne parie pas.

— Cette fois, il faut... Pour moi, insista Antonio, ses dents en or étincelant dans la lumière. Ça me portera chance.

Le manager la raccompagna jusqu'à sa voiture.

— Vous savez, lui confia-t-il, Tonio dit parfois des choses qui dépassent sa pensée. Vous êtes une fille honnête, vous ne publieriez rien qui le fasse passer pour stupide, n'est-ce pas ?

— Je publie toujours la vérité, répondit-elle calmement. Je n'invente jamais rien.

— Bien sûr, mon chou, ça n'est pas qu'on ne vous fasse pas confiance, reprit-il, bafouillant un peu. Mais parfois, ce qu'il dit pourrait choquer. C'est Tonio... Il aime trop les femmes.

— Vraiment ? Je ne m'en étais pas aperçue.

— Vous viendrez au vestiaire, demain, avant le combat ? Ce sera un vrai cirque, mais vous vous installerez dans un coin, au calme, pour prendre des notes... C'est ce que vous avez l'habitude de faire, hein ?

— C'est ce que je fais, oui.

Jake ne remarquait même pas qu'elle partait... Autant pour le dîner. Non qu'elle l'eût accepté, mais elle aurait voulu l'entendre répéter l'invitation. Merde ! Pourquoi pensait-elle si souvent à lui ?

Maintenant, elle était désœuvrée. Heureusement, Natalie était là et Natalie avait *toujours* des projets. Elle l'appela.

— Il y a tout un tas de fêtes en ville et je ne veux en manquer aucune. Et puis il y a aussi le concert de Kris Phoenix sur lequel je dois faire un sujet. Alors... si tu ne dînes pas avec Jake, tu n'as qu'à m'accompagner.

Madison n'avait aucune envie de faire la fête ni d'être à la remorque de Natalie pendant qu'elle interviewerait Kris Phoenix. Les rockers vieillissants l'insupportaient. D'un autre côté, rester seule dans sa chambre d'hôtel... Va pour une soirée avec Natalie.

Rosarita ne cessa de parler durant le trajet jusqu'au Beverly Hills Hotel, mais Dexter ne l'écoutait pas vraiment. Il pensait à Gem. Il avait enfin rencontré une âme sœur, et il était coincé dans le mariage. Mais un mariage dont sa femme ne voulait plus, et ce n'était pas sa grossesse qui la ferait changer d'avis, il le savait pertinemment. Il se prit à songer au divorce.

— Quelle drôle d'idée, glapit Rosarita.

— Qu'est-ce qui est une drôle d'idée ? grommela Chas.

— De faire escale à LA. Si j'avais voulu venir à Beverly Hills, je n'aurais pas mégoté : une seule soirée, c'est idiot.

— Estime-toi heureuse d'être ici, répondit Chas. J'ai une autre surprise : Matt et Martha vont nous rejoindre. On se retrouve tous pour dîner.

— Merde. Quelle idée !

— Que veux-tu dire ? intervint Dexter.

— Je croyais qu'ils voulaient voir Vegas, marmonna-t-elle d'un ton boudeur.

— Je leur offre un extra, une petite excursion à Beverly Hills, expliqua Chas. Tu n'y vois pas d'inconvénient ?

— Bien sûr que non. C'est ridicule, c'est tout. J'aurais aimé avoir toute la journée pour faire des courses. Il va falloir qu'on se précipite à l'hôtel, puis qu'on se précipite au restaurant et qu'on reparte à toute allure demain matin pour l'aéroport.

— On ne t'a jamais dit que tu étais une enfant gâtée ?

— À qui la faute ?

La limousine se garait devant le Beverly Hills Hotel.

— Tiens ! J'ai passé une semaine ici, mentionna Varoomba, histoire d'alléger l'atmosphère. Dans un bungalow.

Personne ne relevant le fait, elle n'eut pas à préciser qu'elle était alors en compagnie de deux princes saoudiens qui l'avaient gagnée au poker. C'était sans doute mieux ainsi...

Dexter prit une profonde inspiration. La Californie... Elle n'avait pas la même odeur que New York. Il contempla les palmiers qui se dressaient devant l'hôtel. *Oui, je sens que j'aimerai cet endroit. Et je suis sûr que Gem adorerait.*

— J'ai réservé une table chez Spago pour sept heures, annonça Chas.

— Sept heures ? piailla Rosarita. Pourquoi si tôt ?

— Parce que c'était la seule possibilité.

— Pas si on connaît quelqu'un. Tu aurais dû me laisser m'en occuper.

— Tu veux appeler pour voir si on peut changer pour huit heures ?

— Trop tard, maintenant. Je vais quand même essayer de faire quelques courses.

— Je t'accompagne, proposa Dexter.

— Non, Dex. Occupe-toi de tes parents.

— Est-ce que je peux venir ? risqua Varoomba, histoire de mettre Rosarita dans son camp. Je connais les meilleures boutiques de Beverly Hills.

— C'est très aimable à vous, ma chère mademoiselle, mais question « meilleures boutiques », je suis diplômée.

Il fallait lui rendre cette justice : quand Carrie Hanlon l'avait décidé, elle était positivement éblouissante. Dans l'avion de Leon, même Marika s'était radoucie. Carrie l'avait entraînée dans une discussion spirituelle émaillée d'anecdotes sur les goûts sexuels de quelques couturiers parisiens. C'était la première fois que Joel voyait Marika sourire.

— Cette petite est charmante, reconnut-elle en le rejoignant auprès du buffet.

— Je t'avais bien dit qu'elle était sympa, dit-il, savourant son triomphe.

— Elle est plus que sympa, déclara Marika. Elle a de la classe. J'espère seulement que tu ne vas pas la lâcher.

La lâcher ? Quelle conne !

— Bonjour, dit Jamie à l'employé de la réception, qui tomba amoureux sur-le-champ de cette blonde élégante au sourire d'ange. Je me demande si vous ne pourriez pas m'aider...

L'aider ? Mais il marcherait sur des braises rien que pour toucher le bas de son long manteau de cachemire bleu.

— Certainement, madame, assura-t-il en s'éclaircissant la voix, que puis-je faire pour vous ?

— Eh bien, voilà, expliqua-t-elle en tournant vers lui un regard implorant. Je viens d'arriver pour faire une surprise à ma meilleure amie dont c'est l'anniversaire ; je me suis tellement dépêchée que j'ai oublié de faire une réservation.

— Nous sommes absolument complets, madame, dit-il, navré. À cause de la rencontre de boxe de demain soir, nous n'avons plus une seule chambre.

— J'en suis sûre. Mais, voyez-vous, mon amie est Madison Castelli, de *Manhattan Style* ; elle est venue interviewer Antonio Lopez. Je dois retrouver aussi une autre amie, Natalie De Barge, la présentatrice de télévision. Alors... je me disais que vous aviez sans doute des chambres disponibles pour les personnalités qui arrivent à la dernière minute. Même si je ne suis pas une personnalité, je suis persuadée que vous pouvez m'aider, n'est-ce pas ?

Il venait de renvoyer un Texan d'un mètre quatre-vingt-dix avec les deux briques en liquide qu'il lui proposait pour avoir une chambre. Mais il n'y avait pas que l'argent en ce bas monde... Et cette ravissante créature était si bien renseignée : il y avait encore de la place... pour les personnalités.

— Pouvez-vous attendre une minute ? Je vais voir ce que je peux faire.

— Vous êtes le meilleur des hommes, murmura-t-elle en baissant ses longs cils discrètement maquillés.

Dire que la veille au soir, dans le creux du lit, sa femme lui avait reproché d'être le pire...

Le meilleur en quoi ?

Peu importait ! Il allait lui dégoter une chambre.

44.

— Salut ! clama Natalie dans l'appareil. Comment ça s'est passé ?

— À la façon macho, répondit Madison.

— Le boxeur ou Jake ?

— Ha, ha ! Très drôle.

— Sérieusement, tu as arrangé quelque chose avec Jake ?

— Non. Il était trop occupé à photographier Antonio.

— Très bien. Donc, pas de nuit torride en perspective ?

— Probablement pas.

— Alors, mon chou, tu m'accompagnes au concert de Kris Phoenix.

— Tu crois ?

— Mais oui. Tu m'as dit que tu t'étais bien amusée à Miami, pourquoi pas à Vegas aussi ?

— « Amusée » n'est pas le terme. Se beurrer à mort pour se faire sauter par un serveur inconnu, je n'ai pas trouvé que l'idée était si lumineuse, après coup.

— Il n'était pas bon ?

— Il avait dix-neuf ans, Nat. Un « amusement » pour toi, pas pour moi.

— Es-tu en train de me traiter de pute, ma chérie ?

— Inutile, mon adorée, le fait est de notoriété publique. Depuis bien longtemps. Déjà, au collège...

— Salope !

Un rire clair et franc accompagnait l'insulte.

— Assez glosé, reprit Natalie. Je retrouve mon équipe en bas dans une demi-heure ; et habille-toi d'enfer.

Le célèbre restaurant de Beverly Hills, Chez Spago, était bondé, et, malgré le billet de vingt dollars qu'il avait glissé à l'hôtesse, Chas ne parvenait à obtenir que des promesses : « Patientez un moment au bar... Je reviens. » Puis, tout à coup, la demoiselle aperçut Dexter.

— Oh ! monsieur Falcon ! s'exclama-t-elle, quel plaisir de vous accueillir chez Spago. Vous êtes avec M. Vincent ?

— Euh, oui...

— Je m'occupe personnellement de votre table. À tout de suite.

— Merde alors ! lâcha Rosarita. À Hollywood, ça aide d'être un acteur, même de seconde zone.

Toujours garce.

La fille revint quelques minutes plus tard, un charmant sourire aux lèvres.

— Suivez-moi, monsieur Falcon, dit-elle en les conduisant jusqu'à une table en terrasse.

— Pas mal, apprécia Chas en regardant autour de lui. J'aime bien cet endroit. Il est chic.

— Vraiment ? fit Rosarita.

Elle en avait déjà assez. À peine arrivée à l'hôtel, elle s'était précipitée dans les boutiques de Rodeo Drive où elle avait dépensé quelques milliers de dollars tirés sur la carte de crédit de son père – il ne recevrait la facture que dans quelques semaines. À présent, elle trépignait d'impatience. Être à Vegas, se débarrasser de Dexter... Vite ! Ce pauvre Dexter qui aurait pu être une star comme tous ces gens attablés chez Spago, et qui ne serait bientôt plus qu'un souvenir. Un souvenir insignifiant.

Leur avion ayant du retard, Matt et Martha ne les retrouvèrent que vingt minutes plus tard.

— Oh, Seigneur, s'exclama Martha, quel vol ! J'ai cru que nous allions tomber.

— J'en avais le jésus tout retourné, renchérit Matt en inspectant les soubassements du décolleté de Varoomba. Pardon pour le vocabulaire.

— Enfin, vous voilà, sains et saufs, dit Chas, chez le célèbre Spago. Qu'est-ce que vous en pensez ?

— Magnifique ! s'extasia Martha en s'installant. Mon Dieu, ajouta-t-elle, tout excitée, c'est bien Tony Curtis que j'aperçois là-bas ?

— Eh oui, chère petite madame, dit Chas, aussi fier que s'il y était pour quelque chose.

— Vous croyez que je pourrais lui demander un autographe ?

— Pas question, trancha Rosarita. Vous voulez qu'on nous prenne pour des touristes ?

— Ce n'est pas ce que nous sommes ? s'étonna Matt.

Un regard mauvais le fit taire. Chas se plongea dans l'étude du menu.

— Mmm... on en mangerait, déclara-t-il avec un gros rire.

— Tu es impayable, roucoula Varooomba en se blottissant contre lui, au risque de glisser de sa chaise.

— Que nous recommandez-vous ? demanda Dexter au serveur morose qui rôdait autour de leur table.

— Tout est excellent, monsieur, répondit l'homme d'un ton pincé.

— Les menus, dit Chas en lui tendant la carte, ça me casse les couilles. Alors, apportez-nous ce que vous avez de mieux, et ne mégotez pas sur la quantité.

— J'aimerais bien une pizza au saumon fumé, murmura Varoomba.

— Elle est comment ? interrogea Chas.

— Nous appelons cela la pizza juive, monsieur, expliqua le serveur, soudain volubile. Du saumon fumé, du fromage blanc avec un peu de caviar.

— Jamais entendu parler de cela, grommela Chas. Pour moi, une pizza, c'est du fromage, des tomates et des poivrons.

— Tu devrais essayer, l'encouragea Varoomba, j'en ai pris la dernière fois que je suis venue ici.

— Dans ce restaurant ? demanda Chas, soupçonneux.

— Je t'ai dit que j'avais passé une semaine à Beverly Hills, chuchota-t-elle.

— Ouais ? Avec qui ?

— Oh ! avec une amie très âgée... Elle est défunte.

Et la soirée se poursuivit.

Rosarita pensait : *Plus tôt je serai à Vegas, plus tôt je réglerai mon problème.*

Dexter pensait : *Je me demande ce que fait Gem. Est-ce qu'elle pense à moi ?*

Chas pensait : *J'espère que mon abrutie de gouvernante a bien fait évacuer les affaires de Varoomba. Elle me tape vraiment sur le système. Nibards ou pas, j'en ai marre.*

Varoomba pensait : *Si Mémé se conduit bien, il y a de bonnes chances que Chas régularise. Il serait temps.*

Martha pensait : *Tony Curtis, Tony Curtis. Oh, mon Dieu. Quel bel homme encore !*

Matt pensait : *Je me demande si Varoomba fait des pipes à Chas. Oui, ça a bien l'air d'être son genre.*

Ce fut de la pizza pour tout le monde.

Joel avait de quoi être satisfait. Carrie, en effet, s'était si bien entendue avec Leon que leur conversation avait duré tout le temps du vol. D'abord enchantée de la rencontre, Marika avait progressivement viré à l'inquiétude, puis à la rage. Joel bichait.

— Ces stupides jeunes femmes, lui siffla-t-elle à l'oreille, elles se prennent pour des déesses.

— Ma foi, Marika, répondit Joel d'un ton innocent, c'est ainsi que les hommes les traitent. Regarde Leon... Il y a une éternité que je ne l'ai vu de si bonne humeur.

Carrie, de son côté, se découvrait un goût prononcé pour les jets privés et les milliardaires, les vrais. Entre Leon et Joel, il n'y avait pas à hésiter. Du moment que des Eduardo restaient à portée de main...

Elle descendit la passerelle au bras de Leon ; Joel et Marika suivaient.

Deux limousines attendaient sur la piste.

— Carrie, vous venez avec moi, ordonna Leon, un sourire extatique aux lèvres. Marika et Joel, prenez l'autre voiture.

Joel faisait contre mauvaise fortune bon cœur. *Ça alors... Voilà le baron tout émoustillé. Il doit bien y avoir quelque chose à tirer de la situation.*

Marika n'était pas si bonne joueuse.

— Ah, ton père ! grinça-t-elle. Il en fait toujours un peu trop devant les jolies femmes. Surtout qu'il doit s'imaginer qu'elle sera un jour sa bru. Tu as l'intention de l'épouser, Joel ?

— Mon père et vous ne vous êtes jamais mariés, et je trouve que vous avez eu bien raison. Alors pourquoi est-ce que moi je le ferais ?

Marika le foudroya du regard – il savait qu'elle aspirait plus que tout à changer son statut de maîtresse en titre pour celui, tellement plus confortable, d'épouse légitime.

Les deux limos se distancèrent durant le trajet et, quand Joel et Marika arrivèrent à l'hôtel, il n'y avait plus trace ni de Leon ni de Carrie. Joel se présenta à la réception.

— Nous sommes avec M. Blaine, annonça-t-il.

— Ah oui, monsieur. M. Blaine est déjà arrivé. Je vais vous faire conduire à vos appartements.

Marika était blême.

Joel ne dit rien pour la rassurer ; il avait aperçu Madison Castelli.

— Tiens, tiens. Que faites-vous ici ?

Madison resta interloquée une seconde avant de se rappeler qui il était.

— Ah, bonjour, dit-elle enfin. Je suis ici pour mon travail.

C'est bien ma chance de tomber sur cet abruti.

— Parce qu'on peut travailler à Vegas ? demanda Joel avec son regard-qui-tue, du moins le croyait-il.

— Quelque chose pour *Manhattan Style.*

— Une interview ?

— Antonio Lopez.

— Moi, je parie sur l'autre. Mais rien de tel que de discuter avec le perdant.

— Ce ne sera pas lui le perdant, Joel, affirma-t-elle. Passez quelques heures avec lui et vous comprendrez. Il ne connaît pas grand-chose à la boxe, mais il croit en lui comme un mystique croit en Dieu.

— Vous êtes très en forme, apprécia Joel en se rapprochant d'elle.

Le regard de Madison parcourut le hall en quête d'une aide possible.

— Vous avez des projets pour ce soir ? s'informa Joel.

— Oui. Je... J'ai rendez-vous avec des amis. Un rapide coup d'œil à sa montre. Oh, mon Dieu, je suis déjà en retard.

— On se reverra ?

— Peut-être.

Dans une autre vie.

Marika, qui avait suivi leur conversation, attendait manifestement que Joel la présente.

— Bonjour, dit-elle, finalement.

— Oh... Madison, vous connaissez Marika ? C'est...

— Je suis dans la vie la partenaire de M. Blaine, lança Marika, le regard flamboyant. De M. *Leon* Blaine.

La précision, en effet, était indispensable.

— Enchantée, fit Madison. Madison Castelli.

— J'ai lu vos articles. J'aime beaucoup votre style.

— C'est toujours agréable à entendre.

— Oh oui ! Elle est épatante, renchérit Joel comme s'il parlait de sa meilleure amie.

— Merci, Joel.

Ah bon ? Il sait lire ? Peut-être qu'il a dépassé l'école primaire, malgré les apparences.

— J'ai beaucoup aimé votre article sur les call-girls de Hollywood, reprit Marika. Très documenté et très émouvant.

— Merci encore. Maintenant, si vous voulez bien m'excuser, il faut que je file.

Et elle détala sans laisser à Joel le temps d'ajouter un mot.

45.

L'âge n'avait pas atteint Kris Phoenix. À cinquante ans et des poussières, il était plus séduisant que jamais. Cheveux blonds décolorés, yeux bleus aux reflets de glacier, hâle soigneusement entretenu sous une lampe à bronzer et un air de beau gosse un peu voyou. Ce rocker légendaire, Chris Pierce de son vrai nom, était né dans le quartier de Maida Vale, à Londres. Il avait été jadis un adolescent bourré de talent ; il accumulait encore les disques d'or, donnait des concerts à guichet fermé. Son bataillon de fans était indéfectible. Sans parler des femmes : jeunes ou vieilles, elles l'adoraient.

Il vivait pour l'instant avec Amber Rowe, une jeune comédienne qui venait de remporter un oscar. Filiforme, juchée sur des jambes interminables et totalement dépourvue de poitrine, elle semblait être aux yeux de Kris, malgré leurs trente ans de différence, la compagne idéale ; celui-ci envisageait sérieusement de l'installer chez lui.

Il tenait sa cour à l'entrée de la loge. Dans un moment, il donnerait à Vegas un concert unique.

Natalie était resplendissante dans sa courte robe blanche de Versace et un blouson en peau de serpent.

— C'est ma tenue de rockeuse, avait-elle expliqué à Madison. Comme je n'arrive pas à obtenir de vrais reportages d'actualité, autant rigoler jusqu'au bout.

Tandis qu'elle approchait de l'idole, Madison se réfugia dans le coin de la pièce où se tenait Amber Rowe.

— J'ai *horreur* de ce cirque, déclara celle-ci en se

mordillant les ongles. Tous ces paparazzi sans cesse à nos trousses. Je les exècre.

Ce n'était pas la première fois qu'une parfaite inconnue se confiait à Madison. Elle attirait les confidences. Et, parfois, certains en disaient plus qu'ils ne l'auraient souhaité.

— Vous pourriez rester chez vous, suggéra-t-elle.

— Allez donc dire ça à Kris ! Il pense qu'il va manquer quelque chose s'il ne sort pas tous les soirs.

— Insistez. Demandez-lui de passer deux ou trois nuits par semaine à la maison. Ça ne le tuerait pas.

— Je vais essayer, déclara Amber comme si l'idée ne lui était jamais venue.

À l'autre bout de la pièce, plantée devant la caméra, Natalie flirtait outrageusement avec Kris. Le rocker jouait le jeu en vrai professionnel mais, une fois l'interview terminée, il s'éloigna aussitôt pour discuter avec son attaché de presse, et Natalie rejoignit son cameraman.

Puis elle vint chercher Madison, qui bavardait toujours avec Amber.

— Allez, on se taille. Une équipe de télé concurrente vient d'arriver. Il faut mettre les voiles.

— Je vous verrai au concert ? demanda Amber à Madison, un rien de regret dans la voix.

Natalie reconnut la jeune femme et s'exclama :

— Eh ! on peut discuter devant la caméra ?

— Désolée, je ne fais de la promo que pour mes films. Et comme je n'ai rien qui sort maintenant, c'est non.

— Allons, fit Natalie en arborant son plus radieux sourire, juste un ou deux commentaires sur Kris.

— Impossible ! dit Amber en reculant.

— Qu'est-ce qui se passe ? demanda Kris, pantalon moulant et cheveux en bataille. Vous faites des misères à mon amie ?

— Pourquoi pas ? répliqua Natalie. Vous êtes ensemble, non ? Je ne peux pas en parler ?

— Non, mon chou. Amber n'est pas du genre à raconter sa vie privée, alors vous la laissez tranquille, d'accord ?

Et, prenant sa compagne par le bras, il l'entraîna résolument hors de portée.

— D'accord, Kris, cria Natalie. À plus tard, après le

concert. Une pause, et elle ajouta à mi-voix, entre ses dents : Trouduc.

— On s'en va ? proposa Madison.

— Et comment !

Une fois dehors, Natalie laissa éclater sa fureur.

— Ce boulot me débecte. Allons prendre un verre, que je vide mon sac.

— Tu es coanimatrice d'une émission très regardée, fit observer Madison. Qu'est-ce que ça a de si épouvantable ?

— Je passe mon temps à tenir le crachoir à des connards mégalomanes. Des cancans. Des ragots. Est-ce que machin est homo ? Truc a bien eu recours à un lifting ? Qui saute qui ? Je me fous de tout ça ! Je m'en contrefous ! Je voudrais couvrir des vraies infos, pas les faits et gestes de prétendues célébrités.

— Bienvenue au club, soupira Madison.

— Toi, au moins, tu choisis tes victimes.

— Avec un petit coup de main de Victor.

— J'ai besoin de boire quelque chose pour tenir le coup pendant le concert, dit Natalie en appelant une serveuse.

Madison, quant à elle, se demandait où était Jake. Que pouvait-il bien faire ? Bon sang ! elle ne cesserait donc jamais de penser à lui ? Pendant ce temps, Natalie descendait en flammes son émission de télé.

— Mon problème, déclara-t-elle en faisant la moue, c'est mon physique.

— Tiens ! C'est embêtant d'être jolie ?

— Je suis trop sexy pour une émission sérieuse.

— Tu en serais malade si ce n'était pas le cas.

— Pas du tout.

— Eh bien, reprit Madison, si tu veux qu'on te prenne plus au sérieux, tu n'as qu'à changer d'image.

— Impossible. Où voudrais-tu que je cache mes superbes seins ?

— Voyons un peu... Eh bien, tu pourrais te faire opérer. Une ablation...

— Va te faire mettre.

Elles éclatèrent de rire.

À cet instant, Jamie se glissa derrière elles en criant :

— Coucou !

— Bonté divine ! cria Natalie en sursautant. Toi ! D'où sors-tu ?

Carrie Hanlon avait la tête qui lui tournait. On venait de lui offrir ce dont elle avait toujours rêvé. Pas ce qu'elle avait déjà : la célébrité, la carrière, l'argent, l'admiration. Ce dont elle rêvait vraiment. Au fond d'elle-même, Carrie était hantée par la peur de perdre tout et de se retrouver, misérable petite Clarice O'Hanlon, dans sa banlieue minable. Cette idée la pétrifiait.

Elle avait déjà rencontré des hommes riches prêts à lui offrir la lune, mais aucun de l'envergure et de l'intelligence de Leon Blaine. Celui-ci dégageait une aura exceptionnelle, il donnait une impression de puissance qui lui donnait le vertige.

De toute évidence, l'attirance réciproque. Ils étaient encore à mi-chemin de Vegas qu'il lui avait fait des propositions, pas les classiques : « Carrie, je vous offrirai toute la devanture de Cartier si seulement vous jetez un regard vers moi. » Non, il était différent.

— J'ai beaucoup vécu, avait-il commencé. J'ai parcouru le monde et j'ai vu bien des choses. Mais, Carrie, il ne m'a *jamais* été donné de contempler une femme aussi belle que vous.

Ça, bien sûr, elle l'avait déjà entendu, mais la suite était plus surprenante.

— Vous êtes digne d'hériter de ma fortune.

— Puis-je vous rappeler, lui avait-elle répondu sans se démonter, que nous venons à peine de faire connaissance ?

— Je suis un impulsif. C'est comme cela que j'ai fait fortune. Voilà dix ans que je cherche un héritier.

— Vraiment ?

Sa voix n'était qu'un souffle.

— Joel ne mérite pas ma fortune.

— Pourquoi donc ?

— Mon fils me rend malade. Il est comme une mauvaise blague. Je lui laisserai quelques millions pour s'amuser. Mais il s'agit de milliards. Je cherche quelqu'un à la hauteur. Il marqua un temps. Ce pourrait être vous, Carrie.

Des milliards. Carrie possédait quelques millions de dollars, « quelques » seulement. Son regard s'éclaira.

— Et que faudrait-il que je fasse pour hériter de votre fortune, Leon ? s'était-elle enquise en se penchant vers lui.

— Mettre au monde un bébé de moi. Mon véritable héritier.

— Je vous croyais marié, avait-elle dit en désignant Marika, qui les observait depuis l'autre extrémité de la cabine.

— Marika est mon assistante. Oui, nous vivons ensemble depuis quelque temps. Mais imaginez-vous vraiment que je veuille la voir hériter ? Croyez-vous qu'elle puisse être la mère de mon fils ?

— Vous êtes un homme sans pitié.

— Vous êtes une femme sans pitié. Je veux votre beauté, votre jeunesse. Et un fils. Si vous me donnez un fils, je veillerai à ce que tous les deux vous ayez tout. C'est une proposition commerciale, Carrie.

— Comment cela ?

— Un contrat sera rédigé par mes avocats, qui stipulera que vous disposerez d'un certain délai pour être enceinte.

— Et si cela n'arrive pas ?

— Vous serez royalement indemnisée. Je comprends, reprit-il après un silence, que cela vous paraisse bizarre. Pourtant, quand vous avez embarqué ce matin dans mon avion, j'ai tout de suite su que vous étiez celle que je cherchais.

Ces paroles étaient restées gravées dans sa mémoire. Maintenant, elle arpentait sa suite, en proie à la plus grande confusion. Cinq minutes plus tôt, Joel lui avait téléphoné.

— Je passe te prendre pour le concert.

— Pour quoi faire ?

— Nous allons tous au concert de Kris Phoenix.

— Ah oui !

Elle avait eu, l'année précédente, une brève aventure avec le rocker – elle n'avait pas tardé à s'apercevoir qu'il n'était pas son type. Elle les préférait... Elle se rappela Eduardo, qu'elle venait de congédier. Troublée par la proposition de Leon, elle avait perdu tout appétit.

— Reviens plus tard, lui avait-elle dit.

— À quelle heure ? avait demandé le garçon, déstabilisé dans sa préparation mentale.

— Ce soir, vers minuit.

D'ici là, elle aurait pris une décision. Leon lui avait laissé le week-end.

— Ça ne va pas ? s'inquiéta Madison.

— Non, ça ne va pas, s'indigna Jamie. Comment veux-tu que ça aille, avec ce salaud que j'ai laissé derrière moi à la maison ?

— Qu'est-ce que c'est que cette robe ? s'étonna Natalie en détaillant les épaules nues au-dessus du fourreau noir. Tu as carrément les seins à l'air.

— Quel accueil ! Je viens jusqu'ici rien que pour vous, les filles !

— J'ai l'impression qu'il se passe quelque chose et personne ne me dit quoi, s'énerva Natalie.

Madison commença l'histoire, et Jamie la termina.

— Ça alors ! Ça n'est pas croyable. Peter et un mec !

— Je ne remettrai pas les pieds chez moi, déclara calmement Jamie. Ma décision est prise.

— Que comptes-tu faire ? demanda Madison. T'installer à Vegas ?

— Non. Ce soir, je m'envoie Kris Phoenix – Une pause langoureuse – Ensuite, on verra.

46.

Rosarita était dans la salle de bains, se préparant pour la nuit ; Dexter, assis au bord du lit, cherchait le nom du restaurant où Gem travaillait. Il finit par le retrouver et appela les renseignements. Il lui restait dix minutes environ avant de voir Rosarita réapparaître ; il composa le numéro.

— Je cherche à joindre une serveuse... Je ne suis pas très sûr de son nom de famille, mais elle se prénomme Gem. Voyez-vous de qui je parle ?

— C'est une ligne pour les réservations, et nous ne prenons pas d'appels pour les membres du personnel. Enfin, je pense que je peux faire une exception... Attendez, je crois que je vois Gem.

Il attendit en pianotant nerveusement sur le combiné, redoutant que Rosarita ne le surprenne.

— Allô !

Il savoura une seconde le son de sa voix, si douce et si musicale.

— Bonjour. C'est Dexter Falcon.

— Où es-tu ?

— En Californie. Au Beverly Hills Hotel, à Hollywood.

— Oh ! fit-elle, impressionnée.

— Un jour, toi et moi...

Il s'interrompit brusquement ; il n'allait pas se mettre à bâtir des châteaux en Espagne pendant que sa femme enceinte se préparait pour la nuit dans la salle de bains voisine. D'ailleurs, pourquoi téléphonait-il à cette fille ? C'était de la folie. Il se reprit et bafouilla :

— Je... je voulais juste te dire bonjour.

— Ah oui ?

En tout cas, elle semblait contente de l'entendre.

— Quel est ton numéro personnel ?

Elle hésita une seconde, puis donna les chiffres d'une voix décidée. Il les griffonna sur un bloc auprès du téléphone et fourra le bout de papier dans sa poche.

— Je tâcherai de t'appeler plus tard, promit-il.

— Ce serait gentil. Combien de temps restes-tu à LA ?

— Une nuit, puis deux à Vegas.

— Tu es vraiment cool, remarqua-t-elle avec un petit rire. Moi aussi, j'aimerais bien pouvoir faire des choses comme ça, un de ces jours.

Un de ces jours, tu le feras. Nous serons ici ensemble et nous serons très heureux tous les deux.

— Bon, je t'appellerai peut-être plus tard.

— Où descends-tu, à Vegas ? Dans un autre palace ?

Sans réfléchir, il lui donna l'adresse et le regretta aussitôt. Et si elle l'appelait ?

Non. Ce n'était pas son genre.

Il raccrocha. Un drôle de bonheur lui coulait dans les veines. Quelques instants plus tard, Rosarita sortit de la salle de bains. Il avait bien calculé son coup.

— Tu t'imagines ? Ta mère qui voulait demander un autographe à Tony Curtis !

— Pourquoi pas ? Maman a toujours eu un faible pour lui. Côtoyer toutes ces stars, ça l'excitait.

— Vraiment ? railla-t-elle.

— Tu es blasée.

— Moi, blasée ?

— Et trop sophistiquée.

— J'en conviens. Je suis une femme sophistiquée, et c'est probablement la raison de notre mésentente.

— Bon, fit-il, je vais prendre une douche.

Avec un peu de chance, s'il restait assez longtemps dans la salle de bains, elle dormirait quand il en sortirait.

— On est vraiment obligés de se coucher aussi tôt ? marmonna Varoomba, les poings sur les hanches.

— Hein ?

Chas était occupé à s'épiler les sourcils avec la pince qu'elle avait abandonnée dans la salle de bains. Elle se planta derrière lui, dans sa petite robe jaune très courte, toute prête à faire la fête.

— Il est tôt, gémit-elle. Même pas neuf heures.

— L'avion décolle de bonne heure, demain matin.

— On pourrait au moins descendre prendre un verre au bar.

— Tu en as vraiment envie ? dit-il, sans cesser de s'arracher les sourcils.

— On commanderait un alcool de pêche et on discuterait.

— De quoi veux-tu qu'on discute ?

— Je ne sais pas, de trucs...

— Je viens de te dire qu'on avait un vol tôt demain matin.

— Tu sais, reprit-elle en se collant contre son dos, quand on sera à Vegas, j'aimerais te présenter ma grand-mère.

— Ta quoi ?

— Ma mémé, elle m'a élevée. C'est une personnalité.

Voilà autre chose ! Varoomba était là pour le lit ; pas pour les joies familiales... Chas soupira.

— Elle te plaira, lui assura Varoomba, comme s'ils avaient déjà pris rendez-vous avec l'ancêtre.

— Ah oui ? fit Chas en reposant la pince. Elle te ressemble ?

— Très drôle ! Bien sûr que non.

— Déloque-toi, poulette, conclut-il en lui saisissant les seins. Et, par pitié, boucle-la.

— Tu as remarqué ce que Rosarita mangeait ? demanda Martha en enroulant une mèche sur un bigoudi rose.

— Pas vraiment, répondit Matt, qui inspectait le contenu du mini bar.

— Elle a pris un steak avec plein de sauce.

— Et alors ? fit Matt en prenant une canette de bière.

— Ça n'est pas une nourriture rêvée pour une femme enceinte.

— Martha, tu ferais mieux de la fermer. N'oublie pas

que nous sommes là en invités. Ça ne me paraît pas indispensable de jouer les emmerdeurs.

— Ça m'est égal, insista Martha. C'est notre premier petit-enfant. Je vais lui parler de son régime.

— C'est ça, va donc tout gâcher.

— Je ne vais rien gâcher du tout, Matt.

— Mais si, comme toutes les belles-mères.

Un peu plus loin, Dexter attendait que Rosarita fût endormie. Après s'en être assuré, il s'habilla précipitamment, descendit dans le hall à la recherche d'une cabine et appela Gem au numéro qu'elle avait donné. De toute évidence, elle n'était pas encore rentrée car, à sa grande déception, personne ne décrocha.

Il revenait vers l'ascenseur quand il aperçut Tom et Penelope Cruise qui traversaient le hall.

Un jour, moi aussi, je serai une star. Je traverserai le hall du Berverly Hills Hotel, Gem à mes côtés. Un jour pas si lointain.

47.

— C'est elle, la bonne amie ? railla Jamie.

— C'est elle, confirma Natalie. Elle a un sacré talent. Elle vient de décrocher un oscar.

— Qu'est ce que j'en ai à foutre ? Je suis venue ici pour me taper Kris Phoenix, et je me le taperai.

Elles étaient assises à une table au premier rang, dans le grand salon où Kris devait donner son concert.

— Mazette ! On peut dire que tu ne doutes de rien, admira Natalie. C'est vrai que, dans ta jeune vie, tu n'avais qu'à te baisser pour prendre.

— Plus ou moins.

Jamie buvait des vodkas-Martini à la file – mauvais signe – et elle était déjà à moitié ivre.

— Ce soir, intervint Madison, tu risques de tomber sur un os : Kris semble très amoureux d'Amber.

— Oh, je vois, fit Jamie en se tournant vers elle. Tu es déjà à tu et à toi avec la chère petite, hein ?

— Nous avons échangé trois mots, reconnut Madison. C'est une gentille fille, très jeune.

— Et moi, qu'est-ce que je suis ? Une douairière ?

— Ne le prends pas comme ça. Ils sont pratiquement fiancés.

— Ils ne sont pas mariés. Alors, pour moi, il est toujours en circulation.

— Je ne veux pas manquer ça, déclara Natalie. Jamie monte à l'assaut. Je parie sur toi, ma petite.

— Pas moi, dit Madison. Je ne veux rien à voir à faire là-dedans.

— Merci. C'est bon d'avoir des amies.

— Tu le pousserais vraiment à rompre ?

— Mieux.

— Ça veut dire quoi ?

— Ça veut dire : je le baise, et après je raconte tout à sa copine.

— Ben merde ! s'étonna Jamie. Tu joues les salopes, maintenant ?

— C'est un homme, non ? Tant pis pour lui.

Brusquement, Madison se pencha vers ses amies et chuchota :

— Ne vous retournez pas : Leon Blaine, le multimilliardaire, se dirige vers la table voisine. Croyez-le si vous voulez, mais son abruti de fils est... au bras de Carrie Hanlon.

— Tu plaisantes, fit Natalie en se retournant aussitôt.

— Seigneur, gémit Madison. Quelle maîtrise de soi !

— Il n'y a pas de mal à regarder. Merde, qu'elle est belle !

— Qui ça ? demanda Jamie, qui n'avait qu'à moitié suivi.

— Carrie Hanlon, figure-toi.

Le directeur de l'hôtel, sa femme et un autre couple étaient à la table des Blaine. Leon avait placé ses invités : Carrie à côté de lui et Marika en face. Celle-ci était aussi jaune que son Pernod.

Joel avait repéré Madison et cherchait un prétexte pour l'aborder. Décidément, cette nana avait quelque chose de plus qu'un top model, même les plus belles, sans parler de Rosarita. La classe, l'intelligence, la beauté... Elle avait tout ce qu'il recherchait chez une femme. Mais elle n'avait pas l'air intéressée.

— Avez-vous envisagé ma proposition ? murmurait Leon à Carrie.

— Leon... Êtes-vous sérieux ?

Carrie avait posé la question en secouant sa crinière fauve.

— Je ne plaisante jamais sur les sujets importants.

— L'endroit est mal choisi pour en discuter. Votre amie n'arrête pas de me regarder. Ça me met mal à l'aise.

— Ne vous occupez pas de Marika. Elle fait ce que je dis.

— C'est très macho, ça.

— Je suis très macho. Mais ça ne vous gêne pas, j'en suis sûr.

— C'est vrai. La célébrité m'a enseigné certaines choses.

— Vous aimez cela ?

— Quelquefois.

— Vous arrive-t-il de penser que peut-être, un jour, on pourrait tout vous retirer ?

— Comment avez-vous deviné ?

— Je le vois dans vos yeux.

— C'est une situation étrange.

— Vous trouvez ? Allons, vous croyez sûrement au destin ?

— Oui.

— Alors, laissez-vous aller.

— C'est peut-être ce que je vais faire.

Sa voix n'était plus qu'un murmure. Il planta son regard dans le sien.

— Mon fils ne vous intéresse pas. Pourquoi êtes-vous ici ?

— J'avais envie de venir, fit-elle d'un ton vague.

— Pas à cause de Joel. Vous êtes trop forte pour un homme comme Joel. Et quand je dis « un homme »...

— Vous n'êtes pas très gentil.

— ... Je devrais dire « un crétin ».

— C'est cruel.

— Je n'ai pas fait fortune en débitant des amabilités.

— Vous parlez toujours de votre argent.

— C'est un sujet qui passionne la plupart des gens. Vous y compris.

— J'ai de la fortune, moi aussi.

— Et qui s'en occupe ?

— Mon homme d'affaires.

— Faites attention qu'il ne vous gruge pas.

Soudain, Marika se pencha à travers la table.

— De quoi parlez-vous, tous les deux ?

— De rien qui t'intéresserait, répondit sèchement Leon.

Marika était livide, à présent. Il cherchait la guerre... Elle était prête.

Le public était de plus en plus huppé ; les célébrités occupaient les meilleures tables. Jamie se leva et partit vers les toilettes d'un pas hésitant.

— Un rêve pour une journaliste du show-big, fit Natalie d'un ton amer. Tu parles ! Ce sont mes meilleurs amis tant qu'ils ont quelque chose à vendre. Après ça, plus personne ne me connaît.

— Mais qu'est-ce qui t'a mise dans une telle rogne ? s'inquiéta Madison.

— Je ne sais pas, fit Natalie en haussant les épaules. Toutes ces stars nous méprisent. Nous ne sommes là que pour les servir, pour faire vendre leur camelote.

— Pour l'instant, ce n'est pas notre problème. Notre problème, c'est d'éloigner Jamie de Kris. Parce que, si elle se fait planter là par l'idole, elle va s'effondrer.

Au moment de regagner la salle, Jamie tomba nez à nez avec Antonio Lopez.

— Mmm, soupira Antonio. Vous êtes un rudement beau morceau, ma petite dame.

Jamie, ignorant l'identité du nouveau venu, leva les sourcils.

— Allez, poulette, reprit Antonio en claquant la langue, tu viens t'asseoir à la table du futur champion ?

— Je ne pense pas. Merci.

Elle regagna sa place en rêvant d'un autre Martini. Joel vint aussitôt se planter devant elles trois avec un sourire conquérant.

— Quel bouquet de jolies femmes ! déclara-t-il. Puis, se tournant vers Madison : Et vous en êtes l'orchidée...

— Salut, Joel, fit-elle d'un ton las.

— Venez donc vous installer à notre table, au lieu de rester là toutes seules.

Madison soupira. Pourquoi ce type s'obstinait-il à la poursuivre ? Elle n'avait pas été assez claire ?

— Merci. Nous attendons des amis.

— Je répète ce que je vous ai dit tout à l'heure, dit Joel en se penchant vers elle, vous avez l'air sacrément en forme.

— Joel, cessez, je vous en prie. Imaginez la situation inverse : une quasi-inconnue vous débite des fadaises à la chaîne... Comment réagirez-vous ?

— Essayez, fit-il avec un clin d'œil grivois.

— Vous l'aurez cherché, murmura-t-elle.

Elle fit un mouvement de la tête, fixa ostensiblement sa braguette et déclara d'une voix forte :

— Ça vous démange drôlement, on dirait, Joel. Vous êtes en manque ?

Interloqué, il recula d'un pas et protesta :

— Hé ! ho ! J'ai rien dit qui offense une dame, non ?

— Madison n'est pas une « dame », s'esclaffa Natalie. Méditez ce que vous avez dit avant de recommencer.

Joel abandonna aussitôt la partie et se tourna vers Jamie, noyant son regard dans les abysses du fourreau noir.

— Où est donc votre mari ? Ce n'est pas prudent de laisser toute seule une beauté comme vous.

— Peter est à New York. Et c'est bien ainsi.

— Ah ! problèmes ?

— Pas du tout, coupa sèchement Madison. Joel, pourriez-vous retourner à votre table.

— Ne soyez pas si agressive avec moi. Avouez que je vous plais. Mais que je vous fais un peu peur, c'est normal...

— Vous avez raison. C'est cette braguette... Elle révèle ce qu'il y a de meilleur en vous, Joel. Et c'est terrifiant !

Marika s'était arrangée pour échanger sa place avec celle de l'épouse du directeur de l'hôtel. De cette manière, elle était assise à côté de Leon. Très occupé à discuter avec Carrie, celui-ci ne remarqua la manœuvre que lorsqu'une main étroite comme une serre s'abattit sur son bras. Sans lui laisser le temps de protester, elle lui chuchota à l'oreille :

— Tu te rappelles cette prostituée, à Saigon ? Tu te rappelles ce que tu lui as fait, Leon ?

— De quoi parles-tu ?

— Fais un effort de mémoire. Je suis certaine que tu vas t'en souvenir.

— C'était il y a des années, marmonna-t-il, furieux.

— Oui... Mais j'ai toujours les photos. De si bons souvenirs... Je les ai gardées, bien en sûreté.

— Pourquoi me dis-tu ça ?

— Pour rien. Rappelle-toi que je te connais mieux que personne.

Madison remarqua qu'Antonio et sa bande étaient assis trois tables plus loin. Jake et sa jeune assistante s'y trouvaient.

Elle n'en croyait pas ses yeux. Jake jouant les pique-assiette... Elle aurait attendu mieux de lui.

Encore un loser. Dommage.

48.

Kris Phoenix s'engouffra sur la scène comme un cyclone. L'âge n'avait ralenti ni son rythme ni son énergie. C'était du bon vieux rock et on adorait ça. Le public était en délire.

Madison se rappela la première fois où elle l'avait vu sur scène : pour un concert en plein air, à Central Park, où Michael l'avait emmenée ; de loin, elle était tombée amoureuse du batteur. Elle avait quinze ans et aurait donné n'importe quoi pour aller dans les coulisses. Son père et elle avaient terminé la soirée sur la Cinquième Avenue, un hot dog à la main. Un bon souvenir.

Michael. Papa. Elle avait essayé de le chasser de ses pensées, en vain : c'était son père, après tout, la personne qu'elle chérissait le plus au monde. Elle supportait très difficilement d'être brouillée avec lui. En vérité, il lui manquait.

Comment peut-il te manquer ?

Parce que c'est comme ça.

Foutaise, c'est un assassin. IL A TUÉ TA MÈRE.

Ce n'est pas du tout certain.

Mais si.

— Je reviens tout de suite, chuchota-t-elle à Natalie.

— Où vas-tu ?

— Me repoudrer.

Elle se leva et traversa le salon dans la pénombre traversée des éclairs de lumière venus de la scène. Kris donnait le meilleur de lui-même mais elle s'en fichait. Elle se fichait de tout. Seule la présence de Jamie l'empêchait de filer. Qu'est-ce qui lui avait pris de venir à Vegas ? Et, maintenant, c'était elle et elle seule qui pouvait tirer son amie du mauvais pas où elle s'apprêtait à se mettre – on ne pouvait pas compter sur Natalie.

En revenant, elle tomba sur Jake.

— Tu sais ce que je déteste ? demanda-t-il.

— Les Lolita ?

— Les vieux rockers en pantalon moulant avec une chaussette roulée en boule dans la braguette.

— Tu sais ce que moi, je déteste ?

— Je t'écoute.

— Les hommes qui dorment une semaine dans mon lit, qui disparaissent et reviennent comme si de rien n'était.

— Tu sais ce qui me plairait ?

— Vas-y.

— Un petit dîner tranquille dans un restaurant romantique... Même si, à Las Vegas, ce doit être à peine moins difficile à trouver qu'un monastère de religieuses cloîtrées.

— Il est vrai que c'est tentant, soupira Madison.

— Alors, allons-y, dit-il en lui prenant le bras.

— Pas possible.

— Pourquoi ?

— Trop compliqué.

— Qu'est-ce qui est compliqué ?

— Tout. Il faut que tu comprennes, Jake. J'aimerais vraiment dîner avec toi, mais mon amie Jamie a des problèmes.

— De quel genre ?

— Des problèmes de mec, comme toujours.

— Tu ne veux pas me raconter ? Je peux peut-être t'aider. Je suis un mec, après tout.

— Vraiment ? Je commençais à l'oublier.

Il sourit.

— Toujours le dernier mot...

Elle adorait son sourire – juvénile mais responsable.

Pourquoi faut-il que je me punisse de cette façon ? Quel mal y a-t-il à m'amuser avec Jake ? Est-ce que j'ai besoin de le prendre au sérieux ? Après tout, j'ai trente ans demain. Il serait temps de penser à fêter cela.

— Bon, expliqua-t-elle. Voici la triste histoire. Jamie a découvert que son mari avait une liaison.

— Ça arrive tout le temps, non ?

— Une liaison avec un homme.

— C'est moins courant.

— Exactement.

— Alors, comment peux-tu l'aider ?

— Jamie est venue à Vegas dans l'intention bien arrêtée de coucher avec Kris Phoenix.

— Ça lui a pris comme ça ?

— Non. Ça fait un petit moment qu'il lui court après. Sauf que maintenant il a une compagne, Amber Rowe.

— La comédienne ?

— Exact.

— Alors comment ta copine compte-t-elle s'y prendre ?

— C'est bien là le problème. Amber est très présente. Or Jamie se flatte d'être capable de tomber qui elle veut. En général, c'est vrai. Mais, dans ce cas, elle risque de se ridiculiser.

— Tu es donc en train de me dire que nous ne pouvons pas dîner ensemble parce que tu dois protéger ton amie ?

— C'est ça, l'amitié, non ?

— Et si on se mettait à deux pour la protéger ?

— Que ferais-tu de ta Lolita ? Tu es avec elle, n'est-ce pas ?

— Pas du tout. Antonio nous a invités à la soirée. Comme c'est une fan de Kris Phoenix, elle a accepté. J'ai suivi le mouvement parce que je te cherchais. Quand je t'ai vue descendre aux toilettes, je suis venu t'attendre.

— Tu ne peux pas la laisser seule avec Antonio. Il va la violer avant que tu aies passé la porte.

— Voici le topo. Sitôt le concert terminé, je la renvoie chez elle en taxi et toi, tu embarques ta copine à son hôtel. Ensuite, toi et moi, nous nous offrons notre souper romantique. Qu'est-ce que tu en penses ?

— Je... ma foi... je ne sais pas.

— Moi, je sais. Tu me prends pour une tache qui s'est défilée. Et tu n'as pas tout à fait tort – Une pause – Tu te souviens de ce que je t'ai raconté, à LA ? Ma femme est morte dans un accident de voiture, et je ne peux pas éviter de me sentir responsable – Nouvelle pause – Je sais que c'est difficile à admettre, mais voilà pourquoi j'ai tant de mal à m'engager. Encore un silence. J'ai peur qu'il t'arrive quelque chose.

— Il n'est pas question de s'engager. Je me suis engagée une fois, avec un type qui m'a laissée tomber. Depuis, je suis allergique. Elle changea de ton. Ta femme et toi... Vous étiez séparés quand elle s'est tuée, non ?

— Oui, mais la nuit de l'accident, nous nous étions vus, et ça s'était mal terminé. Elle n'était pas concentrée sur sa conduite... Je ne sais pas... Mais, en tout cas, je me sens coupable.

— Bon, Jake. D'accord. Après le concert, je ramène Jamie à son hôtel, tu mets ta Lolita dans un taxi, et nous nous retrouvons pour discuter.

— Ça me paraît bien. Tu sais ce que j'aime chez toi, Madison ?

— Quoi ?

Il eut ce sourire qui la faisait craquer.

— Tu es la femme la plus intelligente que je connaisse.

— J'ai envie d'aller à la soirée, insista Jamie.

— Ça ne me paraît pas une bonne idée, répéta Madison.

— Et pourquoi donc ?

Jamie n'avait pas l'habitude de boire et cela se voyait.

— Combien de fois faudra-t-il que je te l'explique ?

— Elle ne t'écoute pas, fit remarquer Natalie. J'ai une idée : retrouvons là-bas mon cameraman et patrouillons avec lui pendant quelques minutes. Comme ça, Jamie pourra dire bonjour à Kris, et ensuite on se tire.

— Mais vous n'avez donc pas compris ? répéta Jamie. Il ne s'agit pas de dire bonjour...

— Mais si, mais si. On a compris. Seulement, tu ferais mieux de remettre ça à demain parce que, ce soir, Kris est très pris.

— D'accord, marmonna Jamie. Je vais juste lancer l'appât et je lui règle son compte demain. Ça vous va ?

— Oui, à condition que tu ne boives plus, ordonna Madison.

— Seigneur ! s'écria Jamie. J'ai l'impression de me retrouver au collège.

— Peter sait-il que tu es ici ? s'informa Madison.

— J'en ai rien à secouer.

— Tu devrais lui faire savoir que tu es vivante. Sinon, il va te chercher partout.

— Et alors ? riposta Jamie d'un ton de défi. C'est comme s'il m'avait tuée.

— Mais non, protesta Madison. Tu as la vie devant toi. N'oublie pas.

— Mais enfin, dit Jamie, les yeux pleins de larmes. Tu as bien vu ces photos ? Tu te rends compte de ce qu'il m'a fait ?

— Eh bien, je pense qu'il est puni, aujourd'hui.

— Ça, oui, il est puni, répéta Jamie en attaquant son troisième Martini. Et ça ne fait que commencer.

Après dix rappels, Kris salua une dernière fois ses fans et disparut. Le moment était venu pour les invités de gagner la terrasse de son hôtel, où devait se dérouler la soirée qui suivait le concert.

Madison se leva, cherchant Jake des yeux, le repéra et lui fit un signe de la main auquel il répondit aussitôt.

Ce rendez-vous est-il bien raisonnable ?

Non, mais pourquoi s'en priver ? Elle cherchait seulement un peu d'affection, peut-être quelques bons moments, mais pas le mariage. Était-ce si terrible ?

— Ne perds pas Jamie de vue, recommanda-t-elle à Natalie en la saisissant par le bras. J'ai juste un mot à dire à Jake.

— Un mot ? railla Natalie.

— Parfaitement, Nat. Ai-je ton approbation ?

— Tu l'as pour tout ce qui peut t'envoyer au septième ciel, ma chérie.

— Merci.

— Bien que ce ne soit pas une *vraie* bonne affaire... La prochaine fois, vise un milliardaire, quoi ! Ce serait bien, non ? On ferait des virées dans son avion privé... Regarde Carrie Hanlon, entre ses deux gros calibres.

— Tu crois qu'elle couche avec Blaine le fils ? interrogea Jamie.

— Non, c'est un zéro.

— Dans le genre vulgaire, je le trouve assez fascinant, déclara Jamie.

— Oh arrête ! fit Madison. Avec tous ces Martini qui t'embrument le cerveau, tu serais capable d'en dire autant du vigile.

— Justement. Il a une carrure intéressante. Si je loupe Kris, peut-être que je me rabattrai sur lui !

— Seigneur, Seigneur ! soupira Natalie. Protégez cette petite du mal, je veux dire du mal qui est en elle, bien sûr !

49.

Madison, Jamie et Natalie arrivèrent à la soirée en même temps que la foule des journalistes et des invités.

— Voilà une bousculade que je vais m'éviter, grommela Natalie. Je me tire.

— Et moi donc ! renchérit Madison.

C'était compter sans Jamie.

— Regardez-moi, les filles...

Et, sans laisser à ses amies le temps d'intervenir, elle fonça vers les deux gardes qui filtraient les arrivants.

— Je suis la décoratrice de M. Phoenix, déclara-t-elle d'un ton hautain. Voudriez-vous le prévenir de ma présence ? Jamie Nova, de New York.

— Oui, madame, mais il va falloir attendre qu'on ait son accord.

— Très bien... J'attends.

— Qu'est-ce que tu fais ?

— J'amorce pour demain. D'accord ?

— Je t'en supplie, calme-toi.

— Promis, d'ici à demain soir, j'aurai eu le temps de me calmer.

Chacun avait son idée : Leon Blaine, jouer ; Joel Blaine, se rendre à la fête de Kris Phoenix ; Carrie Hanlon, retrouver Eduardo ; quant à Marika, elle ne rêvait plus que de quitter Las Vegas.

Leon eut le dernier mot, évidemment. Le groupe fut donc escorté jusqu'à une table de roulette aussitôt fermée au public, et Leon fit ses mises, manipulant les jetons comme s'ils n'avaient aucune valeur. Cependant, son numéro sortait à tous les coups. Sans raison, Joel était exaspéré.

— Le vingt-neuf à cheval, lança Leon à Carrie en lui tendant une poignée de plaques.

— Qu'est-ce que ça veut dire ?

— Posez vos jetons autour du numéro.

La scène attira des spectateurs, maintenus à distance par quelques gardes.

— C'est une table privée, annonça l'un d'eux.

— Vous avez le droit de faire cela ? s'informa une femme vêtue d'un short orange fluo.

— Dans ce casino, madame, nous avons tous les droits.

Joel lança quelques plaques sur le trente-cinq, son chiffre fétiche, tandis que Leon misait vingt mille dollars sur le vingt-neuf.

Le croupier fit tourner la roulette.

— Allez, le trente-cinq, le trente-cinq, murmura Joel.

— Le vingt-neuf, annonça le croupier.

Leon, un des hommes les plus riches du monde, venait de gagner bêtement plus d'un demi-million de dollars.

Carrie battait des mains.

— J'ai gagné combien ?

— Suffisamment, lâcha Leon en allumant un gros cigare.

— Quand serez-vous à New York, Kris ? s'enquit Jamie avec ce sourire qui faisait chavirer le cœur des hommes. Votre appartement commence vraiment à prendre forme.

— Ça dépend, répondit-il en admirant sans se cacher les petits seins parfaits de sa décoratrice.

— De quoi ?

— De vous. Tous les deux, on pourrait...

À ce moment précis, Amber s'approcha, et son apparition transforma le rocker. Il se tourna vers elle et la serra dans ses bras.

— Où étais-tu, chérie ?

— Je joue à cache-cache avec les journalistes. Ils sont partout, Kris.

Elle dévisagea Jamie.

— Euh... vous ne vous connaissez pas ? dit Kris. Je te présente Jamie... euh...

— Nova, souffla Jamie, vexée.

— Oui, Jamie Nova. Elle est... ma... décoratrice à New York. C'est elle qui retape l'appartement, précisa-t-il en passant un bras affectueux autour de l'épaule de Jamie. J'aimerais que tu voies ça, chérie.

— Justement, je serai à New York la semaine prochaine, déclara Amber. Je dois faire une émission de télé.

— Alors, installe-toi là-bas. C'est prêt, Jamie ?

— Non, Kris, pas avant quelques mois.

Et merde, cette fille lui plaît vraiment. Elle est tout en angles et en cheveux plats. Que peut-il bien lui trouver ?

— Pouvons-nous nous voir demain ? suggéra-t-elle. J'ai quelques idées que j'aimerais vous soumettre. Quel serait le meilleur moment ?

— Euh... je ne sais pas, marmonna Kris. Peut-être dans l'après-midi. Il se tourna vers Amber. Qu'est-ce qu'on a demain ?

— Plein de choses, répondit-elle sans plus de précision, tout en reculant pour éviter l'objectif d'une caméra braquée sur eux.

— Amber est timide, expliqua Kris.

— C'est avec *vous* que j'ai besoin de travailler, maintenant, insista Jamie avec un long regard innocent, et non avec vos collaborateurs.

— D'accord. Appelez-moi donc demain vers une heure.

Et il lui lança un clin d'œil égrillard. L'affaire était dans le sac.

Il était minuit passé quand Madison et Jake purent enfin envisager leur souper romantique.

— C'est ridicule, dit-elle en riant dans le vacarme des machines à sous, mais je suis incapable de dîner aussi tard.

— Renonçons au restaurant et faisons-nous servir quelque chose dans la chambre.

— Laquelle ?

— Qui a la meilleure chambre ?

— Venant de ta part, c'est drôle. Tu es censé être

l'éternel vagabond détaché des contingences matérielles. Que t'importe le confort de la chambre ?

— Bon, je précise. Qui est le mieux placé côté notes de frais ? J'ai envie de caviar et de champagne.

— Toi, tu as envie de caviar et de champagne ?

— Nous sommes à Vegas, non ? Autant se mettre dans l'ambiance.

— Bon... Je suppose que je suis la mieux défrayée. Va pour ma chambre. D'ailleurs, je ne serais pas mécontente de présenter à Victor une note un peu salée.

— On s'arrête aux machines à sous avant de monter.

— Les machines à sous, c'est pour les poires. Une partie de black jack ?

— Je n'ai jamais joué. C'est compliqué ?

— Oh, Jake ! Tu es un vrai collégien.

— Moi, un collégien ? protesta-t-il. Après la guerre en Bosnie et Dieu sait où encore ? Un collégien ?

— Ce n'est pas une insulte ; bien au contraire. J'aime ce quelque chose d'intact chez toi.

— D'intact ?

— Parfaitement. Je t'observais aujourd'hui pendant que tu photographiais cet abruti de boxeur : tu en oubliais le reste du monde.

— J'aimerais prendre des clichés de toi.

— Pas question, dit-elle en faisant une grimace. J'ai horreur de poser.

— Sans poser, je te promets. Laisse-moi faire, ce soir.

— Tu es fou ?

— Quelquefois.

— Alors, éluda-t-elle, que décidons-nous ? On fait monter un en-cas dans ma chambre ? On s'arrête à la table de black jack ? Ou aux machines à sous ?

— Comme tu voudras. Être avec toi me suffit.

— Dans ce cas, je choisis la première idée.

Ils traversèrent le casino la main dans la main. Madison se sentait soudain très légère : elle avait ramené sans encombre Jamie jusqu'à sa chambre, Natalie et son équipe filmait une autre soirée, et Jake avait mis la gamine dans un taxi. Ils étaient donc déchargés de toute responsabilité.

Ils s'engouffrèrent dans un ascenseur... vide. Jake la

bloqua contre la paroi et l'embrassa. Une tâche à laquelle il mettait tout son cœur. Certainement, il « en oubliait le reste du monde ».

— Avec combien de filles as-tu couché à Paris ? murmura-t-elle, furieuse contre elle-même mais incapable de se taire.

— C'est un interrogatoire ?

— De la curiosité.

— Ah !

— Désolée, ce ne sont pas mes affaires.

— Et toi, combien d'hommes as-tu séduits pendant que je travaillais comme un dingue à Paris ?

— Je n'ai pas compté, mais, en fait, pas tant que ça.

Elle avait parlé d'un ton léger tout en ouvrant la porte de sa chambre.

— Bon, dit Jake, en se précipitant sur la carte, que commandons-nous ? Une bouteille de dom pérignon et du Beluga ?

— Tu aimes vraiment le caviar ?

— Je dois te faire un aveu : je n'en ai jamais mangé.

— Fais attention ; on y prend goût, et ensuite, quand il faut s'en passer...

— C'est comme toi. J'ai pris goût à tes lèvres, et maintenant...

— Toi, tu sais bien où te mèneront ces compliments, murmura-t-elle dans un souffle.

Ils s'écroulèrent sur le lit, vaincus par les rires et le désir.

50.

— Bordel ! Ce qu'on est secoué, dans cet avion, grommela Rosarita. Je n'en peux plus !

— Pas autant que sur notre vol d'hier, fit observer Martha d'un ton d'habituée. N'est-ce pas, Matt ?

Celui-ci, fasciné par les jolies jambes de l'hôtesse, se fichait éperdument des turbulences.

— Qu'est-ce qu'on en a à foutre de votre vol d'hier ? lâcha Rosarita, exaspérée. Ce qui me fait le plus mal, c'est de penser que si l'avion s'écrase Venice empochera l'héritage. Dieu, ne le permettez pas !

Martha secoua la tête ; l'humour de cette chère enfant était parfois déconcertant.

Rosarita tapa sur l'épaule de Chas.

— J'espère qu'une voiture nous attend à l'aéroport ! Je te préviens, je ne prends pas de taxi.

— Oui, c'est prévu. Mais qu'est-ce que cette histoire : tu refuses les taxis ? Tu te prends pour une princesse ?

— Je te rappelle que je suis enceinte, papa. *Enceinte !* Tu l'oublies tout le temps. Il faut me traiter avec beaucoup d'attentions.

— Ah oui ?

— Parfaitement.

Quand elle serait Mme Joel Blaine et la mère de l'héritier de Leon, ils seraient bien obligés, tous, de la traiter en princesse. Et ils regretteraient, alors, de l'avoir comptée pour rien.

Madison s'éveilla lentement, roula en travers du lit, étendit le bras et toucha un corps. Après un moment de stupéfaction, la mémoire lui revint. Las Vegas. Jake. Aujourd'hui, c'était son anniversaire.

Trente ans ! Tu es terriblement vieille.

Jake dormait encore. Appuyée sur un coude, elle l'observa, découvrant une petite cicatrice sur son épaule droite. Bizarre, à New York, elle ne l'avait pas remarquée, mais c'était si loin.

En définitive, elle était ravie de leurs retrouvailles. La soirée d'hier lui avait offert tout ce qu'elle souhaitait : les rires, la tendresse et le sommeil dans ses bras. Alors, qu'importe si tout cela ne devait pas durer ? Au moins, ils prenaient du bon temps.

Il s'agita dans les draps et ouvrit les yeux.

— Tiens, je ne suis pas dans mon lit.

— Vraiment ?

Il s'étira paresseusement.

— Est-ce que je t'ai dit combien je suis désolé d'avoir été si nul ? Je ne recommencerai pas, c'est promis.

— Agis comme tu veux, Jake. Chacun est libre.

— Ah... je vois. Le style « faisons l'amour et adieu matelot ».

— « Adieu matelot ? » Où est-ce que tu as trouvé ça ?

— Aux quatre coins du monde. Il se pencha sur elle pour lui caresser le visage. Sérieusement, tu es rudement belle, le matin. Je vais chercher mon appareil.

— Non, Jake...

— Pourquoi ?

— Parce que, sur les photos, je suis horrible, bougonna-t-elle en fronçant le nez.

— Tu n'y parviendrais pas, même si tu essayais.

— Pourquoi es-tu si gentil avec moi ?

— Parce que c'est ton anniversaire, déclara-t-il en enfilant son pantalon.

— Vas-y, rappelle-moi que je suis décrépite.

— Quel âge as-tu, au fait ?

— Je ne peux pas te le dire.

— Un peu de courage !

— Trente ans.

— Trente ans ? Où est le problème ?

— Pour toi, nulle part, mais, pour une femme, trente ans, c'est une vraie frontière. Elle se redressa sur l'oreiller. Voyons, qu'est-ce que j'ai fait jusqu'à maintenant ? Regarde, ce livre : je ne trouve jamais le temps de le terminer.

— Tu y arriveras.

— Mais non, pas au rythme où j'écris ! La course incessante à l'interview de prétendues personnalités que je n'ai aucune envie de rencontrer... Un silence. Mon Dieu, je bougonne comme Natalie.

— Comment ça ?

— Nous avons cela en commun, elle et moi : les marionnettes avec un nom connu et un crâne vide, ça nous gonfle...

— Lance-toi dans autre chose, dans quelque chose qui te plaise.

— Facile à dire. De quoi est-ce que je vivrais ?

— Tu t'en tireras. Regarde-moi.

— Je suis sûre que photographier Antonio Lopez dit la Panthère ne t'amuse pas plus que ça ; mais tu l'acceptes pour l'argent... Non ? Et ça te donne les moyens de réaliser ce dont tu as envie.

— Ce dont j'ai envie..., répéta-t-il d'un ton songeur. Puisque tu parles d'envie...

— Oui ?

Elle souriait, déjà prête à ouvrir les bras. Il se pencha et l'empoigna par la taille.

— Par ici, femme.

— Tu es insatiable.

— Avec toi, oui.

Joel Blaine passa la nuit entière à rôder dans le casino comme un prédateur. Il ne s'était même pas couché. À quoi bon ? Il n'aurait pas trouvé le sommeil.

Pour commencer, Leon avait raflé une somme énorme, puis il avait tendu une liasse de billets à Carrie, qui s'était mise à pousser des cris de fillette hystérique avant de le planter là pour passer la nuit avec Eduardo.

Là-dessus, il était tombé sur des copains de New York. Tous ensemble, ils avaient fini la soirée dans la meilleure boîte de strip-tease de Vegas – deux heures passées à filer des biftons à des filles aux nibards en plastique et aux sourires figés.

Des putes. Toutes des putes. Sinon, pourquoi feraient-elles ce métier ? Quand il en avait eu assez, il était revenu au casino et avait laissé un paquet au craps. Il était alors remonté dans sa chambre, imaginant de faire monter une fille, puis il y avait renoncé. Il était redescendu au casino où il avait perdu encore et encore.

À présent, il était vanné et écœuré. Il s'approcha de la table de roulette et lança, sans aucune illusion, ses derniers billets de cent sur le trente-cinq. À sa stupéfaction, le numéro sortit. Après avoir empoché ses gains, il décrocha un téléphone et appela Carrie.

De toute évidence, il la réveillait.

— Quoi ? dit-elle d'une voix endormie.

— Vous êtes levée ?

— Pas vraiment, articula-t-elle dans un énorme bâillement.

— Dommage, parce qu'on aurait pu prendre un petit déjeuner avec Scorsese. Ce sera pour plus tard. Maintenant, il a une réunion. C'était comment, hier soir ?

— Pas mal.

— Marika est furieuse contre vous.

— Pourquoi ?

— Parce que le patriarche n'a d'yeux que pour vous. Et heureusement qu'on ne baise pas, tous les deux, sinon, je serais en rogne aussi.

— Est-ce ma faute si je le fais craquer ?

— Habillez-vous et venez me retrouver pour le petit déjeuner.

— Pour quelle raison est-ce que je ferais ça ?

— Seigneur ! Il faut toujours parlementer, avec vous ?

— Vous me prenez à rebrousse-poil, Joel.

— Ce serait bien de mettre au point ce rendez-vous avec Scorsese : votre carrière cinématographique ne va nulle part. Vous n'avez pas l'intention de rester éternellement une couverture de magazine de mode ? Retrouvez-moi à la cafétéria dans une demi-heure.

— Quelle autorité !

— Ça fait partie de mon charme.

— Quel charme ?

Jamie ouvrit les yeux et poussa un gémissement. Elle avait une violente gueule de bois – une sensation très inhabituelle.

Qu'est-ce que j'ai fait, hier soir ? La mémoire lui revint. Rien. Heureusement. Kris Phoenix n'était pas libre, et cela lui avait évité de foncer, tête baissée, dans une histoire qu'elle aurait regrettée.

Elle se dirigeait vers la salle de bains quand le téléphone sonna.

— Hello, fit-elle d'une voix hésitante.

— Bonjour, chérie.

Il n'y avait pas à se tromper sur cet accent inimitable.

— Kris ?

— Lui-même.

— Euh... bonjour.

— Écoutez, dit-il sans autre préambule, Amber est partie pour une balade à cheval. Alors pourquoi ne passeriez-vous pas maintenant ?

— Tout de suite ?

— Non, dans un mois – Un silence – Bien sûr, tout de suite !

— Pour...

— Pour le petit déjeuner. Rien de tel qu'un petit déjeuner d'affaires.

Lorsque l'avion se posa enfin, Dexter avait le bras couvert de marques laissées par les ongles manucurés de Rosarita. En vérité, ils avaient été pas mal secoués, mais sa rêverie l'avait empêché d'en prendre conscience.

Il avait songé à accorder le divorce à Rosarita. Mais à la condition qu'elle lui laisse la garde de l'enfant. Non, ça ne marcherait pas. Elle ne se gênerait pas pour utiliser le bébé comme un pion. Mais, s'il décrochait un gros cachet pour un film important, il pourrait donner le paquet à Rosarita... Non. Ça ne marcherait pas non plus. Jamais elle ne lui laisserait le gosse.

Et si, quelques mois après avoir accouché, elle était... par exemple... renversée par un camion ? Non, il n'aurait pas cette chance-là.

S'il voulait garder son gosse, Gem resterait un rêve impossible. Or il y tenait absolument.

— Comment va notre bébé ? demanda-t-il à Rosarita.

— Quoi ?

— Notre bébé. Comment se porte notre bébé dans ton ventre ?

— Quelle connerie !

Décidément, la grossesse n'avait pas adouci son caractère.

51.

De l'aéroport jusqu'à l'hôtel, Martha resta le nez collé à la vitre de la voiture à pousser des cris d'extase, puis, près de la réception, elle aperçut Leonardo DiCaprio dans un groupe de jeunes gens et faillit s'évanouir sur place.

— Mon Dieu ! Leonardo ! Tony Curtis à Beverly Hills, et maintenant Leonardo DiCaprio à Las Vegas ! Mes amies du club de lecture ne me croiront jamais !

Rosarita leva les yeux au ciel et se rapprocha de Dexter. Lui aussi, après tout, était une célébrité, modeste, certes, mais bien connue des amateurs de feuilletons télévisés.

Quand Chas eut fini de discuter avec l'employé de la réception, elle se présenta.

— Je suis Mme Dexter Falcon.

— Que puis-je pour vous, madame ? demanda-t-il poliment.

— Je voulais simplement vous prier de noter que mon mari est descendu à l'hôtel. Dexter Falcon, la star de la télé. Il serait peut-être bon d'en informer votre service de relations publiques. J'aimerais que vous nous fassiez porter les invitations pour les réceptions des deux prochains jours.

Et, sans attendre la réponse, elle s'éloigna.

— Que faisais-tu ? demanda Dexter.

— J'assurais nos positions.

— Quelles positions ?

Carrie fit attendre Joel. Assis à la cafétéria devant une assiette d'œufs brouillés au bacon, il était d'une humeur massacrante.

— Enfin, merde ! râla-t-il lorsqu'elle apparut. Carrie, je croyais que vous étiez une pro.

— Quoi ?

— Vous êtes toujours en retard !

— Vous trouvez ?

— Comment s'est passé le baby-sitting, hier soir ?

— Satisfaisant, répondit-elle en examinant le menu.

— Nous devons retrouver le patriarche et sa gardienne de prison pour le déjeuner. De quoi avez-vous parlé tous les deux, hier ? Il est resté tout le temps collé à votre oreille.

— Confidentiel.

— Vous plaisantez ?

— Leon n'aimerait pas que je répète notre conversation. Mais, où est M. Scorsese ? Je croyais qu'il devait être ici.

— Je vous l'ai déjà dit. Il avait une réunion. Je lui ai parlé de vous. Ça l'intéresse de vous rencontrer.

— Je ne passe pas d'audition.

— Qui parle d'audition ? Je lui ai expliqué que vous étiez une véritable actrice, pas seulement une cover-girl.

— Il sait qui je suis ?

— Seigneur, on vous voit sur les couvertures de tous les magazines d'Amérique.

Elle eut un grand sourire.

— Quand dois-je le rencontrer ?

— Plus tard. Au cocktail, avant le match.

— Bien.

— Qu'as-tu envie de faire aujourd'hui ? demanda Jake.

— Et toi ?

— J'ai pris assez de photos d'Antonio. Je n'ai pas besoin de retourner là-bas. Et toi, tu as tout ce qu'il te faut ?

— Oh oui ! Assez de conneries pour remplir un livre.

— Alors, louons un bateau pour aller sur le lac Mead.

— Ça me paraît une bonne idée. Je passe juste un coup de fil à Natalie et à Jamie.

— Pourquoi ? Tu les emmènes ?

— Bien sûr que non ! Natalie travaille, et, pour ce qui est de Jamie, j'espère qu'elle va reprendre le premier avion pour New York. Il faut qu'elle affronte son mari.

— Tu crois qu'elle en est capable ?

— Je le pense.

— Elle est vraiment belle...

— Tu essaies de me rendre jalouse ?

— La jalousie, ce n'est pas ton truc. Tu as trop confiance en toi.

— Vraiment ?

— C'est l'impression que tu donnes, encore que...

— Oui ?

— J'ai découvert quelque chose de vulnérable en toi.

— Allons donc !

— Mais oui.

Elle sourit et décrocha le téléphone. La chambre de Jamie ne répondait pas.

— Mme Nova est partie ? s'enquit-elle auprès de la standardiste.

— Non, madame.

Elle appela ensuite Natalie.

— Quoi de neuf ?

— J'ai rencontré un mec, commença Natalie. Un comédien ou quelque chose du genre. Un Black à tomber par terre ! Tout à fait mon type. On s'est retrouvés dans la piscine à une heure du matin.

— Que faisais-tu dans la piscine ?

— Tout. Elle reprit sur un autre ton : Quelle heure est-il ?

— Dix heures passées.

— Merde, il faut que j'aille voir mon producteur pour décider du connard qu'on va se coltiner aujourd'hui. Et toi, quels sont tes projets ?

— Je suis avec Jake.

— Bonne nouvelle.

— Nous allons faire du bateau sur le lac Mead.

— Terriblement romantique. Alors je te retrouverai plus tard. N'oublie pas qu'il y a un cocktail avant le combat de boxe ce soir. Je vais te faire inviter.

— Non, merci.

— Écoute, ma petite, tu es à Vegas, il n'y a rien d'autre à faire.

— Mais si !

— Alors, à plus.

— Entendu.

— D'accord pour le lac Mead ? demanda Jake dès qu'elle eut raccroché.

— Allons y, décida-t-elle en sautant à bas du lit. Je m'offre une journée de congé.

— Je prends mon appareil.

— Pour quoi faire ?

— Parce que je ne sors jamais sans lui. Et aujourd'hui, mademoiselle Castelli, que ça vous plaise ou non, la vedette, c'est vous.

Rosarita était furieuse.

— Cette chambre est ridiculement petite.

— Nous ne sommes ici que pour deux nuits, observa Dexter en ouvrant sa valise.

— Qu'est-ce que ça change que ce soit pour deux nuits ou pour mille ? Je parie que Chas se paie une suite princière... Et il nous loge dans un trou à rats. Il n'en est pas question.

— Tu ne peux rien y faire !

— Ah ? tu vas voir !

Décrochant le téléphone, elle appela la réception.

— Ici, Mme Dexter Falcon, annonça-t-elle avec majesté. M. Falcon, premier rôle dans « Sombres Journées ». Nous devions avoir une suite pour le prix d'une chambre. Il y a manifestement eu une erreur. Pourriez-vous, je vous prie, envoyer quelqu'un pour déplacer nos bagages ?

— Ça ne marchera jamais.

— Qu'avons-nous à perdre ?

— Tu te sers de mon nom.

— À quoi bon avoir un nom si on ne peut pas l'utiliser ?

— C'est embarrassant. Ils ne savent sans doute même pas qui je suis.

— Je suis d'accord avec toi, Dex : c'est en effet embarrassant que tu sois si peu connu. Mais je suis embarrassée par toi depuis que nous sommes mariés.

Il la dévisagea. Si elle n'avait pas été enceinte, il lui aurait accordé séance tenante ce divorce auquel elle tenait tant.

Dégrisée, Jamie ne savait plus très bien ce qu'elle voulait. Cependant, presque machinalement, elle s'habilla et prit un taxi jusqu'à l'hôtel de Kris. Dans l'ascenseur qui la conduisait à la suite qu'il occupait, elle commença à s'interroger. Avait-elle vraiment envie de coucher avec un rocker vieillissant uniquement dans le but de se venger d'un mari infidèle ?

Pourquoi pas ? Elle agirait et ensuite elle annoncerait à Peter : « Oh ! au fait, Peter, pendant que tu t'envoyais le nommé Brian, moi, je me tapais Kris Phoenix. »

Elle connaissait son mari et sa jalousie obsessionnelle...

Elle regretta de ne pas avoir pris un verre pour se donner du courage : à jeun, elle n'était pas certaine de tenir le coup.

Kris l'accueillit à la porte de sa suite, vêtu d'un peignoir de bain blanc. En toute simplicité. La lumière du jour le vieillissait un peu, mais il restait appétissant. Et si anglais !

— Je croyais que vous ne vous leviez pas avant le déjeuner, remarqua-t-elle.

— J'aime bien votre tenue, dit-il en désignant du menton le petit pull en angora bleu ciel de Jamie. Elle vous va si bien...

Elle le savait ; la maille un peu lâche de la laine donnait aux hommes des faiblesses dans les genoux.

Une table était dressée dans le salon – jus d'orange frais et café.

— Où est Amber ?

— On a eu une grande scène hier soir. Comme je vous l'ai dit, elle est partie, furieuse, galoper dans le désert ou je ne sais quelle connerie.

— Pourquoi vous êtes-vous disputés ?

— Elle ne veut pas qu'on la voie avec moi. Elle n'a pas le sens de la publicité. Elle est jeune...

— Quel âge a-t-elle ? demanda Jamie en se versant une tasse de café noir.

— Vingt-deux.

— J'en ai vingt-neuf. Je suis trop vieille pour vous !

— Vous, ma chérie, vous n'êtes trop vieille pour personne. Venez me donner un bisou.

— Je peux vous demander une précision auparavant ? fit-elle en reculant d'un pas.

— Demandez.

— Que portez-vous exactement, mis à part le peignoir ?

— Un grand sourire et, dessous, une érection ! lança-t-il en éclatant de rire. Ça vous va ?

52.

Non seulement Rosarita obtint une suite, mais elle reçut également une invitation au cocktail donné à six heures par la direction de l'hôtel.

— Regarde, triompha-t-elle en brandissant le carton sous le nez de Dexter, nous sommes invités et nous irons.

— Et les autres ?

— Eux ne sont pas invités, donc ils n'iront pas.

— Ce n'est pas sympa, protesta Dexter. Tu sais combien maman adorerait ça.

— Dex, cesse de t'accrocher à ta maman ! Ils n'ont qu'à se débrouiller tout seuls. Nous les retrouverons bien.

— Tu es sûre de ne pas pouvoir les faire inviter aussi ?

— Non, Dex, c'est un cocktail select. La direction de l'hôtel n'invite que ses clients connus.

— Tu es certaine ?

— Je vais faire des courses, lança-t-elle sans répondre.

— Tu en as déjà fait hier, à Beverly Hills.

— C'est toi qui paies les factures ?

— Non, mais je pensais que nous pourrions rester tous ensemble aujourd'hui.

— Pas moi. Je vous rejoins pour le déjeuner.

— Chas a dit Chez Spago, au Caesar Palace. Maman est tout excitée.

— Il suffirait d'un tube de dentifrice pour l'exciter !

— Ne sois pas si méchante, Rosarita. Tu n'étais pas comme ça quand nous nous sommes rencontrés.

— C'était il y a longtemps, Dex.

— Même pas deux ans.

— J'ai l'impression que ça en fait vingt...

Dex avait à présent la même impression qu'elle. Il lui laissa le dernier mot et changea de sujet

— Je vais faire un peu de jogging. Rendez-vous Chez Spago à une heure.

À peine fut-il sorti qu'elle se précipita dans la salle de bains pour tirer du fond de son nécessaire de toilette le flacon de poison qu'elle y avait dissimulé. Maintenant que le moment approchait, elle se sentait nerveuse. Et si le poison ne faisait pas d'effet ? Si Dex survivait ? Si elle l'avait sur les bras jusqu'à la fin de ses jours ?

Insupportable. Il fallait que ça marche.

Sa première idée avait été de refiler le poison à Dexter dans la chambre même, avant qu'ils ne descendent. Mais, seule à se trouver sur les lieux, elle serait suspectée. Non, c'est au cours du cocktail qu'il lui fallait agir : au milieu de la foule, verser quelques gouttes dans un verre ne présenterait pas de difficulté et rien ne permettrait d'orienter les soupçons vers elle.

Mais comment opérer sans se faire remarquer ?

Ce ne devait pas être si difficile. Rosarita avait confiance.

Chas, sa sieste à peine terminée, se sentait prêt à jouer.

— Allons-y, dit-il à Varoomba en lui fourrant deux cents dollars dans les mains. Prends quelques jetons et fais un tour de casino. On va se faire un peu de pognon.

— Tu as retenu la table pour le déjeuner ?

— Mais oui, mais oui.

— N'oublie pas que tu as promis de faire la connaissance de ma mémé !

— Je n'ai rien promis du tout.

— Si.

— Et alors ?

— Alors... Elle peut venir déjeuner ?

— Déjeuner ?

— Comme ça, elle rencontrera ta famille. Je ne te demande pas grand-chose, Chas. Je t'en prie, laisse-moi l'inviter.

— Ah, Seigneur...

— Ça veut dire oui ?

— Ça veut dire peut-être.

— Merci, mon chou, s'écria-t-elle en se jetant à son cou. Tu es mon gros nounours. Je t'aime tant.

« Je t'aime » ? Le mot était nouveau... Et inquiétant. Jusqu'à présent, il avait été absent du vocabulaire de Varoomba. Son intrusion dans la conversation rendait Chas extrêmement nerveux. Il lui fallait absolument s'assurer que le déménagement avait bien été effectué.

Ne jamais rien laisser au hasard : c'était sa devise.

De jour et à jeun, Jamie jugeait son idée initiale d'un autre œil. Mais comment arrêter le raz de marée qu'elle-même avait déclenché ?

Kris avait la main leste et volontaire. Il l'avait renversée sur le dossier du canapé et lui caressait les cheveux. Puis il entreprit de la peloter sous son petit pull angora comme un teen-ager qui fait ses premières armes.

— Doucement, Kris, haleta-t-elle. Pas si vite.

— Voyons, marmonna-t-il dans son cou. On n'a pas beaucoup de temps, ma petite. Allons-y franchement. C'est bien ce que tu veux, n'est-ce pas ?

— C'est vous qui me couriez après, à New York. Vous m'appeliez sans cesse, lui rappela-t-elle.

— Et ton mari n'aimait pas ça, pas vrai ? gloussa Kris. Que lui est-il arrivé, d'ailleurs ?

— Je l'ai surpris à me tromper.

— Voilà pourquoi tu es là...

— Peut-être. Mais pas seulement. J'ai toujours eu un faible pour vous.

Il avait dégrafé son soutien-gorge sans lui laisser le temps de réagir. Cependant, malgré l'excitation qui la gagnait, elle hésitait encore. C'était une chose de clamer qu'elle allait s'envoyer Kris Phoenix. C'en était une autre de le faire.

Quand les mains de Kris se refermèrent sur ses seins nus, elle sursauta. Il en profita pour se coller contre elle.

— J'ai quelque chose à te montrer.

— Quoi donc ?

— Ça.

Et il écarta les pans de son peignoir, révélant que sa plaisanterie était fondée : il avait le sourire... et l'érection.

— Oh... mon Dieu..., parvint-elle à soupirer, au moment précis où la porte s'ouvrait sur Amber.

53.

— C'est merveilleux, apprécia Madison.

Allongée sur le pont du bateau, elle savourait le plaisir de ne rien faire, de ne penser à rien, de jouir simplement de la présence d'un homme qui lui plaisait.

— Pas mal, en effet, reconnut Jake.

Son appréciation à lui, cependant, avait un sens différent ; à l'insu de Madison, il avait pris les photos dont il rêvait.

— Je me sens si détendue.

Bien sûr, une fois ce reportage terminé, elle devrait mettre un peu d'ordre dans sa vie... Et s'attaquer à l'histoire de son père. Mais en attendant...

— Tu as une place au premier rang, ce soir ? demanda Jake.

— Je crois. Il faut que le sang gicle sur ma robe, tu comprends. La boxe est un sport si archaïque... On se croirait revenu au temps des Romains, tu ne trouves pas ?

— L'Histoire est un éternel recommencement.

— Et philosophe, avec ça.

Il se pencha pour l'embrasser.

— Madison, je me sens si bien avec toi.

— Moi aussi.

— Nous devrions nous voir plus souvent.

— Ça dépend de toi, non ? Pas de voyage à Paris en perspective ?

— Très drôle, dit-il en l'embrassant de nouveau.

— Sérieusement, Jake. Quel est ton prochain reportage ?

— Aucune idée. Tu as mis dans le mille hier soir : je suis vraiment un vagabond. Je n'ai même pas de maison... Je préfère dormir dans les hôtels.

— Où sont tes affaires ?

— Qui possède des affaires ?

— Les gens normaux.

— Je ne suis peut-être pas normal.

— Tu sais, reprit-elle en s'étirant, j'envisage de passer quelques semaines à LA quand tout sera terminé ici. J'ai besoin d'y voir clair dans mes sentiments pour mon père avant de fouiller son passé. J'ai peur de la vérité.

— Tu la chercheras en temps voulu.

— Mais tu n'as pas besoin de me suivre. Nous pouvons garder le contact et nous retrouver quand ça nous arrange, n'est-ce pas ? Je ne veux pas être du genre collant.

— Tu n'es pas du genre collant. Et, crois-moi, je pourrais t'en raconter, sur les femmes « collantes ».

— Vraiment ?

— Il y en a eu dans ma vie.

— Non ! Incroyable !

— Garce !

— Qu'est-il arrivé à cette blonde, la call-girl qui était si belle ?

— Je te l'ai déjà dit : toi, tu es belle, elle n'était que jolie.

— Encore un compliment.

— Attends, ce n'est pas fini. Tu as des lèvres délicieuses, les meilleures que j'aie jamais goûtées.

Pour Martha, traverser le hall de l'hôtel avait été une nouvelle jouissance ; elle avait repéré un célèbre chanteur latino et trois stars. Aussi était-elle en transe en arrivant Chez Spago.

— Mes amies du club de lecture vont en avoir les yeux qui sortent de la tête, ne cessait-elle de répéter. Que Dickie décroche un rôle à la télé, c'était déjà une grande joie, mais ça ! Vraiment, merci, Chas. Vous êtes un homme merveilleux... et tellement généreux.

Chas appréciait le rôle de bienfaiteur que lui faisaient jouer les Lemembre.

— C'est la moindre des choses, laissa-t-il tomber avec un sourire protecteur.

Varoomba suivait à quelques pas, vêtue d'un débardeur rouge qui révélait les contours et tous les détails de son fond de commerce. Matt aurait été volontiers client – en fait, il rêvait secrètement de visiter une des boîtes de strip-tease qui faisaient la renommée de Vegas, mais sans espoir ; Dexter n'était pas le genre de fils à lui organiser une escapade et Chas était servi à domicile.

Varoomba avait la tête ailleurs ; elle guettait l'arrivée de Renee, sa mémé. Pourvu qu'elle ne soit pas en retard !

— Retrouve-nous Chez Spago pour le déjeuner, lui avait-elle dit. À une heure tapante.

— Pitié ! avait gémi Renee. Il faut vraiment que j'y aille ?

— Oui. Celui-là, il n'est pas loin de me passer la bague au doigt. Tu n'aimerais pas voir ta petite-fille confortablement mariée ?

— Au fait, tu m'as apporté de l'argent ?

— J'en ai deux cents.

— C'est tout ? protesta Renee, avec la fortune que tu gagnes à secouer tes nénés, quelle honte !

— C'est toujours mieux que rien, non ? Si je peux décider ce type à m'épouser, tu en auras d'autres.

— Compris. Je te verrai là-bas.

Varoomba regrettait maintenant d'avoir pris cette initiative. Le pire était possible. Renee n'avait jamais été une grand-mère ordinaire et, en deux ans de Las Vegas, elle n'avait pas dû s'arranger...

Elle préférait ne pas y penser.

À cet instant précis, Jamie n'avait qu'un souhait : mourir sur place. Heureusement, Amber avait fait preuve d'une grande classe.

— Bonjour, avait-elle lancé avec l'air de ne rien voir du tableau, ni le pull angora à moitié relevé ni la verge de Kris si manifestement prête à l'emploi.

— Euh... bonjour... Euh, chérie, avait-il bafouillé en

s'emmêlant les doigts dans la ceinture de son peignoir. Qu'est-ce qui se passe ?

— Mon cheval était nerveux, alors j'ai décidé de rentrer, fit-elle en se servant un verre de jus d'orange. J'espère que je ne vous dérange pas.

— Pas le moins du monde, assura Jamie, les joues cramoisies. Excusez-moi, il faut que j'aille me repoudrer.

Elle s'était précipitée dans la salle de bains pour rajuster son soutien-gorge. Traverser la moitié des États-Unis pour s'envoyer Kris Phoenix et se faire surprendre par sa copine avant même le moment fatal, il y avait de quoi se rouler par terre.

Elle se donna un coup de peigne, se mit du rouge à lèvres et revint dans la pièce, impatiente de s'éclipser.

— Eh bien, Kris, je crois que tout est réglé, lança-t-elle avec le peu d'assurance dont elle était capable.

— Mais oui.

— Contactez-moi quand vous serez rentré à New York.

— Entendu.

— Amber, ravie de vous avoir revue.

— Moi aussi... euh... Jamie, n'est-ce pas ?

— Tout à fait.

— Cette fois, je n'oublierai pas votre nom.

— J'en suis certaine. Ne vous dérangez pas... Je connais le chemin.

Humiliée... Elle était horriblement humiliée. C'était Peter, le responsable. Pourquoi n'avait-il pas avoué ? Pourquoi n'avait-il pas dit : « Tu sais, nous ferions mieux de divorcer ; j'ai découvert que j'aimais les hommes » ? Voilà qui aurait été une attitude civilisée.

Elle prit son portable et tenta successivement mais sans succès de joindre Madison et Natalie. Déçue, elle s'engouffra dans un taxi. Le chauffeur était bavard. Elle lui répondit par monosyllabes sans le décourager pour autant. Elle réglait la course quand elle aperçut Joel Blaine qui sortait de l'hôtel.

— Tiens, fit-il. Toujours pas de mari ?

— Je vous l'ai dit, il est à New York. Et votre petite amie, Joel ? Carrie Hanlon ?

— Je la trouve assommante. Ces mannequins n'ont pas grand-chose à dire, en définitive. Et votre amie, Madison ?

— Je ne l'ai pas vue aujourd'hui.

— Elle, elle est différente. Elle me plaît bien.

— Vraiment ?

— Oui, elle est loin d'être bête, celle-là.

— Vous devriez l'inviter.

— Vous croyez qu'elle sortirait avec moi ?

— Non. Mais vous pouvez toujours tenter votre chance.

— Pourquoi ne voudrait-elle pas sortir avec moi ?

— Madison n'aime pas les tombeurs en série.

— Peut-être qu'une femme comme elle me ferait changer.

— En attendant, vous êtes ici avec Carrie Hanlon.

— Vous voulez jouer au black jack ?

— Pourquoi pas ? fit Jamie avec un petit sourire las. Je n'ai rien d'autre à faire.

— Charlie ! s'exclama Renee.

— Renee ! rugit Chas.

Ils tombèrent dans les bras l'un de l'autre, sous les yeux de Varoomba ébahie. Mémé et Chas !

— Ça fait combien de temps ? demanda Renee en reculant d'un pas.

— Trop longtemps, répondit Chas, radieux. Putain de merde, tu es sensationnelle.

C'était vrai. Renee, ex-girl de music-hall au corps sculptural, n'avait rien perdu de sa beauté malgré ses cinquante-deux ans, et elle le savait.

— Putain de merde, alors ! répéta Chas. Qu'est-ce que tu fous ici ?

— Je tombe sur toi, à ce qu'on dirait, fit Renee en lissant sa minuscule jupette de faux cuir.

— Veux-tu déjeuner avec nous ?

— Je crois que c'était prévu.

— Hein ?

— Tu piges pas, Chas ? Elle éclata d'un rire tonitruant. Je suis la mémé !

54.

Tout le monde se retournait sur le passage de Joel Blaine. Plus exactement sur la femme qui l'accompagnait, Carrie Hanlon. Celle-ci portait un sage tailleur bleu pâle dont la veste entrouverte révélait un bustier de dentelle.

— Marty a promis de passer, lui annonça Joel.

— Scorsese ?

— Tout juste, mon chou.

Joel n'était pas particulièrement attiré par cette déesse, mais ça l'amusait d'être vu avec elle. Les gens en avaient la langue pendante. Elle avait vraiment l'étoffe d'une star de l'écran.

Joel n'était sorti qu'une fois avec une actrice célèbre, et ç'avait été épouvantable. La fille ne parlait que de son prochain film, de son partenaire masculin, de son metteur en scène et de tout ce qui pouvait faire office de producteur. Non, pas de stars pour lui.

Il avait aperçu Amber Rowe qui traînait au casino. Plate. Pas du tout son style.

Après son petit déjeuner avec Carrie, il avait traîné d'une salle de jeu à une autre jusqu'au moment où il était tombé sur Jamie Nova. Ils avaient tenté ensemble quelques coups au black jack. Elle n'y connaissait pas une broque, mais, comme elle était sa carte de visite auprès de Madison, il l'avait soignée aux petits oignons.

Leon avait invité toute une petite cour pour déjeuner. Un roi de l'étain bolivien avec sa jeune épouse à peine nubile. Un jockey et sa copine, une Black magnifique. Deux financiers et un ponte d'Internet.

On les installa à l'une des meilleures tables, et Joel grignota un bout de pizza au canard tout en se demandant s'il n'irait pas faire un tour à la boîte de strip-tease pour tuer le temps avant la rencontre de boxe.

Pourquoi pas ? Peut-être y trouverait-il une pute qu'il aurait envie de sauter.

Rosarita aperçut de loin Joel flanqué de Carrie Hanlon et elle en resta sans voix. Ça alors ! Joel à Vegas ! Et avec le top model le plus célèbre du moment !

Elle se recroquevilla dans son fauteuil. Rien que de penser qu'il pouvait la voir en compagnie de Renee, Varoomba et, *last but not least,* le couple Lemembre, elle en avait des sueurs froides.

De toute évidence, Chas et la « mémé » s'en moquaient éperdument. Ils s'employaient à rattraper le temps perdu.

— Tu te rappelles Atlanta, Charlie, quand tu n'arrivais pas à retrouver ton caleçon ?

Gros rires complices et bourrades joviales...

— Et l'histoire du champ de courses ?

— Moi qui pensais que tu avais la baraka ! Sale tricheur.

— Je ne triche jamais, protesta Chas sans conviction. Mets-toi ça dans le petit pois qui te sert de crâne.

— Et le petit pois qui te sert de bistouquette ? Comment va-t-il ?

— Eh ! surveille-toi ! J'ai ma fille avec moi. Pas de révélations...

Re-rires et re-bourrades... Varoomba en était pantoise. À en juger par ce qu'elle pouvait glaner de la conversation, non seulement Chas avait connu la mémé mais il avait fait avec elle un joyeux bout de chemin. Et, à première vue, il était prêt à remettre le couvert. Elle n'avait jamais vu Chas dans un tel état. Renee avait toujours su s'y prendre avec les hommes. Sauf qu'elle n'avait pas su laisser tomber la bouteille au bon moment. Varoomba remarqua qu'elle vidait verre sur verre sans se soucier le moins du monde des regards de l'assistance ni de l'heure de la journée.

C'est bien ma chance ! Je dégote un mec à marier et voilà qu'il en pince pour ma grand-mère.

Dexter restait étranger à ces retrouvailles spectaculaires. Au retour de son jogging, après quelques longueurs dans la piscine de l'hôtel, il avait téléphoné à Gem. Un homme avait répondu. Dexter avait précipitamment raccroché. Gem vivait-elle avec quelqu'un ? Avait-elle un petit ami ? Un mari ? Il ne lui avait rien demandé, et, à y bien réfléchir, il aurait été étonnant qu'une fille comme elle soit seule.

Il décida de quitter la table à la première occasion pour en avoir le cœur net.

— Je suis rudement contente de t'avoir trouvée, déclara Jamie en s'attablant avec Natalie dans le patio de Chez Spago.

Elle fit de la main un signe à Joel, qui venait de prendre place.

— Attention ! C'est un connard.

— Pas du tout, il est très gentil. Il m'a appris à jouer au black jack.

— À part ces activités culturelles, qu'as-tu fait ce matin ?

— Rien de ce que je menaçais de faire, précisa Jamie d'un ton lugubre.

— Tu ne t'es pas jetée sur Kris ?

— Eh bien... c'est *lui* qui s'est jeté sur moi. Seulement... alors que le rideau s'ouvrait à peine, Amber est arrivée.

— Non ! Tu veux dire que vous étiez en scène... quand sa petite amie a débarqué ? Natalie éclata de rire. Eh bien... si tu veux mon avis, elle n'est pas dans ton horoscope, la nuit avec Kris Phoenix.

— Il faut pourtant que je fasse quelque chose avant de revoir Peter... Je ne peux quand même pas arriver en disant : « Peter, je suis déçue... Divorçons, et pars vite rejoindre ton merveilleux amant... » Je veux être sur un pied d'égalité avant de parler. Et je l'écraserai comme une punaise. Tu comprends cela ?

— Bien sûr, mon chou. Il faut toujours se venger.

— Parlons plutôt de revanche.

— Non, parlons de vengeance, corrigea Natalie d'un ton gourmand.

Quand Varoomba se leva pour aller aux toilettes, les regards masculins l'escortèrent, y compris celui de Joel.

Merde alors ! Ma pute favorite... Celle qui n'est jamais venue à mon bureau. Qu'est-ce qu'elle fout à Vegas ?

— Excusez-moi, dit-il en se levant à son tour.

Il lui emboîtait le pas quand il reconnut Dexter Falcon. Lui aussi montait l'escalier. Ils ne s'étaient jamais rencontrés mais Joel savait qui il était : le mari de Rosarita, le débile qui tournait dans un feuilleton télévisé débile.

Et si Dexter était avec la strip-teaseuse ? Ça ferait quelque chose à raconter à Rosarita, en rentrant à New York. Au moment précis où il pensait à elle, il l'aperçut à une table au centre de la salle, au milieu d'un groupe de péquenauds.

Espérant qu'elle ne l'avait pas repéré, il continua son chemin. Dexter, au lieu de se diriger vers les toilettes, s'approchait d'une cabine téléphonique. Joel ralentit le pas. Intéressant, songea-t-il en allumant une cigarette pendant que Dexter composait un numéro.

— Allô ! Gem ? C'est moi. Où étais-tu hier soir ? J'ai téléphoné, pas de réponse.

Un silence, tandis qu'à l'autre bout du fil on lui donnait une explication. Puis Dexter reprit :

— J'ai appelé ce matin et c'est un type qui m'a répondu. Qui était-ce ? Nouveau silence. Ah, ton frère ! Tu sais quoi ? Dès que je serai rentré, je veux qu'on se voie. Il y a des choses qu'il faut que je te dise.

Joel souriait. Ainsi, ce vieux Dexter avait une gonzesse dans sa manche. Rosarita apprécierait.

55.

— Je crois que nous allons nous dispenser du cocktail, dit Madison.

— Quel cocktail ? demanda Jake.

— Une petite fête organisée par la direction de l'hôtel où Natalie veut que nous allions. Je préférerais observer l'ambiance du vestiaire d'Antonio et je suis sûre que tu pourrais y prendre quelques photos avant le combat, hein ?

— D'accord. Les cocktails, ça n'est pas mon truc. Mais nous n'échapperons pas au dîner après la rencontre. D'après ton amie.

— Quelle amie et qui ça, nous ?

— Natalie. Elle a appelé pendant que tu étais sous la douche.

— J'aurais préféré une collation dans la chambre. Hier soir, c'était quelque chose ! Je n'aurais pas pensé qu'on pouvait faire tout ça avec du caviar !

— Et toi, avec le champagne !

— Tu fais une réclamation ?

— Non, non ! Pas de réclamations. Indice de satisfaction au plus haut. C'est d'accord pour le dîner ?

— Forcément. Mais attention : Natalie est capable de tout. Alors, je te préviens, pas de gâteau d'anniversaire ni le tralala habituel... Je compte sur toi !

— C'est à peine si je connais Natalie, alors comment réussirais-je à la dissuader de quoi que ce soit ?

— Dis-lui que je ne veux pas. Tu peux faire ça, non ?

— C'est ton anniversaire, ma chérie, je peux faire tout ce que tu veux.

Pour la soirée, Rosarita passa une somptueuse robe noire et blanche qu'elle avait achetée sur Rodeo Drive. Toute la journée, elle avait pensé à Joel... Sans doute était-il à Vegas pour la rencontre. Mais pourquoi ne lui en avait-il pas parlé ? S'il l'avait prévenue, ils auraient pu organiser un rendez-vous. Dexter ne l'avait pas touchée depuis qu'il la savait enceinte. Rosarita supportait difficilement ce genre de diète.

Bah, peu importait. Elle y penserait quand elle serait veuve. Et alors...

Au grand désappointement de Carrie, Leon n'avait plus fait aucune allusion ni à un contrat, ni à un héritage, ni à un mariage, ni à ses milliards, ni à quoi que ce soit d'alléchant. Et Marika la lapidait de ses regards meurtriers.

M. Blaine s'imaginait-il qu'il pouvait s'amuser avec elle ? La titiller puis la laisser tomber ? Pas elle. On ne s'amusait pas avec Carrie Hanlon.

Elle n'avait pas raconté à Joel le détail de sa soirée avec le jeune Eduardo – ça ne le concernait pas. En fait, il n'y avait pas de détails à raconter. Le Portoricain immature lui avait paru soudain un intermède bien fade. Elle avait préféré occuper ses heures libres à penser à la fascinante proposition qui lui avait été faite. En résumé, Eduardo l'excitait beaucoup moins que les millions de dollars de l'empire Blaine. Aussi, ce soir, mettrait-elle Leon au pied du mur.

Elle passa une petite robe verte toute simple de chez Versace. Carrie Hanlon n'avait pas besoin d'accessoires pour faire rêver : même un sac aurait mis en valeur son incomparable beauté.

— Comment peux-tu me faire ça ? gémit Varoomba.

— Te faire quoi ? s'énerva Chas.

— Inviter ma grand-mère à venir avec nous à la boxe. Ce n'est pas juste, reprit-elle, ses yeux s'emplissant de larmes.

— Qu'est-ce qui n'est pas juste ?

— Toi et ma grand-mère.

— Cesse de l'appeler comme ça, merde. Ce n'est pas une grand-mère. C'est Renee, une vraie copine à moi.

— Tu l'as sautée ? demanda Varoomba d'un ton méfiant. Ma grand-mère et toi, vous avez couché ensemble ?

— Occupe-toi de tes oignons.

— Ce sont mes oignons. C'est même ma grand-mère.

— Elle pourrait bien être ta putain de sœur, qu'est-ce que j'en ai à foutre ? Ce qu'on a fait tous les deux il y a vingt ans ne te regarde pas.

— C'est vrai. Mais ce que vous faites aujourd'hui, ça me regarde.

— Ah oui ? Tu crois que tu as des droits sur moi ?

— On vit ensemble, tu te souviens ?

— Justement, je voulais te parler de ça.

— Pour me dire quoi ?

— Je t'ai trouvé un appartement.

— À moi ?

— Oui, pour que tu sois chez toi. J'y ai fait transporter tes affaires. Vivre en couple ne me convient pas, et, en plus, ça ne plaît pas à mes filles.

— Tes filles ? ricana-t-elle. Rosarita, tu veux dire ? À côté d'elle, je suis une petite sœur des pauvres.

— En tout cas, c'est comme ça. Je vais te donner un peu de fric et tu feras ce que tu voudras. À prendre ou à laisser.

— Tout ça, c'est sa faute à elle.

— Qui donc ?

— Mémé.

— Ça n'a rien à voir. Nous sommes juste de vieux amis.

— Tu ne me traiteras pas comme ça. Tu me prends pour une strip-teaseuse idiote, mais je te revaudrai ça. Ne l'oublie pas.

56.

On n'accédait au cocktail de l'hôtel qu'après un filtrage serré.

— M. et Mme Dexter Falcon, déclama Rosarita d'un ton solennel en brandissant son invitation.

— Oh, bonjour, monsieur Falcon ! s'exclama l'hôtesse sans un regard pour Rosarita. J'adore votre feuilleton.

À Las Vegas, semblait-il, on connaissait mieux Dexter qu'à New York. On le connaîtrait mieux encore tout à l'heure, quand il s'écroulerait, mort, quelque part dans un couloir de l'hôtel. Rosarita serra son sac contre elle. Le flacon de poison était là. Elle n'avait qu'à le verser dans un verre et s'assurer qu'il le buvait. Et adieu, Dex – bonjour, Joel.

Ensuite, elle envisagerait le nouveau problème : comment persuader Joel de laisser tomber Carrie Hanlon. Bien sûr, elle pouvait lui filer du poison, à elle aussi. Ha ! ha ! très drôle ! Non. Elle n'avait pas la vocation d'une tueuse en série. D'ailleurs, dès qu'elle aurait parlé à Joel du bébé, Carrie Hanlon serait balayée du décor comme un petit tas de poussière.

Le salon était déjà envahi. Rosarita reconnut quelques visages célèbres ; des stars à la pelle. Martha aurait été aux anges.

— Pourquoi fallait-il venir à ce cocktail ? demanda Dexter, mal à l'aise.

— Parce que, expliqua Rosarita avec patience, c'est bon pour ta carrière qu'on te voie et qu'on te photographie au milieu de tous ces gens.

— Si tu le dis, soupira Dexter, qui rêvait d'un petit restau à New York avec Gem.

— Que veux-tu boire ? demanda Rosarita, soudain pleine de sollicitude.

— Je n'ai pas envie de boire.

— Oh, Dex... Nous sommes à Vegas, merde, laisse-toi aller...

C'était vraiment le pied d'arriver à un cocktail au bras de Carrie. Les rares photographes qu'on avait laissés entrer se déchaînaient. Joel bombait le torse. Bien sûr, il était souvent allé aux premières accompagné d'une fille à la mode, mais Carrie était plus que ça : elle était le top model de la décennie.

Il chercha du regard Madison. Avec l'aide de Jamie, peut-être pourrait-il se la faire. Il s'étonnait lui-même : combien d'hommes étaient capables de penser à une autre femme en ayant sous les yeux Carrie Hanlon ? Pas beaucoup. Cela montrait qu'il avait du goût et des exigences.

À l'autre bout de la salle, Marika tenait tout un discours à Leon. Dieu sait ce qu'elle lui racontait, mais Joel voyait la lèvre inférieure de son père frémir d'impatience. Pourquoi supportait-il cela ? Pourquoi ne pas se trouver une vraie petite amie ? Marika n'était même pas belle. Un dragon. À vrai dire, elle faisait même un peu peur.

Bah, ça n'était pas son problème à lui, en tout cas.

— Je te présente le Big Boss, dit Natalie en désignant l'inconnu qui accompagnait son frère Cole.

C'était un homme relativement âgé mais séduisant, chauve et souriant.

— Enchantée, répondit distraitement Jamie.

Elle ne pouvait cesser de penser au bref échange qu'elle avait eu avec Peter avant de descendre. Il avait donc fini par retrouver sa trace.

— Qu'est-ce qui te prend ? avait-il demandé. Tu es folle ?

— Comment m'as-tu trouvée ?

— Quelle importance ? Je t'ai trouvée. Alors reviens. Et sans traîner.

— Non, Peter.

— Comment ça, « non, Peter » ?

— C'est terminé.

Puis elle avait raccroché, sans se soucier de la sonnerie qui retentissait inlassablement.

— Vous êtes d'une beauté..., commença le Big Boss en la détaillant de la tête aux pieds.

— Ne t'inquiète pas, il est homo, interrompit le jeune homme qui l'accompagnait.

— Cole ! s'exclama Jamie en attrapant une coupe de champagne au passage. Je ne t'ai pas vu depuis... Depuis la fac ! Madison a raison... tu es superbe.

— C'est ce qu'elle a dit ?

Il eut un sourire radieux.

— Je me souviens d'un gosse odieux qui tapait sans arrêt sur sa sœur. Et maintenant, regarde-toi !

Très grand, la musculature artistement développée, Cole était l'entraîneur sportif le plus demandé de Hollywood.

— Comment vous êtes-vous rencontrés, tous les deux ? demanda Jamie en vidant son verre pour en prendre un autre.

— Je lui soignais les mollets et il a fini par me casser les couilles, expliqua Cole d'un ton égal.

Le Big Boss lui tapota le bras.

— On ne parle pas de couilles en public. Ça ne se fait pas.

— Ah bon ? Je croyais que tu aimais ça... Que je fasse tout ce qui ne se fait pas. S'étonnant : Mais où est Madison ?

— Elle ne viendra pas, expliqua Natalie. Elle doit interviewer un des boxeurs.

— La veinarde !

— Il y a un dîner d'anniversaire en son honneur, plus tard ; je compte sur vous deux, d'accord ?

— Je pense bien, fit Cole. Je tiens à lui présenter le Big Boss.

— Vous ne pourriez pas m'appeler par mon nom ? demanda l'intéressé sans se fâcher.

— Trop tard ! dit Natalie. Je vais vous avouer une chose : je vous ai donné ce surnom parce que je vous détestais. Maintenant, je vous aime bien mais le nom reste. Il faut bien que vous me supportiez, vous savez. Vous êtes mon beauf, en quelque sorte, non ?

— Puis-je vous rappeler que le mariage entre hommes n'est pas une institution reconnue par la loi ?

Des serveurs en smoking proposaient du champagne millésimé servi dans des flûtes gravées à la date du jour, inscrite en lettres d'or. Rosarita en prit deux et en tendit une à Dex.

— On les rapportera à la maison comme souvenir, dit-elle. Bois un coup pendant que je vais me repoudrer.

Elle avait trouvé un plan : elle verserait le poison dans sa propre coupe puis échangerait son verre avec celui de Dex. Parfait.

Une fois dans les toilettes, elle s'enferma dans une cabine, prit dans son sac le flacon de poison et en versa avec soin le contenu dans sa flûte. Le cœur battant, tenant sa coupe avec précaution, elle repartit vers le cocktail.

En traversant le salon encombré, elle tomba sur Joel.

— Tu ne m'avais pas dit que tu te rendais à Vegas, lâcha-t-il en se plantant devant elle.

— Toi non plus.

— Je suis venu dans le jet privé de mon père, pour le combat de boxe.

— Quelle coïncidence ! Moi aussi, je suis avec mon père.

— Une joyeuse fête de famille, en somme...

— Avec qui Carrie Hanlon est-elle ?

— Carrie est pendue aux basques de mon père. Elle pense qu'il va lui dégoter un gros coup.

— De quel genre ?

— Pour une société de produits de beauté, déclara Joel, sans aucun souci d'exactitude. Il en possède trois. Tu connais ces mannequins : toujours à l'affût d'un nouveau contrat, et toujours plus gros.

— Je n'imaginais pas Carrie Hanlon à l'affût de quoi que ce soit.

— Qu'est-ce que tu as fait depuis que tu es ici ? murmura-t-il en s'approchant d'elle.

— Pas grand-chose. Et toi ?

— Je me sens un peu frustré si tu vois ce que je veux dire.

— Moi aussi.

— Si on se voyait avant le combat ? Tu trouveras bien le moyen de filer en douce...

— Où ? demanda-t-elle.

— La piscine avec les fontaines.

— Ce n'est pas un peu trop en vue ?

— Elle sera déserte, à cette heure. Évidemment, si ça te paraît trop risqué...

— Pas du tout.

Dans un élan de détermination, elle leva son verre jusqu'à ses lèvres. La mémoire lui revint alors et elle retint son geste. Ouf !

— Dans un quart d'heure, dit-il.

N'ayons pas l'air de se traîner à ses pieds.

— Vingt minutes, corrigea-t-elle.

Une brusque agitation à l'autre bout du salon attira soudain leur attention.

— Que se passe-t-il ? demanda-t-elle.

— Bordel ! C'est mon père ! s'exclama Joel en posant son verre sur un guéridon. Il est allongé par terre. Bon sang ! J'espère qu'il ne fait pas une crise cardiaque.

Rosarita était déstabilisée. Machinalement, elle posa sa flûte près de la sienne et lui emboîta le pas.

— Laissez-moi passer, ordonna Joel, le regard soudain obscurci par les milliards qu'il voyait danser devant lui.

Mais son père n'avait pas l'air mort du tout. Seulement vexé.

— Ton père a trébuché, expliqua Marika. Ce n'est rien.

Joel tendit la main à son père pour l'aider à se relever.

— Foutu fauteuil, grogna Leon, furieux. Je vais attaquer cet hôtel en justice.

Joel se délectait de voir Leon ridiculisé. Il fronça les sourcils et déclara d'un ton grave :

— Tu devrais, papa, tu es un peu juste en ce moment, côté argent...

Le cocktail reprenait son cours, les groupes se reformaient et les discussions repartirent de plus belle.

Soudain, Rosarita sentit son cœur chavirer. Le verre ! Ah

oui ! Le guéridon ! Près des toilettes... Elle se précipita, retrouva la flûte et chercha Dexter des yeux. Il fallait en finir avant de retrouver Joel.

Tandis qu'un vigile époussetait le costume de Leon Blaine, Marika entraînait Carrie à l'écart.

— Je pense qu'il est de mon devoir de vous éclairer, ma chère, chuchota-t-elle, le visage inexpressif. Ne vous fiez pas aux apparences...

— Je vous demande pardon ? s'étonna Carrie, tout en adressant un sourire lumineux à un photographe qui rôdait par là.

— Ne vous fiez *à personne*, répéta lentement Marika. Une femme comme vous devrait le savoir. Tout n'est qu'illusion...

— Je ne sais absolument pas de quoi vous parlez.

Elle écarta d'une main délicate sa longue chevelure fauve.

— Je parle de vous... et de Leon. Laissez-le tranquille, ma chère, car vous n'obtiendrez de lui que des promesses, du vent.

— Je ne demande rien à Leon. J'ai tout ce qu'il me faut.

— Je le sais bien. Mais, parfois, on en veut plus qu'il ne nous faut, n'est-ce pas ?

— Est-ce un avertissement ?

— Un conseil. Leon a été défavorablement impressionné en apprenant qu'un adolescent vous attendait dans votre suite, hier soir. C'est tellement pitoyable d'avoir à payer pour l'amour.

Une légère roseur envahit les joues veloutées de Carrie.

— Je ne comprends rien à ce que vous me racontez.

— Vraiment, ma chère ? Peu importe. Rappelez-vous seulement ceci : ne touchez pas à Leon.

— Sinon ?

— Sinon, vous et votre adolescent risquez de vous retrouver à la une de tous les magazines à sensation. J'imagine déjà les gros titres : « Carrie Hanlon en mal d'homme... se rabat sur les enfants ».

Les lèvres adorables de Carrie se serrèrent sur ses jolies dents blanches comme des perles.

— Salope.

Marika la gratifia d'un sourire impénétrable.
— Nous nous sommes tout de suite reconnues.

— Oui, mon chou ? susurra Rosarita en se demandant s'il était possible que Dex entende les battements de son cœur.
— On peut s'en aller ? J'ai promis à maman de ne pas rester longtemps.
— Oh, le bon fils ! Finis ton verre et on s'en va. J'emporte les coupes comme souvenir.
— Je ne sais pas ce que j'ai fait du mien.
— Prends celui-ci, offrit-elle en lui fourrant sa flûte dans la main.
Il la vida en trois gorgées. Les choses se passaient encore mieux qu'elle ne l'avait imaginé.
— Je vais le rincer, annonça-t-elle en s'emparant de la pièce à conviction. Ensuite, nous partirons.
— Tu ne trouves pas ça un peu bête d'arriver à une rencontre de boxe avec une coupe de champagne vide ?
— Pas du tout, bafouilla-t-elle en s'échappant vers les toilettes.
Par bonheur, l'endroit était désert ; après l'avoir rincé, elle posa le verre sur le carrelage et l'écrasa sous le talon de son escarpin. Elle ramassa ensuite les morceaux dans un Kleenex et jeta le tout dans la poubelle.
Elle était essoufflée mais remplie d'un sentiment de triomphe. Elle l'avait fait !
En combien de temps le poison agirait-il ? Une heure ? Deux ? En tout cas, elle ne devait pas rester seule avec lui. Ce combat de boxe était une fameuse aubaine... Ils seraient au milieu d'une véritable cohue.
— On peut s'en aller, maintenant ? répéta-t-il à son retour.
— Oui. Partons retrouver les autres.
— Il serait temps.
— Tu te sens bien ? Je te trouve un peu pâle.
— Je me sens très bien.
— Bon.
Combien de temps durerait l'agonie ? Il ne restait plus qu'à attendre pour le savoir.

57.

La grisante excitation qui précédait les combats de boxe régnait dans le grand hall et les salles de jeu de l'hôtel Magiriano. La foule se ruait sur les gradins tandis que des retardataires s'efforçaient de trouver des billets de dernière minute. Les touristes, éberlués, observaient le défilé incessant des célébrités foulant le tapis rouge qui conduisait à l'arène où les combats de première partie se déroulaient encore.

Martha, bouche bée, contemplait le spectacle.

— Je croyais que Dexter et Rosarita devaient nous retrouver, dit-elle à Chas.

— Oui, à l'intérieur. Ils ont leur billet.

— J'aurais préféré arriver avec Dexter, soupira Martha. On m'aurait photographiée avec lui. Dans les magazines, les gens connus posent souvent avec leurs mamans.

— Peut-être à la sortie, dit Chas pour la consoler.

Il se tourna vers Renee, qui trottinait auprès de lui en cuissardes et minijupe lézard. Elle avait peut-être dépassé la cinquantaine, mais c'était de la dynamite, cette bonne femme. Autre chose que Varoomba, qui traînait derrière en robe rose, encombrée par ses gros nibards qui fendaient la foule comme un brise-glace.

Il y avait une telle cohue dans le vestiaire d'Antonio que Madison n'avait aucun moyen d'approcher le challenger – elle n'en avait d'ailleurs aucune envie.

De son côté, Jake s'agitait en tous sens pour prendre des gros plans des têtes connues venues serrer la main du boxeur.

Au bout d'une vingtaine de minutes, Madison fut épuisée.

— On s'en va ? suggéra-t-elle à Jake.

— Oh oui !

— C'est vraiment dingue, là-dedans, dit-elle tandis qu'ils se frayaient un chemin vers la sortie. Comment peut-il se préparer ?

— En fait, il ne laisse personne arriver jusqu'à lui, sauf son manager et ses entraîneurs. Il se concentre...

— On parie sur lui ? proposa-t-elle.

— Toi ? Tu veux parier ?

— Absolument pas. Et toi ?

— Non, mais puisque c'est ton anniversaire, on pourrait jouer cinq cents dollars sur Antonio gagnant.

— Quelle est la cote ?

— Elle ne parie pas, observa-t-il en souriant, mais elle veut connaître la cote.

— Fais comme tu veux. Franchement, ça m'est égal.

C'était vrai ; la présence de Jake à ses côtés suffisait à son bonheur.

— On pourrait manger un morceau avant le combat ou... faire l'amour. Ce que tu préfères.

— Manger d'abord, l'amour plus tard, murmura-t-elle.

— D'accord. Si on prenait un hamburger ? Je meurs de... Il s'arrêta brusquement. Oh, merde !

— Quoi ?

— J'oubliais : on doit dîner avec tes amis.

— C'est vraiment une obligation ?

Madison était sur le point d'annuler le rendez-vous. Elle n'avait qu'une envie, passer la nuit seule avec Jake.

— Malheureusement, oui.

— Bon. Un silence. Du moment qu'il n'y a pas de gâteau.

— J'ai oublié mon étole ! annonça Rosarita.

— Quoi ?

— Mon étole, répéta-t-elle, tout en dévisageant Dexter pour détecter un éventuel signe de malaise. J'ai dû la laisser au cocktail.

— Et j'imagine que tu comptes sur moi pour courir la récupérer ?

— Non, Non ! Ne m'attends pas... Je vais la chercher.

— Tu es sûre ? fit-il, étonné par cette obligeance inhabituelle.

— Absolument. De toute façon, il faut que je fasse un petit arrêt aux toilettes. Donne-moi mon billet. Je te retrouve à l'intérieur.

Elle prit son ticket se glissa dehors, droit vers la piscine. Elle n'eut pas trop de mal à trouver. Joel avait raison : à cette heure-là, l'endroit était désert. Enfin, pas tout à fait... Quelques passants traînaient par là. Elle eut un sourire. Elle pouvait faire confiance à Joel pour ce qui était des idées.

Dexter, quant à lui, s'arrêta à la première cabine téléphonique qu'il trouva. Depuis vingt-quatre heures, l'image de Gem l'obsédait.

Pas de frère, cette fois-ci. Ce fut elle qui répondit.

— Comment vas-tu, dit-il en s'éclaircissant la voix.

— C'est encore toi ?

Pas d'agacement dans sa voix, mais un étonnement heureux.

— Oui, encore moi.

— On ne s'est pas déjà parlé à l'heure du déjeuner ?

— Je sais. Je vais au match de boxe – Un long silence – Euh... Gem, il y une chose qu'il faut que je te dise.

— Oui ?

— Euh... non, attends. Ça n'est peut-être pas si urgent. On reprend l'avion demain matin.

— Qui ça, « on » ?

Un nouveau long silence.

— Eh bien... justement... C'est de ça dont il faut que je te parle.

— Qu'y a-t-il, Dexter ?

« Dexter... » Il adorait sa façon de prononcer son nom.

— Eh bien... j'ai... j'ai une femme, murmura-t-il. Mais... nous sommes sur le point de nous séparer.

— Oh !

— C'est pourquoi je n'ai pas voulu rester avec toi, l'autre jour. Mais je ne cesse d'y penser... J'ai l'impression qu'il va se passer de grandes choses entre nous ; seulement je ne peux pas commencer une nouvelle vie avant d'être libre. Je sais que ça paraît dingue et que nous venons à peine de nous rencontrer, mais je n'ai jamais trouvé personne comme toi. J'ai rêvé de toi depuis toujours. Tu as un beau visage et un grand cœur.

— Personne ne m'a jamais parlé comme ça, chuchota-t-elle.

— Et personne d'autre n'aura l'occasion de le faire, déclara-t-il plus fermement. Parce que tu es à moi. Dès ce soir, je parle à ma femme.

— Tu es sûr ?

Il y avait de l'espoir dans ces mots, il l'aurait juré.

— Certain. Et si je trouve un vol après le combat, j'arrive. Alors, avec beaucoup de chance, peut-être à ce soir.

— Oui, Dexter. Je t'attends.

Encore de l'espoir dans sa voix, et aussi un immense bonheur.

Il s'avança sous la tente en arborant un large sourire.

Joel se dirigeait vers la piscine où il avait donné rendez-vous à Rosarita quand deux gorilles l'abordèrent. Ils l'encadrèrent, le prenant chacun par un bras, et lui firent traverser la salle de jeu.

— Putain, qu'est-ce..., commença-t-il.

Un coup violent au côté gauche le fit taire brusquement, assené certainement par la crosse d'un pistolet.

Ils sortirent par une petite porte latérale dissimulée par une rangée de machines à sous. L'air étouffant de la nuit le frappa comme un jet de vapeur.

— Où m'emmenez-vous ? demanda-t-il, furieux et terrifié à la fois.

— T'occupe, dit le gorille numéro un, la racaille classique avec un nez en chou-fleur et un costume froissé.

— Vous savez qui je suis ? interrogea Joel, espérant qu'on le prenait pour un autre.

— Et comment, qu'on le sait ! dit le gorille numéro deux, plus jeune et apparemment plus coriace que le premier, même si c'était l'autre qui lui enfonçait dans le flanc le canon de son arme.

— Alors, quel est le problème ?

— Le putain de problème, c'est un million d'unités, expliqua l'homme en costume fripé. Cinq cent mille la dernière fois et autant cette fois-ci.

— Si vous savez qui je suis, alors vous savez que je peux les trouver.

— Pour sûr, ricana l'autre. C'est pour ça que notre patron veut être payé ce soir.

— Vous êtes fous. Personne ne se balade jamais avec une somme pareille.

— Trouve-la, dit le plus jeune. Règle tes dettes avant minuit ou tu es un homme mort.

Là-dessus, il expédia à Joel un coup de poing en pleine figure suivi d'un direct à l'estomac qui l'envoya droit sur le trottoir. Pour appuyer le propos, le type en costume marron lui allongea un coup de pied dans l'entrejambe et un autre en guise de conclusion. Là-dessus, ils disparurent.

Joel se releva en gémissant. Il saignait abondamment du nez – peut-être même était-il cassé.

— Merde ! marmonna-t-il, puis il répéta, de plus en plus fort : Merde ! Merde ! Merde !

— Où est Rosarita ? s'informa Chas, confortablement installé entre Varoomba et Renee.

— Elle arrive, répondit Dexter. Elle a oublié son étole au cocktail.

— C'était bien ? soupira Martha. Je pense que tu as vu plein de vedettes.

— Je n'en ai pas remarqué.

Madison arrivait pour gagner sa place. Elle se glissait entre les fauteuils.

— Pardon !

Elle aperçut un visage vaguement familier.

— Bonjour, fit Dexter, la reconnaissant à son tour.

— Ah ! mon voisin le jogger !

— Tout juste. Comment va votre chien ?

— Il se languit, j'en suis certaine, répondit-elle en s'asseyant.

Elle n'était pas exactement au premier rang, mais trop près encore. Elle chercha Jake du regard et l'aperçut dans la tribune des photographes. Il lui fit un petit signe auquel elle répondit par un baiser. Il dessina avec ses lèvres : « Joyeux anniversaire ».

À peine s'était-elle installée que les fanfares annoncèrent l'entrée des deux boxeurs.

Antonio était le premier, levant les bras comme s'il avait déjà remporté la victoire, resplendissant dans les plis d'une cape bleu et or ouverte sur un short de satin assorti, des chaussures noir et blanc et des chaussettes à rayures argentées. Il bondit sur le ring comme un tigre, se débarrassa du flot de tissu et, dressant les mains en signe de victoire, s'offrit aux acclamations de la foule. Antonio était le favori.

Puis vint le champion en titre, un homme calme entièrement vêtu de blanc. Plus grand qu'Antonio, Ali Jackson le Taureau avait un air farouche accentué par le noir d'ébène de sa peau et son crâne rasé. On lisait dans son regard qu'il était capable de tuer avec ses poings.

Sa femme, resplendissante, tout aussi sombre et tout aussi farouche, était assise au premier rang, les doigts serrés sur un chapelet aux grains de diamant.

Et le combat commença.

58.

Joel regagna l'hôtel avec difficulté en s'efforçant de contenir l'hémorragie nasale. Il était fou de rage. Que lui, Joel Blaine, se soit fait rosser par deux hommes de main... Incroyable.

Son père avait les moyens de s'offrir Las Vegas tout entier et ces minables faisaient des histoires pour un malheureux million de dollars. Incroyable et insensé.

Il alla aux toilettes, confectionna des tampons avec des Kleenex et s'aspergea le visage d'eau froide. Puis il retourna dans le hall.

Jamie avait décidé de ne pas assister à la rencontre malgré la proposition du Big Boss d'obtenir pour elle coûte que coûte un billet d'entrée.

— Ça ne m'intéresse pas. Je vous retrouverai au dîner.

— Si tu aperçois Kris Phoenix, fais un détour, avertit Natalie en la menaçant du doigt.

— Compte sur moi.

— Que vas-tu faire ?

— Jouer au black jack. Joel Blaine m'a un peu appris.

— Évite-le, lui aussi. À plus tard, au restaurant.

Elle n'avait parlé à personne du coup de téléphone de Peter. Quel aplomb ! La poursuivre jusqu'ici, exiger son retour ! Était-il naïf au point de croire qu'elle lui obéirait ? Peter ne comprenait vraiment rien à rien, Et, surtout, il ne comprenait rien à elle.

Elle s'assit à l'une des tables de black jack et accepta les conseils d'un gros homme rubicond qui vint s'installer à côté d'elle. Le même inconnu fit venir du champagne, et, bientôt, Jamie en sentit les effets. Sa gueule de bois de la veille commençait pourtant à peine à se dissiper.

Jouer, il n'y avait pas mieux pour tuer le temps.

Rosarita arpentait le bord de la piscine, inquiète et agacée.

Joel Blaine lui aurait-il posé un lapin ?

— Salut, beauté, murmura la voix pâteuse d'un ivrogne. On est toute seule ?

— Foutez-moi la paix.

— Je viens de gagner deux cents biftons, il faut que je trouve un endroit où les placer, fit-il avec un clin d'œil paillard.

Rosarita s'éloigna rapidement. Ce mec l'avait prise pour une pute !

Premier round. Antonio attaque. Sûr de lui, il sautillait sur place.

Ali le Taureau encaisse sans sourciller. Après tout, c'est lui le champion.

Une rumeur parcourt le public, on entend des cris d'encouragement.

La rencontre s'annonce prometteuse.

— Tu vois ? dit Madison en se penchant vers le fauteuil voisin. Je te le disais, il est habité, ce type.

— Et du sex-appeal, avec ça, observa Natalie en grignotant une poignée de pop-corn.

— Vingt dieux, les abdominaux ! apprécia Cole en professionnel.

— Modère-toi, murmura le Big Boss. Ce n'est pas délicat d'admirer d'autres anatomies en ma présence.

— Joel ? fit Jamie en le prenant par le bras au moment où il passait devant sa table de black jack. Décidément, on n'arrête pas de se rencontrer.

— Quoi ?

Il avait tellement hâte de sortir qu'il avait failli ne pas s'arrêter.

— J'ai gagné mille dollars ! Grâce à vos leçons, s'exclama Jamie en rassemblant ses jetons.

— Ah oui ?

Il n'était pas le moins du monde intéressé. Il rêvait d'air frais.

— Qu'est-ce qui vous est arrivé ? demanda-t-elle en l'examinant. Vous êtes dans un drôle d'état.

— Oh... j'ai saigné du nez.

— Vous êtes tout pâle. Et pourquoi n'êtes-vous pas à la boxe ?

Cette fille parlait comme une idiote. Pourquoi serait-il pâle ?

— J'ai saigné du nez, répéta-t-il.

— Ça n'a pas l'air d'aller. Montez dans ma chambre, je vais arranger ça.

— C'est gentil, Jamie, mais...

Une douleur fulgurante lui transperça le bas-ventre. Il eut une grimace.

— Venez... C'est le moins que je puisse faire pour vous exprimer ma reconnaissance.

Il étouffa un gémissement ; il avait l'impression d'avoir l'entrejambe dans une broyeuse.

— Comment se fait-il que vous, vous ne soyez pas au combat ? réussit-il à demander.

— Trop violent. Je ne supporte pas la vue du sang.

Les portes de l'ascenseur se refermaient sur Jamie et Joel quand Rosarita passa, les manquant de quelques secondes. Elle était folle de rage. Lui poser un lapin et lui faire rater le début du combat ! Quel mufle ! Il lui paierait ça.

Toujours marmonnant, elle arriva devant le tapis rouge qui menait à la tente. Elle chercha un employé et lui brandit son billet sous le nez.

— Vous ne pouvez pas entrer maintenant, madame. Ils sont au milieu d'un round.

— Je le vois bien.

— Il faut que vous attendiez.

— Je n'attends jamais, articula-t-elle d'une voix de gorge. J'ai un fauteuil au premier rang. Conduisez-moi là-bas tout de suite.

— Les gens n'aiment pas trop qu'on les dérange au milieu d'un combat, protesta l'homme, déjà moins sûr de lui.

— Qu'ils aillent se faire foutre. Conduisez-moi ou je vous garantis que vous serez viré.

— Dites-moi la vérité, ordonna Jamie.

— Quelle vérité ?

À peine entré dans la chambre, Joel s'était effondré dans un fauteuil.

— Franchement, Joel, on dirait que vous vous êtes fait tabasser. Votre veste est déchirée et vous êtes blanc comme un linge. Je vous le répète : que s'est-il passé ?

— Oh, je ne sais pas... Deux types me sont tombés dessus à propos de fric que je leur devrais.

— Comment pouvez-vous devoir de l'argent ? Votre père est un des hommes les plus riches d'Amérique.

— Oui... Stupide, hein ?

— Je suis vraiment désolée pour vous. Tenez, j'ai une idée. Si on commandait une bouteille de champagne ?

— Pour fêter quoi ? dit-il d'un ton amer.

— Mes mille dollars, répondit-elle avec un grand sourire. Pas mal, pour une débutante, hein ?

— Pas mal, reconnut-il.

— Un type a essayé de me donner des tuyaux. Mais il n'était pas aussi malin que vous.

— Ah non ?

Il retrouva un semblant de sourire. Cette fille était en train de le draguer, sauf erreur.

— J'ai déjà bu trop de champagne. Je me sens un peu partie.

— Ah oui ?

Jamie s'était jetée en travers du lit, une main sur les yeux, et il en profita pour se livrer à un examen approfondi. Pourquoi n'avait-il jamais fantasmé sur Jamie Nova ? Parce qu'elle était mariée et qu'il n'avait pas envie de prendre de risques ? Non. Il se foutait pas mal des maris ! Son aventure avec Rosarita en était la preuve. Non, la vérité, c'est qu'il ne la trouvait pas tellement appétissante. Son côté un peu trop bon chic, bon genre lui coupait ses effets.

Quand même... C'était un beau morceau. Et ses jambes !

Plus que jolies... Sa jupe s'était relevée, dévoilant une cuisse prometteuse : était-ce un hasard ou bien une invite ?

— Commandez le champagne, Joel, murmura-t-elle en bâillant. J'ai une soif épouvantable.

Décidément, même souffrant les mille morts, il ne pouvait pas laisser passer une occasion pareille.

— D'accord, je commande le champagne et vous vous occupez de la musique.

— La musique ? Oh ! oh ! vous soignez l'ambiance, Joel. Inutile ; je vous trouve sexy même sans accompagnement musical. Un petit rire juvénile. Eh oui, vous me donnez des idées, vous savez...

— Sans blague ?

Elle se releva sur un coude, dans une pose naïvement provocante.

— Vous êtes différent, plein d'une force sauvage... Peter est si coincé.

— Tiens donc !

Tout d'un coup, il se sentit beaucoup mieux.

Le Taureau remporta le deuxième round. Antonio avait pourtant essayé de riposter, mais son adversaire ne baissait pas la garde.

Je vais me débarrasser de ce petit connard qui se la pète, décida le champion.

Et sa détermination se lisait sur sa figure.

Rosarita finit par atteindre son fauteuil. Elle était essoufflée et encore furieuse contre Joel.

— Où étais-tu passée ? demanda Dexter.

Elle l'examina attentivement pour guetter sur ses traits les premiers effets du poison. Rien, du moins rien de visible. Il fallait encore attendre.

— Il a fallu que j'aille chercher mon étole. Et puis je me suis trouvée coincée dans la salle de bains.

— Comment ça : coincée dans la salle de bains ?

— Oh, laisse tomber !

Et elle concentra ses regards sur le ring. Deux hommes à demi nus, ruisselant de sueur, prêts à faire couler le sang... Qu'est-ce qu'une femme pouvait rêver de mieux ?

59.

Le garçon d'étage était cubain et plutôt mignon, quoique court de taille. Il apporta deux coupes et le champagne dans un seau à glace.

— Je l'ouvre pour vous ? demanda-t-il tout en lorgnant Jamie.

— Oui, fit Joel en cherchant un billet dans sa poche.

— Faites ! renchérit Jamie en pouffant.

Il était vraiment baisable. En cas d'échec avec Joel, ce serait sa fête.

Troisième round. Antonio fit un nouvel effort pour reprendre la situation en main.

Inutile. Ali le Taureau était solide comme un mur de brique et il lançait un direct du droit redoutable.

À la fin du round, Antonio avait l'arcade sourcilière gauche entaillée ; le sang inondait son visage ; le public poussait des acclamations.

— Votre téléphone clignote : vous devez avoir un message, fit observer Joel.

— Versez le champagne pendant que j'écoute le répondeur, dit Jamie, tout à fait partie. Profitez-en pour vous rafraîchir, et demandez à la femme de chambre de recoudre votre veste.

— Je m'en occuperai à mon hôtel.

— On a peur de se montrer tout nu, hein ?

Elle le narguait, la tête penchée sur l'épaule, dans

l'attente d'une réaction. L'ennui, c'était qu'il était dans un triste état. Les élancements dans le bas-ventre persistaient et son estomac lui jouait des tours.

— Je peux utiliser votre salle de bains ? murmura-t-il.

— Allez-y, dit-elle en décrochant le téléphone.

« Jamie ! lui cria dans l'oreille la voix furieuse de Peter. Qu'est-ce qui te prend ? Bon sang ! Je sais que tu voulais fêter l'anniversaire de Madison avec elle, mais filer comme ça à Vegas sans même me prévenir, c'est stupide et infantile. Je viendrais bien te chercher mais j'ai horreur de cet endroit. Une conversation sérieuse s'impose car je refuse d'accepter une pareille attitude d'enfant gâtée. Cesse tes gamineries, Jamie. Tu es une femme mariée. »

Elle raccrocha. Les paroles de Peter résonnaient à ses oreilles. *Stupide. Infantile. Enfant gâtée.*

Comment osait-il ?

— Joel ! cria-t-elle en tirant violemment sur la fermeture Éclair de sa robe. Revenez-vite et baisons !

Quatrième round pour Ali : les affaires d'Antonio allaient mal. Sa coupure à l'arcade sourcilière s'était élargie et le sang en coulait abondamment. Ali le poursuivait autour du ring en lui assenant une pluie de coups.

Mme Ali porta à ses lèvres son chapelet pour en embrasser les grains de diamant avec ferveur.

— Si du sang gicle sur ma robe, je m'en vais, déclara Rosarita.

— O.K., va-t'en, répondit Dexter.

Quelque chose dans le ton de ce minable l'alerta. Elle lui jeta un regard mauvais.

— Qu'est-ce que tu as dit ?

— Va-t'en. Sors. Fais ce que tu veux.

Manifestement, le poison commençait à agir : elle n'avait jamais entendu Dex parler ainsi.

Les clameurs montèrent du public tandis qu'Ali décochait un nouveau direct sur l'œil tuméfié d'Antonio.

— J'ai dit « va-t'en », parce que moi, en tout cas, c'est ce que je vais faire. Me tirer.

— Ah ! ricana Rosarita. C'est un peu tard, tu sais...

Chas se pencha vers eux.

— Vous voulez bien la boucler ? Ces deux types sont en train de se massacrer, et j'essaie de suivre. Alors cessez de glapir !

— Je ne peux pas regarder ça, dit Madison en se cachant les yeux. C'est sadique.

— Mais non, protesta le Big Boss. Deux êtres humains à l'apogée de leur virilité, sur le point de laisser échapper une animalité venue du fond des âges...

— Deux abrutis assoiffés de fric, corrigea Natalie, en train de se démolir pour faire jouir le public.

— Quoi qu'il en soit, reprit Madison, je déteste. À voir la façon dont ce type cogne, Antonio aura le visage en bouillie à la fin du combat. Est-ce qu'on n'est pas censé arrêter le combat quand ça prend une tournure pareille ?

— Les organisateurs se soucient plus des goûts des spectateurs que du bien-être des boxeurs.

— Tout ça pour du pèze, insista Natalie. Ouille ! Vous avez vu ça ?

Antonio était au tapis et Madison sentit monter la pitié.

Joel n'était pas homme à refuser pareille proposition. Il jaillit de la salle de bains, prêt à s'exécuter.

Jamie était toujours étendue sur le lit. Elle avait encore son air B.C.B.G. elle n'avait plus de robe... Juste un élégant soutien-gorge de dentelle blanche et une minuscule petite culotte. Et elle attendait.

Pourtant, contrairement au mec moyen que ce genre de beauté classique mettait en rut, Joel restait froid.

Il se débarrassa laborieusement de sa veste, de son pull de soie noire à col roulé et de son pantalon. Jamie nota aussitôt qu'il était plutôt avantagé par la nature – pour reprendre une des formules imagées de Natalie, le gaillard était monté comme un âne.

Elle attrapa la bouteille de champagne et but quelques gorgées au goulot pour se donner du courage. La vengeance n'était pas une partie de plaisir. Juste une épreuve dont elle ne viendrait à bout qu'en se mettant en condition.

Cinquième round. Antonio continuait à se faire tabasser. Non seulement Ali le Taureau le martelait d'une série de méchantes droites, mais le sang commençait à lui brouiller la vue.

Il tenta de contre-attaquer en frappant son adversaire au corps.

Ali ne bougeait pas. Il avait déjà envoyé une fois Antonio au tapis et il comptait bien l'y réexpédier pour le compte.

Terrifié, abasourdi, Joel affrontait la plus épouvantable des situations qu'il eût jamais connues : il ne bandait pas ! Impossible, impensable, même. Oh ! bien sûr ! il avait entendu des copains évoquer ce genre de défaillance, mais lui, il n'était pas comme eux. Il n'avait jamais regardé un joli cul sans que la tension monte...

Or il était vautré sur ce que la plupart des hommes considéraient comme une créature de rêve... Et rien ! En guise d'appel au secours, il invoqua l'image de Rosarita dans ses accessoires les plus excitants – guêpières noires, slips découpés, etc. Merde ! Rosarita ! Le rendez-vous ! Elle était folle de rage, sans aucun doute. Il allait devoir lui tailler un récit sur mesure pour lui faire avaler le lapin. Bah ! si elle ne le croyait pas, tant pis ! Elle n'était pas la seule gonzesse à New York.

Il avait un problème plus immédiat. Même l'évocation des meilleurs angles de l'anatomie de Rosarita restait sans effet. En vérité, il continuait de souffrir de douloureux élancements dans l'entrejambe, il avait l'estomac en feu, bref, il était malade.

— Ça va ? demanda Jamie, consciente du peu d'effet qu'elle faisait à Joel.

Voilà qui n'était pas fait pour lui remonter le moral.

— Je ne me sens pas trop bien, marmonna-t-il, affalé sur elle comme un poids mort.

— C'est... c'est à cause de moi ? s'enquit-elle en se dégageant.

— Non, mon chou. Je vous jure.

Elle s'agenouilla sur le lit, toujours en sous-vêtements.

— Je suis désolée.

Et elle éclata en sanglots. Il ne manquait plus que ça ! Il

souffrait le martyre et cette bonne femme à demi nue pleurait toutes les larmes de son corps.

— Qu'est-ce que vous avez ? balbutia-t-il.

— Qu'est-ce que j'ai, oui ! Pourquoi ça ne marche jamais ? J'étais bien partie avec Kris Phoenix, et sa petite amie débarque. Maintenant, vous êtes là comme une chiffe molle. C'est pour ça que Peter s'envoie un mec ?

— Peter s'intéresse aux mecs ? demanda Joel, stupéfait.

— Oui. Pourquoi croyez-vous que je suis là ? Elle sauta à bas du lit, affolée. Oh, mon Dieu ! Mais qu'est-ce que je dois faire ?

— Appelez un médecin, gémit Joel, les mains crispées sur le ventre. Et vite.

— C'est si désagréable que ça, avec moi ? demanda-t-elle en scrutant les traits déformés de son visage.

Elle n'arrivait pas à croire qu'elle avait produit sur lui cet effet bizarre.

— Vous n'y êtes pour rien, haleta-t-il. Ces fils de pute m'ont donné des coups de pied dans le ventre et... bon sang, je crois qu'ils m'ont amoché. Oh, Seigneur ! fit-il en roulant sur le côté et en fermant les yeux.

— Joel ! s'écria Jamie en le secouant. Vous n'allez pas vous endormir ! Réveillez-vous !

Il poussa un gémissement et replia les jambes contre sa poitrine. Puis il poussa un long cri étranglé, parut suffoquer, et ce fut le silence.

60.

Sixième round. Ali serait champion, tout le monde le savait, à présent. Enfin, tout le monde, sauf Antonio. Entre les reprises, il se recroquevillait dans son coin, entouré par ses soigneurs qui lui prodiguaient leurs conseils en suggérant de nouvelles tactiques.

— Vos gueules, grinça-t-il en crachant du sang dans un seau. Je vous ai assez écoutés ; regardez où j'en suis. Maintenant, je boxe à ma façon.

— Du calme, Tonio, le prévint son manager. Si jamais il t'envoie de nouveau au tapis, restes-y ; tu éviteras le pire.

— Va te faire foutre. Je vais gagner le titre. Je vous parie vos putains de *cojones*.

Il savait que, s'il réussissait à esquiver, même aveuglé par le sang, il avait une chance. Il connaissait le point faible du champion : son arrogance.

Antonio plaça deux ou trois directs au corps – le tout-venant, puis, brusquement, il décocha son coup favori, un crochet du gauche à la mâchoire, avec une violence dont personne ne le croyait plus capable. Surpris, Ali trébucha.

Des rugissements montèrent du public. Le perdant ripostait !

Ali se redressa, prêt à répondre, mais Antonio avait retrouvé toute sa hargne. Il avait sa chance, il le sentait.

Concentre-toi. Toi, Antonio Lopez, dit la Panthère, ton destin se joue ce soir.

Il n'avait plus aucune chance de gagner le combat aux points, il lui fallait donc mettre le champion K.O. Il rassembla toutes les forces qui lui restaient, concentra son énergie et oublia un instant tout ce qui n'était pas ses poings. Puis, en un seul élan, il lança deux autres crochets du gauche dans la mâchoire d'Ali. Sous les yeux du public stupéfait, le Taureau tomba comme une masse et ne se releva pas.

L'arbitre commença à compter.

— Un... deux... trois...

— Debout, criaient les spectateurs. Debout !

— Quatre... cinq... six...

— Debout ! hurla la femme d'Ali.

— Sept... huit... neuf... *dix* !

Ce fut du délire. Antonio Lopez la Panthère était le nouveau champion – il l'avait annoncé !

Les spectateurs sortaient, encore abasourdis par la surprenante issue de ce superbe combat.

— Je n'aurais jamais cru qu'il s'en tirerait, déclara Madison.

— Moi, si, lança Cole. Il a des yeux de tueur.

Jake les rejoignit. Il saisit Madison par le bras et la serra contre lui.

— On a gagné ! dit-il, ravi. Maintenant, je peux t'acheter un cadeau.

— On a gagné ! répéta-t-elle avec la même joie – pourquoi donc se sentait-elle si heureuse ?

— Oui, et on a notre couverture. Je sais exactement quel cliché Victor utilisera.

— Il vaudrait mieux que je l'appelle, dit Madison. Il va me réclamer l'article et je ne l'ai pas encore terminé.

— Quand retrouvons-nous Jamie ? demanda Cole.

— Oh, je l'appelle dans sa chambre, dit Natalie en prenant son portable. Je ne sais pas ce que vous en pensez, mais, moi, je meurs de faim !

— On a perdu, merde, grommela Chas, d'humeur sombre. Cinq briques.

— *Tu* as perdu, fit observer Renee avec un sourire triomphant. *Moi,* j'ai gagné. Comme je suis une petite futée, j'ai parié sur le vainqueur.

— Vrai ?

— Tu aurais dû m'écouter, mon grand. Tu sais que j'ai le feeling pour les gagnants.

— C'est sûr, reconnut Chas, sa mauvaise humeur envolée.

— Tu te souviens de ce jour aux courses...

— Quand tu m'as supplié de parier sur...

— Le cheval qui était à vingt contre un...

— Où tu m'as dit que c'était dingue.

— Où je t'ai dit que *toi* tu étais dingue.

— Et puis...

— Vos gueules ! s'exclama Varoomba. Vous ne pouvez pas arrêter de ressasser vos souvenirs de service militaire, tous les deux ? Ça me rend malade !

— De quoi voulais-tu me parler ? demanda Rosarita dans la foule qui les entraînait.

— De nous, répondit Dexter.

— De nous ?

Mais pourquoi diable tenait-il encore debout ? Ah, les poisons par correspondance !

— Je te quitte, Rosarita.

— Tu quoi ?

— J'ai rencontré quelqu'un. Quelqu'un d'affectueux, de généreux. Qui me rendra heureux.

Elle était bonne, celle-là. C'était lui qui la quittait. Avant ou après de calancher ?

— Tu es pitoyable, ricana-t-elle.

— Je sais que tu n'as aucun respect pour moi, dit-il avec le calme d'un vrai gentleman, alors ce sera mieux pour tout le monde. Je t'accorde ce divorce que tu réclames depuis si longtemps et je ne demande rien en retour, sauf la promesse de me laisser voir notre bébé quand je le voudrai.

— *Notre* bébé, hein ? fit Rosarita, bouillant de rage. *Notre* bébé ? Désolée, Dex, il est à moi mais rien ne te prouve qu'il est à toi !

Ce fut l'instant précis que Martha choisit pour bondir sur Dex. Elle se cramponnait à son bras comme s'il était le dernier canot de sauvetage dans une mer démontée.

— Dickie ! s'écria-t-elle. Dis au photographe de prendre une photo de toi avec ta maman !

— Elle veut nous voir, annonça Natalie.

— Qui veut nous voir ? demanda Madison.

— Jamie.

— Tu ne lui as pas dit de nous rejoindre directement au restaurant ?

— Si, mais elle tient à ce que nous allions dans sa chambre. Rien que toi et moi.

— Rien que toi et moi, hein ? répéta Madison, l'air d'avoir tout compris. Écoute, Natalie, tu me prends pour une idiote ?

— Comment ça ?

— Mais oui : nous frappons à sa porte, elle ouvre en grand et nous tombons sur une foule hurlant : « Joyeux anniversaire » avec un cadeau surprise et un chippendale déguisé en policeman qui se lance illico dans un numéro de strip-tease. Je connais vos plaisanteries.

— Je te promets, Mads, que Jamie a insisté pour que nous montions immédiatement dans sa chambre. Toi et moi, pas les autres.

— Je te jure, reprit Madison, que si tu te paies ma tête, je te tuerai. Jake, ajouta-t-elle en se tournant vers lui, tu es au courant ?

— Je suis totalement innocent, fit-il en levant les mains.

— Comment donc ? Et moi je suis mère Teresa – Un silence – Vous savez, les enfants, je ne marche absolument pas.

— Appelle Jamie, suggéra Natalie.

— C'est ça, oui. Et elle me dira la vérité ?

— Moi, je te dis la vérité. De toute façon, elle a l'air trop bouleversée pour dire grand-chose.

— Si elle est bouleversée à ce point-là, pourquoi veut-elle nous voir ?

— Probablement pour nous confier ce qui l'a mise dans cet état, expliqua Natalie. Tu connais Jamie, elle ne supporte pas les situations de crise. Peter a dû l'appeler et elle est effondrée sur son lit, en larmes.

Jake intervint, pacificateur.

— Bon. Vous, les filles, montez voir Jamie, et nous, nous allons au restaurant vous attendre.

— Je sais que vous me faites marcher, grommela Madison en suivant Natalie, et j'ai horreur de ça. Je déteste les gâteaux d'anniversaire, je déteste les chansons en chœur et toutes ces conneries de rites pour ados attardés. Surtout maintenant que j'ai trente ans. Trente ans, tu te rends compte, Nat ?

— Oui, je me rends compte, parce que mon anniversaire à moi, c'était il y a un mois, tu te rappelles ? Et je suis en train de perdre ma jeunesse dans une émission de merde dont je n'ai rien à cirer !

Les trois couples de Chinois qui étaient dans l'ascenseur avec elles se lancèrent des coups d'œil affolés.

— Je t'assure, répéta Madison en s'engouffrant dans le couloir. Le moindre petit chippendale, le moindre petit gâteau ou je ne sais quoi d'autre, et je me tire. Tant pis pour le scandale.

— Je jure, se récria Natalie en frappant à la porte de Jamie, que je ne sais absolument pas de quoi il s'agit.

— Qui est là ? murmura une voix tremblante.

— Nous, répondit Natalie, les mousquetaires... Tu te souviens ?

Jamie entrebâilla la porte.

— Salut. On peut entrer ? Ou tu préfères qu'on campe dans le couloir ?

— Qu'est-ce qui se passe ? interrogea Madison. Et pourquoi es-tu en peignoir ?

— C'est peut-être elle, la strip-teaseuse surprise.

— Vous êtes seules, n'est-ce pas ? s'assura Jamie. Vous n'avez amené personne avec vous ?

— Si, répliqua sèchement Madison, Kris Phoenix et sa copine sont juste derrière nous. Je n'ai pas bien compris mais je crois bien qu'il expliquait à la presse qu'il venait te sauter.

— Ce n'est pas drôle, souffla Jamie d'une voix angoissée. Je suis dans un cauchemar épouvantable.

— Quoi ?

— Entrez vite et refermez tout de suite derrière vous.

— Jamie, cesse de te conduire comme si tu avais témoigné contre la Mafia, proféra Madison, agacée. Peter est ici ?

— Non. Pas Peter, mais... Regardez.

Elles pénétrèrent dans la chambre, regardèrent... et virent ! Joel Blaine entièrement nu, à plat ventre sur le lit.

— Je le savais ! s'écria Madison. Je le savais ! Une farce débile !

Jamie écarquilla de grands yeux affolés.

— Ce n'est pas une plaisanterie. Joel est mort.

61.

Antonio Lopez dit la Panthère était né pour être champion. Il en avait la gueule ; il en avait la tchatche. L'arcade sourcilière barrée d'un pansement, le sourire en or, il déboula, porté en triomphe, à la fête organisée en son honneur. Tous ces connards de riches bavaient devant lui.

Je suis le champion, le putain de bordel de champion.

Son manager fendit jusqu'à lui une foule compacte composée d'admirateurs, de journalistes, de pique-assiette et de femmes au bord de l'évanouissement.

— M. Leon Blaine veut faire ta connaissance, lui chuchota-t-il. Tu sais qui c'est ?

— Non, un mec important ?

— M. Blaine est un des hommes les plus riches du monde, expliqua respectueusement le manager. Et il est avec Carrie Hanlon.

— Ahaah ! Il m'apporte la récompense pour la nuit ?

— Attention à ce que tu dis.

Le manager n'avait aucune illusion ; à partir de ce jour, le champion ne ferait plus jamais attention à ce qu'il disait. Ça promettait...

Coincée entre Leon et sa gardienne de prison, Carrie s'énervait.

— Je me demande où est passé Joel.

— Ce garçon nous emmerde, commenta simplement Leon.

— Cela ne vous inquiète pas qu'il ait manqué la rencontre de boxe ?

— Je ne m'inquiète jamais de ce que fait Joel. Dès l'instant que ça ne m'oblige pas à sortir de l'argent.

Carrie s'enfonça dans la cohue. Si seulement elle trouvait quelqu'un pour la raccompagner à New York en jet privé ! Tout, plutôt que de faire le voyage de retour seule avec Leon et Marika. Ses pensées allèrent à Eduardo. Dire qu'elle avait manqué ça ! Pour rien... Elle rêvait à présent d'un corps jeune et brûlant – elle avait tellement besoin de se changer les idées, de chasser l'image glaciale de la gardienne de prison, mais il était trop tard.

— Cette fille est la vulgarité même, déclara Marika à Leon en la regardant s'éloigner.

Il pouvait remercier le ciel d'avoir une femme de tête à ses côtés. Sans elle, Dieu sait quelles bévues il était capable de commettre.

Dexter était en état de choc. « Rien ne te prouve qu'il est à toi ! » avait craché Rosarita avec un rictus mauvais. Quelle sorte d'être humain était-elle pour être aussi cruelle ?

D'un autre côté, elle lui avait ôté tout remords de la quitter – mais il était possible qu'elle mente. Rosarita n'accordait aucune valeur à la vérité, il ne le savait que trop bien. Mais il avait la parade ; il lui accordait le divorce qu'elle réclamait à cor et à cri et, sitôt la naissance du bébé, il ferait faire un test de paternité. Si elle croyait qu'elle réussirait à le priver de leur bébé, elle se trompait lourdement.

Il chercha son père, qui traînait à une table de roulette.

— Papa, annonça-t-il, je pars.

— Comment ça ?

— Je rentre à New York. Dis à Chas que je suis désolé.

— Rosarita part avec toi ?

— Non.

— Nous partons tous demain. Tu ne peux pas attendre ?

— Non, j'ai quelque chose d'important à faire et je veux m'en occuper tout de suite.

— J'appelle Jake, annonça Madison.

— Tu ne peux pas faire ça, s'affola Jamie.

— Enfin, bon sang, on ne va pas rester les bras croisés.

— Que s'est-il passé, au juste ? demanda Natalie.

— C'est... c'est un accident, expliqua Jamie. Nous nous apprêtions à faire l'amour... Il était sur moi... Mais... il n'arrivait pas à bander. Là-dessus, il a... il a commencé à ne pas se sentir bien.

— C'est le moins qu'on puisse dire ! ironisa Natalie.

— Oh, mon Dieu ! balbutia Jamie. Tu crois que je l'ai tué ? C'est le ciel qui m'a punie pour avoir quitté Peter.

— Espèce de catho bornée ! s'enflamma Natalie avant d'ajouter, en lui ouvrant tout grands les bras : Viens, mon bébé. Tu n'as tué personne. Il a sans doute été victime d'une crise cardiaque.

— Non, je l'ai tué, insista Jamie. J'en suis sûre.

— Pas du tout, protesta Madison. Nous ferions mieux d'appeler l'hôpital.

— Sûrement pas, déclara Natalie. Tu te rends compte de l'effet que ça fera ? Il faut trouver le moyen de régler ça avant d'appeler qui que ce soit.

— C'est bien pourquoi j'ai besoin de Jake, insista Madison.

— Personne ne doit être au courant, s'affola une nouvelle fois Jamie.

— Oh, Seigneur ! gémit Natalie, le regard posé sur le dos velu de Joel. Tu es sûre qu'il est mort ?

Madison s'approcha de lui pour lui prendre le pouls.

— Tout à fait, confirma-t-elle.

— Mais qu'est-ce que tu foutais avec Joel Blaine ? s'emporta Natalie. Je t'avais dit de te méfier de lui ! Un mec tordu.

— Je l'ai rencontré par hasard. Et comme je voulais me venger de Peter par tous les moyens...

— Qu'il aille se faire foutre, le mari, cria Natalie. Ce salaud. Regarde le pétrin dans lequel il t'a mise.

— Attendez, commença Madison, j'ai une idée. Quand j'étais gamine, mon père se rendait régulièrement à Vegas, et il descendait toujours dans cet hôtel. Il racontait qu'il y rencontrait des investisseurs. J'ignore s'il peut nous aider, mais, comme de toute évidence il connaît bien Vegas, ça vaut la peine d'essayer.

— D'essayer quoi ? demanda Natalie.

— D'étouffer l'affaire. Soyons réalistes. Si on découvre le cadavre de Joel dans la chambre de Jamie, elle sera forcément suspectée, et ça déclenchera un vrai scandale. Alors, si Michael a une solution à proposer...

— Vraiment ? implora Jamie. Tu appellerais ton père pour moi ?

— Oui. Vite, avant que je change d'avis.

— Utilise mon portable, suggéra Natalie. Comme ça, il n'y aura pas de trace.

Madison prit une profonde inspiration et jeta un coup d'œil à sa montre : dix heures et demie à Vegas, donc, minuit passé à New York. Elle ne se sentait pas encore prête à affronter les mensonges de Michael, mais, en l'occurrence, l'urgence faisait loi.

La gorge sèche, elle composa le numéro.

— Oui ?

— Michael ?

— Maddy... c'est toi ? Quelle heure est-il ?

— Il est tard. Tu dormais ?

— Je regardais la télévision, j'ai dû m'assoupir. Il bâilla longuement. Que se passe-t-il ?

— Je suis à Vegas.

— Que fais-tu là-bas ?

— Un reportage, mais... il est arrivé un pépin.

— Quoi donc ? demanda-t-il, à présent sur le qui-vive.

— C'est... c'est mon amie, Jamie. Elle... est dans sa chambre, au Margiriano... Elle était au lit avec un type... Joel Blaine, le fils de Leon Blaine.

— Et ?

— Nous pensons qu'il a dû avoir une crise cardiaque parce qu'il est là, mort dans son lit, et nous ne savons pas quoi faire.

— Qui ça, nous ?

— Jamie et Natalie. Des copines de fac.

— Si j'ai bien compris, tu es dans une chambre d'hôtel avec tes amies et il y a un fils de milliardaire mort dans le lit ?

— Oui, et je t'appelle parce que tu es la seule personne susceptible de nous aider.

— Évidemment... Un problème de cadavre ? Demandez Michael Castelli ! C'est à ça que je sers ?

— Michael, je t'en supplie. Nous sommes désespérées.

— Quel est votre numéro de chambre ?

— Le 503.

— Ne bougez pas. D'ici un quart d'heure, quelqu'un frappera à votre porte.

— Vraiment ?

— Il s'appelle Vincent Castle. Tu as noté ? Vincent Castle. Il s'occupera de tout. Ça te va ?

— Oui, Michael. Et elle raccrocha. Tout est réglé.

— Qu'est-ce que tu racontes ? protesta Natalie. Rien n'est réglé. Si je ne me trompe, nous sommes encore là toutes les trois à papoter devant un cadavre.

— J'ai confiance en mon père.

— Ah ! Maintenant, tu as confiance en lui ! Hier, tu ne voulais même plus en entendre parler.

— Les temps changent.

— Drôlement vite, même.

— Écoute, reprit Madison, je crois que le mieux, c'est que tu ailles au restaurant pour expliquer que Jamie a la grippe ou Dieu sait quoi et qu'elle ne viendra pas. Histoire de noyer le poisson. Moi, j'attends ici...

— Quel cauchemar ! gémit Natalie.

— Je sais. Mais on va s'en tirer.

— Vous êtes formidable ! s'exclama Varoomba, ses faux cils papillonnant frénétiquement. J'adore ce que vous faites.

— Sainte Mère de Dieu ! roucoula Antonio en la déshabillant des yeux – ce qui n'était pas difficile, car elle était peu habillée.

— Vous avez des mouvements de corps ! poursuivait-elle. Tellement impressionnants !

— Je suis sûr que les vôtres ne sont pas mal non plus.

Elle baissa les yeux et releva sa devanture.

— On me le dit...

— Qu'est-ce que vous faites dans le civil, beauté ?

— Je suis danseuse.

— Sans blague ! Et si on faisait un tour de valse tous les deux ? Pourquoi pas ce soir même, ma poulette ?

Varoomba lança un regard au bout du salon où Chas et

la mémé riaient en se tenant par la taille. Puis elle fit sa moue la plus étudiée.

— Pourquoi pas, champion ?

— Je veux partir ce soir, annonça brusquement Leon. Préviens les pilotes et dis-leur de se tenir prêts.

— Et Joel ? demanda Marika.

— Il n'aura qu'à prendre un avion de ligne demain. Laisse-lui un message.

— Et sa petite amie, Carrie ?

— Qu'elle se débrouille.

Marika esquissa un sourire.

— Je m'occupe de tout, Leon. La limo passera nous prendre dans une demi-heure.

62.

Jamie avait eu le temps de s'habiller et de faire sa valise quand on frappa à la porte.

— Qui est là ? s'informa Madison.

— Vincent Castle.

Elle regarda par le judas et aperçut un homme de haute taille. Elle retira la chaîne de sûreté et le fit entrer.

Seigneur ! On aurait dit Michael. En plus jeune et en plus beau. Une trentaine d'années, des boucles noires, un teint olivâtre et des yeux verts. Ils se dévisagèrent avec le même air surpris.

— Madison ?

— C'est moi.

— Et elle, c'est Jamie ?

Celle-ci acquiesça, les lèvres tremblantes.

— Bon, Jamie, expliqua Vincent. Quelqu'un vous attend dehors pour vous conduire à l'aéroport. Le billet est pris. Vous rentrez à New York et vous oubliez tout cela. Pas un mot à personne. Vous avez bien compris ?

De nouveau, elle hocha la tête.

— Et quand je dis personne, précisa Vincent d'un ton vaguement menaçant, je veux dire *personne.*

— Elle a compris, fit Madison en serrant Jamie dans ses bras. Tout se passera bien. Rends-toi directement chez moi. Je t'appellerai demain.

Dès que Jamie fut partie, Madison désigna le corps sur le lit.

— Ne me demandez pas comment, soupira-t-elle, mais je peux vous l'assurer, il est bien mort.

— Ils étaient en train de faire l'amour ? demanda Vincent en inspectant la chambre.

— Pas encore. Apparemment, il n'était pas en forme. D'après Jamie, il s'était fait tabasser sur le parking par deux gorilles. Ils prétendaient qu'il leur devait de l'argent.

— C'est le fils de Leon Blaine ?

— Jamie ne l'a pas tué, lui assura Madison. Il a dû avoir une crise cardiaque.

— C'est un préjudice terrible pour la réputation de l'hôtel. Voilà pourquoi je prends l'affaire en main.

— Vous avez un rapport avec cet établissement ?

— Disons que je suis un actionnaire, répondit-il en jetant la bouteille de champagne vide dans la corbeille.

— Votre ressemblance avec mon père est tout à fait hallucinante.

— Je sais.

Les deux coupes de champagne volèrent pour rejoindre la bouteille.

— Vraiment ?

— La vôtre aussi, d'ailleurs. Au fait, joyeux anniversaire, Madison.

— Comment le savez-vous ?

— Allons, Madison, vous êtes une fille intelligente : vous avez compris, à l'heure qu'il est.

— Compris quoi ?

— Vous feriez mieux de vous asseoir. Je pense que ça va vous secouer.

— De quoi parlez-vous ?

— Vous ne voyez pas que je suis votre frère ?

— Je... je n'ai pas de frère, balbutia-t-elle.

— Maintenant, si. Un long silence. Je suis votre demi-frère. Michael ne vous a jamais parlé de moi ? Il détourna la tête. On en discutera une autre fois, reprit-il. Pour l'instant, j'ai cet incident à régler.

— Ce n'est pas un incident, lança-t-elle, furieuse, c'est un décès accidentel. Nous ferions mieux d'appeler la police, tout compte fait. Il y a peut-être un lien entre sa mort et la correction qu'il a reçue.

— Peu importe, dit Vincent sans se démonter. Il n'est souhaitable pour personne que l'événement devienne public. Voici ce que je veux que vous fassiez. Redescendez, faites la fête avec vos amis. Demain, quittez Vegas. Et n'y pensez plus jamais.

— Vous m'annoncez tranquillement que vous êtes mon demi-frère et vous voudriez qu'on en reste là ? s'indigna-t-elle.

— Pourquoi ?

Bonté divine, même dans son comportement, il lui rappelait Michael.

— Parce que ça n'est pas possible, voilà pourquoi.

— D'accord. Voici quelques précisions. Ma mère avait une place dans la vie de Michael avant l'arrivée de Beth. Pour que celle-ci ignore son existence et la mienne, il nous a installés à Vegas où il nous rendait visite chaque mois. Nous avons eu des moments formidables, mais il était interdit de parler de l'autre famille. Puis Beth est morte, et Stella est apparue... Je ne sais pas pourquoi, Michael a caché notre existence. Il a continué à mener deux vies séparées. C'était son secret. C'était ce qu'il voulait. Satisfaite ?

— Non.

— Dommage.

— Et ce soir, quand il a appelé...

— Il ne m'a pas demandé de me taire.

— Michael devient de plus en plus insaisissable, soupira-t-elle. Qui est-il ?

Le moment semblait peu favorable à une discussion de famille. Elle se ressaisit.

— Euh... qu'allez-vous faire de... de Joel ?

— Ne vous inquiétez pas de cela. Ce n'est pas votre problème.

— Un frère me tombe du ciel un beau soir pour évacuer un cadavre encombrant, et ce n'est pas mon problème.

— Un jour, on se reverra pour en discuter. Mais pas maintenant, parce que j'ai d'autres chats à fouetter. Quant à vous, descendez rejoindre vos amis.

— D'accord, Vincent. Mais vous devez comprendre que, maintenant que je connais votre existence, je ne m'en tiendrai pas là.

— Compris, répondit-il le plus calmement du monde.

Dans un état second, elle se dirigea donc vers le restaurant. À l'instant où elle en franchissait le seuil, une petite foule se leva en entonnant *Happy birthday*, tandis qu'un serveur apportait sur un chariot un énorme gâteau orné de trente bougies.

Son regard croisa celui de Jake.

— Joyeux anniversaire, ma chérie.

— Je t'avais dit : pas de gâteau, lui murmura-t-elle à l'oreille.

— Ce n'est pas ma faute, je suis un simple spectateur. Je n'ai même pas de cadeau. Mais j'ai quelque chose de gentil à te dire.

— Quoi donc ?

— Je crois que je t'aime.

— Tu *crois* que tu m'aimes ? Tu *crois* que tu m'aimes. Qu'est-ce que c'est que ces foutaises ?

— Bon, je recommence : je t'aime.

— Ça ira comme ça.

— Et toi ?

— Comment, et moi ?

— Est-ce que tu éprouves des sentiments dont tu aimerais me faire part ?

— Eh bien...

— Viens ici, femme.

Et il l'embrassa longuement, jusqu'à lui couper la respiration.

Enfin, elle se sentit en sécurité.

Épilogue

Joel Blaine disparut sans laisser de traces. Pendant des semaines et des mois, Leon Blaine attendit un coup de fil des ravisseurs en redoutant que le montant de la rançon ne soit énorme. Rien ne vint.

Il était aussi intrigué que la presse, qui en fit ses choux gras, mais pas vraiment désespéré.

Six semaines après son retour de Las Vegas, il épousa Marika à bord d'un yacht qui croisait au large des côtes de Sardaigne.

Il n'y eut pas de contrat de mariage entre les deux époux.

Carrie Hanlon joua pendant quelque temps pour la presse le rôle de compagne éplorée de l'héritier disparu, statut qui donnait une forme d'honorabilité à sa carrière.

Sa performance fut si remarquée qu'elle lui valut deux propositions au cinéma, un contrat très intéressant pour une ligne de produits de beauté et six cents demandes en mariage.

Mais elle ne rencontra jamais Martin Scorsese.

Le soir même du match, Varoomba mit le champion K.-O. Celui-ci se découvrit en effet une véritable fascination pour les talents artistiques de la danseuse.

Après trois semaines seulement de navette, elle quitta définitivement New York pour s'installer avec lui dans sa luxueuse résidence de LA.

Les paparazzi les adoraient et ils ne les repoussaient

jamais. Autant l'un que l'autre, ils accueillaient avec un plaisir chaque jour renouvelé leur gloire nouvelle.

Chas redécouvrit Renee. Elle avait peut-être quelques kilomètres au compteur, mais c'était une femme qui lui résistait et il adorait cela. Elle vendit son affaire de téléphone rose à Vegas pour en ouvrir une à New York.

Avec les capitaux de Chas.

Dexter obtint le divorce dans des délais records et épousa Gem. Il avait annulé les rendez-vous avec Silver et signa peu après un contrat pour un film à petit budget tourné en Sicile. Annie, son agent, l'y avait encouragé pour se débarrasser de lui – il ne laissait pas passer une journée sans lui téléphoner. Mais elle était loin d'imaginer que le voyage déboucherait sur un film culte. Grâce à cet engagement, Dexter Falcon devint bientôt une grande star du cinéma d'aventures.

Rosarita se mit aux antidépresseurs. Où était Joel ? Était-il mort ? Y avait-il eu échange des verres ? Avait-elle tué son amant par mégarde ? Dans ce cas, où était le corps ?

Elle vivait dans la terreur de le voir réapparaître un jour pour l'accuser de tentative de meurtre.

Elle en fit une fausse couche, un soir qu'elle s'était battue pour avoir un taxi sous une pluie battante qui détrempait son long manteau de vison noir.

Ce n'était vraiment pas son année.

Jamie se réconcilia avec Peter. Puis, après six semaines d'une nouvelle lune de miel, elle surprit son mari à peloter le vendeur d'une chemiserie. Elle comprit alors que le moment était venu d'avoir le courage de refaire sa vie.

Elle s'efforça d'oublier Vegas et tout ce qui s'y était passé. Et elle ne but plus jamais une goutte d'alcool.

Natalie démissionna de la télé. Elle se lança dans la radio et mit sur pied une série d'entretiens féminins dans un style humoristique.

Ce fut un énorme succès.

Madison prit des vacances. Elle accompagna Jake en Orient, où elle oublia Vegas, New York et LA.

Elle avait emporté son manuscrit qu'elle poursuivit jusqu'aux derniers chapitres.

Après leur retour, Jake repartit bientôt pour la Russie, où il devait effectuer un reportage pour *Newsweek.* Madison reprit son travail à *Manhattan Style.*

Était-elle heureuse ? Elle se le demandait.

Un jour prochain, elle serait en mesure de fouiller le passé de son père.

Elle avait un frère à Vegas, une tante à Miami et, que cela leur plaise ou non, elle était bien décidée à faire leur connaissance.

Madison était du genre à survivre, et elle survivait. Et, si elle ignorait ce que l'avenir lui réservait, elle savait que, de toute façon, elle l'affronterait la tête haute.

Ce volume a été composé et mis en pages
par ÉTIANNE COMPOSITION
à Neuilly-sur-Seine.

Dépôt légal : juin 2002
Nº d'édition : 42808/01 - Nº d'impression :

transcontinental
IMPRESSION
IMPRIMERIE GAGNÉ
IMPRIMÉ AU CANADA